Bernardin de Saint-Pierre

Paul
et Virginie

avec des extraits du

Voyage
à l'île de France

Édition établie et présentée
par Jean Ehrard
Professeur à l'Université de Clermont-Ferrand II

Gallimard

PRÉFACE

« *Un des livres les plus médiocres et les plus lus de la littérature française* »? *On ne contestera pas à Etiemble le second point : même si tel récent manuel d'histoire littéraire réduit Bernardin de Saint-Pierre à la portion congrue tout en se donnant la coquetterie de préférer les* Etudes de la Nature *à* Paul et Virginie, *depuis bientôt deux siècles ce bref roman ne cesse d'être réédité. De nos jours encore il a sa place dans toutes les grandes collections, et* « Folio », *bien sûr, se devait de l'accueillir. Comment concilier pourtant ce succès prolongé avec la médiocrité que lui reproche Etiemble ou avec les défauts que les commentateurs les plus indulgents n'évitent pas de relever?* Histoire d'un amour impossible, Paul et Virginie *n'est pas* La Princesse de Clèves *du XVIIIe siècle finissant : le roman de Bernardin est loin d'atteindre à l'unité formelle et à la perfection sans ride de Mme de La Fayette. L'édition définitive de 1806 l'alourdit d'un interminable* Préambule *où l'homme Bernardin ne se montre pas sous le meilleur jour : égocentrique, intéressé, aussi susceptible que prétentieux, flagorneur, enclin à mesurer la bonté de la Providence aux versements de ses souscripteurs, obstiné à défendre contre toute raison sa fameuse* *explication des marées, complaisant à s'apitoyer sur son propre sort, ses pauvres enfants, sa vertueuse épouse... Même l'éloge appuyé de La Bourdonnais y sonne faux, tant il est clair qu'à travers cet hommage « aux vertus d'un grand homme malheureux », c'est encore de ses propres déconvenues que nous parle cet éternel insatisfait. Mais il y a pire. Passée la « longue attente » que ces jérémiades lui infligent, le lecteur retrouve fâcheusement plus d'un exemple de leur style pompeux dans le corps même du roman. Le bon vieillard de l'île de France n'at-il pas la sagesse aussi verbeuse, l'acrimonie en moins, que celui d'Eragny-sur-Oise? Sa longue conversation avec Paul n'est qu'un prêche en forme de dialogue; encore plus convenue, la consolatio méthodique qu'il lui assène après la mort de Virginie. De si prolixes discours étaient-ils vraiment nécessaires à l'équilibre de son « funeste récit » ? Le lecteur d'aujourd'hui y voit plutôt la marque, très datée, du moralisme sentimental et bavard qui n'est pas l'aspect le plus convaincant des Lumières. Il n'est pas jusqu'à la fiction romanesque qui, en dehors de tout commentaire, ne s'en trouve compromise. Une « petite société » uniformément sensible et vertueuse, deux mères modèles, de bons et beaux enfants, de vieux serviteurs — noirs de surcroît ! — d'un dévouement à toute épreuve : nous glissons vite vers la littérature édifiante, à la manière de Marmontel et de Mme de Genlis. Seul le chien Fidèle — malgré l'épithète de nature qui lui sert de nom et en fait le double du « fidèle Domingue » — échappe à cette fadeur sucrée lorsqu'il court à la recherche de ses petits maîtres égarés, « toujours en remuant la queue ». Grâces soient rendues à Bernardin pour ce détail vrai dont l'impertinence est un défi à la gravité de l'écrivain! Mais dans la noblesse voulue de son récit un tel sourire de vérité est exceptionnel. Le livre vise au pathétique et au drame. Des générations de lecteurs, et plus encore de lectrices, ont frémi à l'évocation de Virginie debout à la poupe du navire en perdition. Il s'est néanmoins trouvé au siècle dernier un critique malicieux pour remarquer que sa longue et ample robe aurait pu lui être dans les flots plutôt une aide qu'une gêne. Pour ma part, je doute que son histoire, « pâture imprudemment offerte à tant de jeunes filles », soit aussi malsaine que le suggère Etiemble. Je m'interroge en revanche sur la réaction des jeunes lectrices de « Folio » à cet épisode sublime... La fatale pudeur de Virginie risque à mon avis de les laisser au moins incrédules. Non que je les soupçonne d'être impudiques : simplement, je leur prête une tout autre exigence de dignité.*

Agaçant et démodé, cumulant le risque de l'ennui et celui du ridicule, le roman de Paul et Virginie n'est-il pas menacé d'avoir à payer dans l'enfer des œuvres mortes — enfer pavé de bons sentiments — un succès dû à la mode ? Ou plutôt, la remarquable longévité de ce succès ne serait-elle pas à mettre irrémédiablement au passé, comme témoignage archéologique d'une culture qui n'est plus la nôtre ? Ce qui est sûr, c'est que l'ouvrage n'est pas seulement daté, comme il a été dit, par son moralisme bourgeois. Il l'est aussi, et de façon encore plus précise, par le genre même auquel l'auteur le rattache explicitement : « cette espèce de pastorale » dont parle déjà l'Avant-propos de 1788, l' « humble pastorale » du Préambule de 1806. Rêverie poétique sur l'âge d'or, la pastorale — comme l'idylle et l'églogue — relève d'une inspiration arcadienne constamment présente dans les littératures européennes depuis la Renaissance. Vers 1780, comme l'a montré Jean Fabre, cette tradition usée cherche à se renouveler à la fois dans son contenu et dans sa forme : prétention moralisatrice d'un côté, à la manière des Idylles du zurichois Gessner ; de l'autre, volonté d'insuffler un peu de vie à une fiction dont la monotonie et la fadeur commencent à lasser. La forme romanesque se prêtait à ce rajeunissement. Florian en fait la démonstration avec sa Galatée de 1783, inspirée de Cervantès, et la théorie dans son Essai sur la pastorale, publié en décembre 1787 en prélude à Estelle. Innovation remarquable : l'action d'Estelle ne se déroule plus dans une Arcadie de convention, mais en pays cévenol, pays natal de l'auteur. Malheureusement celui-ci ne va pas jusqu'au bout de son audace. Un parfum de vraie poésie occitane ne suffit pas à sauver son roman de l'artifice : pour le mener à son terme il lui faut au contraire mêler les chevaliers aux bergers et ajouter à la convention pastorale celle du genre troubadour. Jean Fabre souligne avec raison la distance qui sépare Estelle *du « chef-d'œuvre inattendu » de* Paul et Virginie *: « comme la plupart des chefs-d'œuvre, celui-ci apporte au genre et à la mode qu'il illustre à la fois son accomplissement et son démenti. »*

Son accomplissement. On croirait à un commentaire de la pastorale de Bernardin lorsqu'on lit dans l'Essai de Florian : « quant au style de la prose, il doit tenir des romans, de l'églogue et du poème. Il faut qu'il soit simple, car l'auteur raconte ; il faut qu'il soit naïf, puisque les personnages dont il parle n'ont d'autre éloquence que celle du cœur ; il faut aussi qu'il soit noble, car partout il doit être question de la vertu, et la vertu s'exprime toujours avec noblesse » (cité par J. Fabre*). L'alliage difficile de la* naïveté *et de la* noblesse *est une exigence traditionnelle du genre pastoral, et Fontenelle, par exemple, expliquait déjà qu'il n'était en rien de la vocation de celui-ci de représenter les mœurs grossières de vrais bergers. Ce parti pris avoué d'idéalisation — qui rend vaine toute accusation de fausseté — se justifiait de deux manières : par un*

choix de goût, l'esthétique de la « *belle nature* », et par une
intention d'allégorie morale, peindre le tableau d'une humanité
heureuse, en paix avec elle-même, abritée des soucis prosaïques
de la vie réelle et des orages de la passion. « *L'illusion et en
même temps l'agrément des bergeries consiste donc à n'offrir aux
yeux que la tranquillité de la vie pastorale, dont on diminue la
bassesse : on en laisse voir la simplicité, mais on en cache la
misère ; et je ne comprends pas pourquoi Théocrite s'est plu à
nous en montrer si souvent et la misère et la bassesse* »
(Fontenelle, Discours sur la nature de l'églogue, 1688).

Avec Florian, comme on l'a remarqué, la signification du
genre se transforme : sa morale devient moralisatrice. Il ne
s'agit plus seulement d'incarner un rêve d'harmonie, mais
d'enseigner la vertu... Or c'est exactement ce qu'indique en
1788 l'Avant-Propos de Bernardin : « *J'ai désiré réunir à la
beauté de la nature entre les tropiques la beauté morale d'une
petite société. Je me suis proposé aussi d'y mettre en évidence
plusieurs grandes vérités, entre autres celle-ci : que notre
bonheur consiste à vivre suivant la nature et la vertu.* » Tout a
été dit, notamment par Robert Mauzi, à l'encontre de cette plate
identification, si peu rousseauiste, si étrangère au maître dont
Bernardin se réclame, de la nature et de la vertu. Mais le
propos moralisateur, si discutable, n'efface pas le choix
esthétique auquel il sert de prétexte. Bernardin de Saint-Pierre a
voulu créer un univers de beauté. « *Beauté de la nature* » : nous
sommes moins sensibles aujourd'hui que ne le furent les premiers
lecteurs du roman à la nouveauté d'une pastorale transposée « *à
l'ombre des cocotiers, des bananiers et des citronniers en
fleurs* » ; mais nous pouvons encore apprécier l'effet poétique de
dépaysement qui en résulte, l'art de l'auteur à nous familiariser
avec une nature « *riche, variée, aimable, magnifique, mysté-*

rieuse ». Telle est du moins l'île de France du roman, recomposée par le souvenir et par une imagination d'artiste. Ce n'est pas ainsi que le voyageur l'avait vue en 1768 et décrite en 1773. Sa première impression, dont témoigne sa correspondance, avait été celle d'un décor aride et désolé : « La terre couverte de rochers est brûlée de soleil. Ici le paysage est sans verdure, les promenades sans arbres... » (cité par Pierre Trahard). Le Voyage à l'île de France évoque de même une nature calcinée : « Les flancs de ces montagnes sont couverts pendant six mois de l'année d'une herbe brûlée. » L'auteur de Paul et Virginie n'a pas eu à inventer l'été torride des tropiques, qui accentue le malaise de son héroïne. Mais il a surtout retenu l'aspect opposé du paysage tropical, dans toute sa luxuriance. L'inventaire méthodique de la flore et de la faune auquel il s'était astreint en 1773 lui fournissait une ample matière. Cette abondante documentation, le romancier l'utilise avec discernement : P. Trahard note qu'une petite part seulement en est passée du Voyage dans le roman. Discrétion méritoire, mais sur le mérite de laquelle il ne faut pas se tromper : elle est en effet encore plus marquée dans la version initiale du manuscrit Victor Cousin (voir la Notice sur la présente édition) que dans le texte imprimé. Bernardin n'est pas un écrivain visionnaire qui aurait eu à maîtriser difficilement l'exubérance de son imagination ; il se révèle plutôt bon artisan, comme il avait été vingt ans plus tôt bon observateur : un artisan qui construit d'abord la charpente de son récit avant de puiser avec pertinence dans les matériaux dont il dispose pour parfaire et orner son ouvrage. Ce faisant, il ne se borne pas à refuser une ornementation trop lourde ; il élimine aussi les détails qui nuiraient à la séduction de son tableau : disparaissent puces, araignées et autres insectes désagréables, tels ces cancrelas dont

le Voyage *nous disait qu'ils infestaient les maisons; plus
question de la saveur médiocre des poissons, de la fadeur de
certains fruits ni de l'odeur de punaise qu'exhale celui du
goyavier... Poésie des noms étranges, symphonie de couleurs et de
lumière, tout — ou presque tout — dans le décor naturel d'une
terre virginale doit être splendeur, magnificence, beauté.*

*Il ne s'agit pas de l'île tout entière, pourtant de dimensions
modestes — dix-huit jours suffisent au voyageur pour en faire le
tour à pied —, mais d'un modeste bassin de « vingt arpents »
(environ huit hectares), protégé d'une ceinture d'arbres et de
rochers : un îlot dans l'île. C'est dans ce « désert », doublement
insulaire, que vit une « petite société » en parfaite complicité
avec la nature. D'un sol ingrat, aride ou marécageux selon la
saison, le travail assidu du Noir Domingue, l'esprit industrieux
de Paul ont fait sortir à profusion récoltes et fruits tropicaux, si
bien que le résultat obtenu efface la peine qu'il a coûté : quoique
la malédiction originelle soit rappelée en un passage — « Dieu
[dit Virginie] nous a condamnés au travail » —, elle est
aussitôt éclipsée par un acte de foi en la providence divine. De
fait, la générosité de la nature multiplie ce que l'art humain lui
a donné ; Paul en tire argument pour un calcul physiocratique au
détriment du négoce : « Y a-t-il un commerce au monde plus
avantageux que la culture d'un champ qui rend quelquefois
cinquante et cent pour un ? » Mme de la Tour et son amie
avaient déjà l'habitude d'exprimer d'une autre manière, sur le
mode de l'effusion, la même certitude : « Elles admiraient avec
transport le pouvoir d'une providence qui par leurs mains avait
répandu au milieu de ces arides rochers l'abondance, les grâces,
les plaisirs purs, simples et toujours renaissants. »*

*Il ne suffit toutefois pas de cette sanctification du travail
pour transformer Paul et Virginie en robinsonnade à la gloire*

*de l'*homo faber. *Ici l'abondance répond à une frugalité fénelonienne et à la seule satisfaction des « vrais besoins ». Nos héros n'ambitionnent pas de recréer dans leur petit paradis la société européenne qui les a rejetés. Vivant en économie fermée — à l'exception de la vente épisodique de leur superflu au marché de la ville voisine —, étrangers à tout esprit d'accumulation capitaliste, ils travaillent pour vivre et non pour produire. Par-delà l'utile — défini par le strict nécessaire à la vie de chaque jour — ils ont des besoins d'un tout autre ordre :* « Paul, à l'âge de douze ans, plus robuste et plus intelligent que les Européens, à quinze, avait embelli ce que le noir Domingue ne faisait que cultiver. » *Le* ne... *que situe bien à leur place relative le simple travail productif et l'invention artistique. Même magnifié par une finalité providentielle, le premier conserve quelque chose de servile. Rien de tel dans l'énergie inventive de Paul organisant son « labyrinthe » — souvenir du jardin chinois de l'intendant Poivre, visité par Bernardin en 1768 ? — de façon à offrir au regard un décor et des perspectives constamment renouvelés. Plaisir de la variété, plaisir des yeux, plaisir de l'âme : en donnant un nom sentimental aux objets qui les entourent les héros se les approprient affectivement, les assimilent à leur destinée et à leur être :* « Ces familles heureuses étendaient leurs âmes sensibles à tout ce qui les environnait. » *A cette dilatation de l'âme dans les choses répond le mouvement symétrique du monde vers l'âme : ce sont les palmes entrelacées de « l'arbre de Paul » et de « l'arbre de Virginie », c'est la familiarité paradisiaque des enfants et des oiseaux, une communion immédiate de la créature et de la création qui fait de chaque jour un jour de fête.*

On voit sans surprise les conditions de cette harmonie originelle : l'intimité et la transparence. Le petit « nid » des deux familles serait presque trop grand : le labyrinthe de Paul le fragmente en multiples recoins qui sont autant de « retraites charmantes ». C'est le troisième degré de l'insularité. Et au plus secret du labyrinthe, dans l'enfoncement d'un rocher, la retraite la plus intime, le « Repos de Virginie ». Nul doute que Bernardin, fervent disciple de Rousseau, ne se souvienne ici de la vie à Clarens, et surtout de l'Elysée de Julie, de même que le caractère familial de ce « bonheur domestique » rappelle le moment privilégié de l'histoire humaine où le Discours sur *l'inégalité (Seconde Partie) situait « la véritable jeunesse du monde », à mi-distance « de la stupidité des brutes et des lumières funestes de l'homme civil ». Encore faut-il marquer les différences entre le roman de Rousseau et celui de Bernardin. La dominante féminine de « notre petite société » n'est pas le seul trait qui la distingue de celle de Clarens : de fait, celle-ci est une grande famille, avec de nombreux serviteurs et toute une organisation sociale savamment mise au point par Wolmar et Julie. Rien de tel pour les six personnes qui peuplent le rêve de Bernardin : deux familles si unies que malgré le partage initial du sol elles vivent en complète communauté, dans une association qui est moins une société d'avant la faute qu'une société d'avant la loi. Nous restons bien dans la pure tradition pastorale :* Paul et Virginie *est une idylle, non une utopie.*

Une pure idylle, mais une idylle fin de siècle. Dans la nostalgie de l'unité dont elle est très profondément marquée s'exprime une dernière fois le rêve de communication immédiate, en deçà des mots, qui est consubstantiel au mouvement des Lumières et lui avait déjà inspiré tant de recherches : la quête marivaudienne de la sincérité, les spéculations des Philosophes sur la langue naturelle, leur engouement pour la musique italienne, un renouvellement du théâtre et du jeu scénique. Dans

*la période heureuse de son histoire la « petite société » de
Bernardin est tout le contraire d'une société bavarde. Quand le
trop-plein du sentiment s'y libère par des mots, ce ne sont pas
ceux de la prose quotidienne, mais l'effusion musicale d'un
chant amébée. Entre Paul et Virginie, autour d'eux il n'est pas
nécessaire de parler pour se comprendre. Langage des yeux :
« Elles lisaient dans les yeux de leurs esclaves la joie qu'ils
avaient de les revoir. » Langage muet de la simple présence,
comme dans la matinée à l'anglaise de* La Nouvelle Héloïse :
« *Souvent leur repas se passait sans qu'ils se disent un mot... »
Silence de communion dans les mêmes joies et la même
jouissance de la nature : « C'était sur ce rocher que ces familles
se rassemblaient le soir, et jouissaient en silence de la fraîcheur
de l'air, du parfum des fleurs, du murmure des fontaines et des
dernières harmonies de la lumière et des ombres. »*

*Nul doute que la « beauté morale » dont parle l'auteur ne
doive beaucoup à de tels instants, dont aucune intention
moralisatrice ne compromet la plénitude ni la poésie. Bernardin
est moins bien inspiré lorsqu'il se met à l'école de Diderot et de
Greuze pour mettre en scène en style coupé et par une
gesticulation outrée un tableau de chagrin contagieux. Mais
c'est encore à la suite de Diderot et de Rousseau qu'il nous incite
à préférer à cette scène de mélodrame le théâtre vrai, silencieux,
de la pantomime. « La pantomime est le premier langage de
l'homme ; elle est connue de toutes les nations ; elle est si
naturelle et si expressive que les enfants des blancs ne tardent
pas à l'apprendre dès qu'ils ont vu ceux des noirs s'y exercer. »
Langage du corps et de la danse, langage premier, donc langage
des enfants et des Noirs. Il faut avoir mauvais esprit pour
remarquer que dans la pantomime de Ruth comme dans celle de
Séphora les Noirs ont le vilain rôle : ce racisme ingénu est trop*

discret pour troubler la limpidité et l'innocence de scènes champêtres où une fusion toute fénelonienne de la Bible et de la Grèce (les « colonnes de bronze antique » des troncs d'arbres, après l'évocation sculpturale des enfants de Niobé et de ceux de Léda) rencontre dans l'exotisme d'une terre vierge le décor le plus harmonieux. Jamais pastorale n'avait atteint une telle densité : en Paul et Virginie un genre grêle s'accomplit en s'épanouissant. Non par le seul soutien de la tradition que le roman prolonge, ni par le seul talent de l'auteur, mais porté par le siècle — le siècle entier — qu'il clôt d'une magnificence crépusculaire.

Ses premiers adaptateurs à la scène ne s'y sont pas trompés lorsqu'ils se sont aventurés à lui donner un dénouement heureux. Une pastorale tragique ne pouvait que déranger. Bernardin rompt avec l'optimisme traditionnel du genre. Peut-être même, plus profondément, met-il en question, sans le dire et sans y prendre garde, l'optimisme conquérant des Lumières dont il persiste par ailleurs à se réclamer. Car le naufrage du Saint-Géran, pour historique qu'il soit, n'est que la cause occasionnelle de la catastrophe. Celle-ci est déjà présente, dès les premières lignes, dans « les ruines de deux petites cabanes » qui suscitent la méditation solitaire du premier narrateur, puis le récit du second. Présente aussi dans le « terrain inculte » qui les entoure, dans la reprise insistante du thème des dangers de la mer, dans la lourde menace et la force destructrice de l'été tropical, et jusque dans l'extraordinaire ressemblance du héros avec l'anachorète Paul, ressemblance qui trace au premier son destin. Enfin, et surtout, la catastrophe finale s'annonce dans la « légère mélancolie » qui nuance la douceur du regard de Virginie : une mélancolie aisément explicable à l'approche du départ, mais qui va aussi — et étrangement — de pair, dès le *début du récit, avec la « sensibilité extrême » de ses yeux. Comme si toute âme sensible était vaguement prédisposée à quelque grand malheur.*

Tous ces indices, aisément déchiffrables, donnent le ton d'un récit placé sous le signe de la mort. Il n'est pas jusqu'au mode narratif qui ne contribue à cette atmosphère funèbre. Sans doute le récit à la troisième personne était-il de règle dans la pastorale comme dans le conte moral. Mais dès lors que le conte devenait roman on aurait pu s'attendre à voir l'auteur user, comme tous les grands romanciers du siècle, de la narration à la première personne. Imagine-t-on, pourtant, des mémoires de Paul, retrouvés entre deux pierres de sa cabane ? Ou bien, fût-ce comme substitut partiel du récit, sa correspondance avec Virginie ? Hypothèses absurdes, alors même que le succès des Liaisons dangereuses *porte à son apogée la vogue du roman épistolaire. Il fallait ici entre l'action racontée et le narrateur un peu de la distance de l'aède à l'épopée : d'où un récit à la troisième personne, au second degré, le premier narrateur rapportant ce qu'il a entendu de la bouche du vieillard. Comme si cette mise à distance narrative devait équilibrer la relative proximité d'un événement dont on ne sait trop s'il relève désormais d'un passé absolu — encore présent dans la mémoire d'un très vieil homme, mais sans même une inscription sur les tombeaux — ou s'il a définitivement atteint à l'éternité du mythe. Ce n'est pas sans intention que l'auteur a finalement choisi de faire disparaître, au vieillard près, tous les acteurs de son histoire, alors qu'une version antérieure laissait survivre Mme de la Tour : non pour cultiver un pathétique facile, mais plutôt parce que la pureté du mythe exigeait qu'il n'y eût pas de survivant. Virginie avait été l'âme de la « petite société » : par sa mort celle-ci se trouvait irrémédiablement condamnée. Aussi*

l'image décisive du roman n'est-elle pas la plus dramatique —
la scène du naufrage, peinte par Joseph Vernet pour le Salon de
1789 et dessinée par Prud'hon pour l'édition de 1806 — mais
la dernière vision du corps de la jeune fille à demi recouvert de
sable : image indécise, d'une sérénité céleste qui se lit encore sur
des traits où la mort a pourtant commencé son œuvre fatale, une
œuvre présente dans les « pâles violettes » mêlées sur le visage de
Virginie aux « roses de la pudeur », comme dans la main
« fortement fermée et raidie » qui serre sur son cœur le portrait
de Paul. Par cet ultime tableau Bernardin scelle lui aussi la
« miraculeuse alliance de la jeunesse et de la mort » dont parle
J. Fabre à propos d'André Chénier. Mais il le fait à sa
manière, avec une complaisance légèrement morbide qu'on ne
retrouve guère dans l'inspiration hellénique de son cadet. Plutôt
qu'à Myrto ou à Néaere il faut songer aux funérailles d'Atala,
et surtout à celles d'Hippias, au livre XIII de l'ouvrage préféré
de Paul, le Télémaque : « *Cependant on voyait le corps du*
jeune Hippias étendu, qu'on portait dans un cercueil orné de
pourpre, d'or et d'argent. La mort qui avait éteint ses yeux
n'avait pu effacer toute sa beauté, et les grâces étaient encore à
demi peintes sur son visage pâle... »

   Un autre rappel fait encore mieux ressortir, par contraste, ce
que la sensibilité de Bernardin a de discrètement décadent : le
souvenir visuel du corps de Manon dans les sables de La
Nouvelle-Orléans, intact et protégé. L'auteur de Paul et
Virginie *choisit, lui, de représenter une dernière fois la beauté*
de son héroïne au moment où elle commence à se défaire, et où
l'admiration qu'elle inspire se nuance d'une sourde angoisse : la
contradiction entre ces deux formes de pathétique, à peine
indiquée, se résout aussitôt en la douce tristesse, un peu mièvre,

qui donne au livre son unité de ton. Le maître-mot du roman est bien celui qui était apparu d'abord : la mélancolie.

Reste à rendre compte de cette forte cohérence sentimentale et littéraire. Si la tragédie ne fait pas oublier la pastorale, pourquoi celle-ci devait-elle se hausser jusqu'au tragique ? Pourquoi Virginie devait-elle mourir, et de quoi meurt-elle ? La réponse paraît claire : ce sont les « cruels préjugés de l'Europe », préjugés destructeurs, qui ont envahi et condamné la « petite société ». Les préjugés de la naissance et de la fortune, celui de la vanité et du paraître, inspirateurs de l'abus de pouvoir dont M. de la Bourdonnais est l'instrument inconscient. Car Virginie n'est pas seulement victime des intrigues de sa méchante tante, elle l'est aussi de ceux qui désirent sincèrement son bien, mais se font une fausse idée du bonheur. Sa destinée double, en l'aggravant, celle de sa mère : toutes deux, comme Marguerite, la fille-mère, et Paul, le bâtard, sont des exclues d'un ordre social qui contredit celui de la nature. Au cœur de la pastorale nous retrouvons donc l'opposition de la nature et de la société qui nourrit la réflexion critique du siècle. La corruption européenne est stigmatisée jusque par ce détail : en Europe les bois sont « infestés de voleurs » alors qu'à l'île de France, « île sans commerce » que la cupidité n'a pas encore gâtée, les clés et les serrures, ignorées de beaucoup d'habitants, demeurent « un objet de curiosité ». Par-delà même cette condamnation morale s'esquisse une critique sociale pré-révolutionnaire : dans son long dialogue avec Paul, le vieillard ne se borne pas à dénoncer, après bien d'autres, les privilèges de la naissance, l'excessive inégalité de la société française et le mépris dans lequel y est tenu le travail « mécanique ». A ces généralités il ajoute une critique très concrète des bases de l'organisation sociale en France : une société composée de « corps » et où l'individu isolé, quel que soit

*son mérite, ne peut par conséquent trouver sa place. L'insistance
du narrateur sur ce thème individualiste et la façon dont il
l'applique à la société tout entière vont bien au-delà de la
réforme avortée de Turgot. Le lecteur ne peut s'y tromper.
Malgré la date supposée du récit, nous sommes bien en 1788.*

    *Pourtant le romancier semble saisi de doutes devant sa propre
audace. Les variantes de ce passage témoignent de son hésitation
à donner à sa pastorale des accents nettement politiques :
l'opposition, décisive, entre « les corps » et « la nation », et
l'idée même de nation disparaissent du texte définitif au profit
d'un universalisme à teinte religieuse qui dilue ou escamote le
problème. De même la révolte anti-esclavagiste de Bernardin se
satisfait dans la fiction d'une solution que nous dirions
paternaliste, s'il ne s'agissait d'un paternalisme au féminin.
Réécrivons l'histoire, supposons à notre tour que le Saint-
Géran n'ait pas fait naufrage ou que Virginie ait échappé à la
catastrophe : il nous est difficile d'imaginer Paul, vingt-cinq
ans plus tard, en militant abolitionniste de la Société des Amis
des Noirs; voyons-le plutôt en riche planteur, sans doute bon
maître, mais vivant et faisant vivre les siens, en toute bonne
conscience — selon le rêve dont il entretenait jadis son vieil ami,
dans l'attente de Virginie — du travail de « beaucoup de
noirs ».*

    *Non, Bernardin n'a pas écrit quelque « bergerie révolution-
naire ». Il pousse même le sens du compromis jusqu'à brouiller
quelque peu dans son récit le contraste énoncé si fortement entre
le bonheur insulaire et la dépravation européenne. Le plus grave
n'est pas la palinodie du vieillard sur la lecture et les lettres,
tour à tour vilipendées et exaltées à trois pages d'intervalle,
après l'éloge de l'ignorance qui accompagnait l'évocation
édénique de la félicité des deux jeunes gens. Ni que la majeure*

partie de l'île de France soit elle-même gagnée par les mœurs et les abus d'Europe, faisant peser ainsi sur les deux familles une menace toute proche. Mais que le mal s'insinue jusque dans le séjour de l'innocence. Car la « petite société » est contaminée sans remède par la culture européenne, et cela de trois manières. D'abord par le regret que Marguerite et Mme de la Tour conservent de leurs provinces natales et par la secrète tristesse qui mine la santé de la seconde : « d'anciens chagrins », précise-t-elle. Entendons des chagrins anciens, mais toujours vivaces : « On vieillit promptement dans les pays chauds, et encore plus vite dans le chagrin. » De plus Mme de la Tour, à la différence de Marguerite, habituée depuis l'enfance à une vie difficile, s'inquiète de l'avenir de sa fille et redoute de la voir contrainte de travailler comme une paysanne : « comme une mercenaire », dit-elle, montrant par ce mot qu'elle demeure prisonnière des préjugés d'Europe. Enfin, et surtout, les deux femmes gardent au fond de leur cœur un vif sentiment de culpabilité. C'est évident pour Marguerite qui parle elle-même de sa « faute » ou de sa « faiblesse » de fille séduite. Ce l'est moins pour son amie, consciente de « l'abandon où l'avaient laissée ses propres parents » et de leur « dureté ». Une victime, et non une coupable ? La vérité morale n'est peut-être pas si simple. Les deux femmes ont été rapprochées par une ressemblance de situations. Mais c'est Mme de la Tour qui s'est spontanément identifiée à Marguerite. Aux yeux de celle-ci, contrite de son passé, elle n'est elle-même que « sage et malheureuse ». Mais toutes deux se persuadent que les « maux presque semblables » dont parle le narrateur ont des causes symétriques : « s'être élevée au-dessus de sa condition » pour l'une, « en être descendue » pour l'autre. Par sa mésalliance Mme de la Tour a péché contre l'ordre ; elle le sait, et c'est pourquoi elle se laisse si aisément convaincre par « l'autorité sacrée » du missionnaire de l'obéissance due « à nos vieux parents, même injustes ». Nous ne savons pas quelle place réserve au péché originel sa « théologie douce », sans doute à l'opposé du jansénisme, mais il n'est guère douteux qu'elle ne ressente son veuvage et son exil comme la punition de son erreur de jeunesse.

Ainsi pénétré des valeurs et des interdits venus d'Europe, le petit paradis tropical — un paradis d'après la faute — était voué à la précarité. Malgré la belle logique de Paul argumentant contre les inquiétudes et les projets de Mme de la Tour, cet univers tout jeune reproduit en les intériorisant des traits constitutifs de ce vieux monde dont il semblait devoir être l'antithèse : les lignes que l'on avait crues nettes se brouillent. Or ce glissement de perspective ne pouvait être sans conséquence pour le sens du récit ni le destin de Virginie. Hormis son refus — il est vrai décisif — du mariage que sa grand-tante voudrait lui imposer, le trait dominant du comportement de la jeune fille est une totale passivité. Dès lors que le missionnaire a parlé, elle ne peut que répondre, fût-ce en tremblant : « si c'est l'ordre de Dieu, je ne m'oppose à rien. » Et dans sa prosopopée à l'adresse de Paul sa « vertu » se résumera en un mot : l'obéissance. « Fidèle aux lois de la nature, de l'amour et de la vertu », Virginie se sacrifie à l'ordre divin, garant de l'ordre social. C'est pourquoi ses funérailles revêtent la pompe d'une cérémonie officielle à laquelle toute la population participe. On comprendrait mal une telle solennité et une telle ferveur, s'agissant d'une famille bienfaisante, mais discrète, sans la transfiguration de Virginie par le sacrifice. Au thème pastoral de l'innocence originelle se superpose alors le schéma chrétien de la chute et de la rédemption. Virginie a payé la faute de ses mères ; sa mort est une assomption ; bientôt on l'invoque « comme une sainte » et du « *séjour des anges* » elle appelle à Dieu tous les siens.

Encore faut-il déchiffrer la cause immédiate de sa mort : cette « *pudeur* » qui, dans l'esprit de Bernardin, est assurément indissociable de sa pureté. Le plus remarquable est que le texte impose au lecteur ce sentiment comme allant de soi, et qu'y soient superbement ignorés les débats dont il avait été l'objet tout au long du siècle : produit artificiel de l'éducation pour les uns — de Fontenelle au Diderot du Supplément ; sentiment inné pour les autres, Marivaux, Montesquieu, Rousseau. A plus forte raison le roman se garde-t-il de rappeler les diverses finalités prêtées à la pudeur féminine par ceux qui la disaient naturelle : à la fois stimulant du désir masculin et véritable prison morale, mais aussi exigence de dignité et protection contre les assauts du libertinage masculin. A vrai dire, de telles questions sont à peu près impensables dans le contexte d'un récit où nature et vertu sont supposées parler d'une seule voix. Virginie n'a jamais été une « enfant sauvage », une « fille de la nature » à la façon de l'Imirce de Dulaurens. Elle devient spontanément pudique en grandissant, soit que « la nature » le veuille ainsi, soit sous l'influence maternelle, confirmée par l'éducation distinguée qu'elle n'a pas manqué de recevoir dans la « grande abbaye » de la région parisienne où sa grand-tante l'a mise en pension. La difficulté à discerner en elle ce qui relève de la nature et de la culture se marque du reste à un détail que note judicieusement G. Benrekassa : loin de nuire à son charme, l'abandon de son modeste vêtement de toile bleue du Bengale pour une élégante robe « de mousseline blanche doublée de taffetas rose » rend sa beauté encore plus touchante. En elle l'art ne contredit pas le naturel, il l'aide au contraire à s'épanouir.

On a vu toutefois la fragilité de cet épanouissement, miné par la « mélancolie » et la « langueur ». La soumission de

Virginie, sa « vertu » ne révéleraient-elles pas quelque carence d'énergie vitale, une impuissance à vivre ? Peut-être les propos conventionnels tenus par le vieillard, après sa mort, sur le bonheur qu'elle a eu d'échapper si jeune aux douleurs de la vie comportent-ils une part de vérité. Sur Paul cette consolatio *est totalement inefficace : le jeune homme mourra d'une force vitale sans emploi, pour avoir perdu sa raison de vivre. La fin de Virginie a un tout autre sens : non pas regret de la vie qu'elle aurait pu espérer, mais refus de vivre. Acquise ou innée, sa pudeur est une force de mort. L'imagerie sulpicienne de son angélique envol « vers les cieux » a certes favorisé le succès du livre au siècle qui couronna tant de rosières et où le culte marial allait culminer dans le dogme de l'Immaculée Conception. Elle ne peut cependant effacer le contraste de deux images clés : d'un côté la vision dernière de l'héroïne, une main serrée sur ses habits, de l'autre l'image première des deux enfants enlacés nus dans leur berceau, libres dans leur corps, libres de leurs caresses. J. Fabre avait raison de créditer le roman d'une profondeur sensuelle étrangère à la littérature galante du XVIIIᵉ siècle et qui devait effrayer plus tard la pudibonderie universitaire : Emile Faguet ne supportait pas le bain nocturne de Virginie, saisie d'un « feu dévorant » dans la fraîcheur de la source. Mais la jeune fille avait été la première à en ressentir de l'effroi. Et c'est le roman lui-même qui, simultanément, exprime et refuse la sensualité : attirance et danger d'un fruit à la fois désirable et défendu. On est plus près ici de Baudelaire que de Longus, avec toutefois cette différence essentielle que « le vert paradis des amours enfantines », au moment où il s'éloigne à jamais, est évoqué au féminin. La plus grande originalité de Bernardin, son vrai talent, ne sont-ils pas dans l'attention clinique qu'il porte au « mal inconnu » de Virginie ? Dans la délicatesse et la gravité de son approche d'un sujet neuf, la puberté féminine ? En contradiction avec les illusions naturistes des Lumières, Virginie vit sa découverte de la sexualité dans le malaise et le drame. La fin de l'enfance n'est pas seulement pour elle, avec la différenciation des sexes, la rupture de l'unité originelle et l'interdit qui frappe désormais l'union du frère et de la sœur. Elle est aussi une dissociation de son être intime, vécue dans le trouble et la honte. Comme Mme de Tourvel découvrant pour la première fois le plaisir, Virginie sent que son corps lui échappe. Sa pudeur est tout le contraire de l'innocence. Et peut-être y a-t-il plus de véritable audace dans cette exploration de la subjectivité du corps féminin, chez Bernardin comme chez Laclos, à la suite de Diderot et de Rousseau, que dans les fantasmes de Sade.*

　　Alors, livre « médiocre » (Etiemble) ? ou livre « capital » (Benrekassa) ? On a lu, on peut lire Paul *et* Virginie *de bien des manières. Dans cet ouvrage à l'idéologie peu cohérente on voit se défaire l'esprit des Lumières tandis que naît, pour le meilleur et pour le pire, une nouvelle sensibilité. Mais l'inconsistance idéologique y nourrit la richesse romanesque. Peut-être sa séduction durable vient-elle de sa résistance à toute interprétation réductrice, de cette unité hétéroclite, culturellement et poétiquement si chargée de sens.*

Jean Ehrard.

Paul et Virginie

PRÉAMBULE

Voici l'édition *in*-4° de *Paul et Virginie* que j'ai proposée par souscription. Elle a été imprimée chez P. Didot l'aîné, sur papier vélin d'Essone. Je l'ai enrichie de six planches dessinées et gravées par les plus grands maîtres, et j'y ai mis en tête mon portrait, que mes amis me demandaient depuis longtemps.

Il y a au moins deux ans que j'ai annoncé cette souscription. Si plusieurs raisons m'avaient décidé à l'entreprendre, un plus grand nombre m'aurait obligé à y renoncer. Mais j'ai regardé comme le premier de mes devoirs de remplir mes engagements avec mes souscripteurs. Sous ce rapport, l'histoire de mon édition ne pourrait intéresser qu'un petit nombre de personnes : cependant, comme elle me donnera lieu de faire quelques réflexions utiles aux gens de lettres sans expérience, en les éclairant de celle que j'ai acquise, sur les contrefaçons, les souscriptions, les journaux, et les artistes, j'ai lieu de croire qu'elle ne sera indifférente à aucun lecteur. On verra au moins comme, avec l'aide de la Providence, je suis venu à bout de tirer cette rose d'un buisson d'épines.

Le premier motif qui m'engagea à faire une édition recherchée de *Paul et Virginie* fut le grand succès de ce petit ouvrage.

Il n'est au fond qu'un délassement de mes *Etudes de la Nature,* et l'application que j'ai faite de ses lois au bonheur de deux familles malheureuses. Il ne fut publié que deux ans après les premières, c'est-à-dire en 1786[1] : mais l'accueil qu'il reçut à sa naissance surpassa mon attente. On en fit des romans, des idylles, et plusieurs pièces de théâtre. On en imprima les divers sujets sur des ceintures, des bracelets, et d'autres ajustements de femme. Un grand nombre de pères et surtout de mères firent porter à leurs enfants venant au monde les surnoms de Paul et Virginie. La réputation de cette pastorale s'étendit dans toute l'Europe. J'en ai deux traductions anglaises, une italienne, une allemande, une hollandaise, et une polonaise ; on m'a promis de m'en envoyer une russe et une espagnole[2]. Elle est devenue classique en Angleterre. Sans doute j'ai obligation de ce succès, unanime chez des nations d'opinions si différentes, aux femmes, qui par tout pays ramènent de tous leurs moyens les hommes aux lois de la nature. Elles m'en ont donné une preuve évidente en ce que la plupart de ces traductions ont été faites par des dames ou des demoiselles. J'ai été enchanté, je l'avoue, de voir mes enfants adoptifs revêtus de costumes étrangers par leurs mains maternelles ou virginales. Je me suis donc cru obligé à mon tour de les orner de tous les charmes de la typographie et de la gravure françaises, afin de les rendre plus dignes du sexe sensible qui les avait si bien accueillis.

Sans doute ils lui sont redevables d'une réputation qui s'étend, dès à présent, vers la postérité. Déjà les Muses décorent de fables leur berceau et leur tombeau, comme si c'étaient des monuments antiques. Non seulement plusieurs familles considérables se font honneur d'être leurs alliées, mais un bon créole de l'île de Bourbon m'a assuré qu'il était parent du S. Géran. Un jeune homme nouvellement arrivé des Indes orientales m'a fait voir depuis peu une relation manuscrite de son voyage. Il y raconte qu'il s'est reposé sur la vieille racine du cocotier planté à la naissance de Paul ; qu'il s'est promené dans l'Embrasure où l'ami de Virginie aimait tant à grimper, et qu'enfin il a vu le noir Domingue âgé de plus de cent vingt ans, et pleurant sans cesse la mort de ces deux aimables jeunes gens ; il ajouta que, quoiqu'il eût vérifié les principaux événements de leur histoire, il avait pris la liberté de s'écarter de mes récits dans quelques circonstances légères, persuadé que je voudrais bien lui permettre de les publier avec leurs variantes. J'y consentis, en lui faisant observer que, de mon temps, cette ouverture du sommet de la montagne qu'on appelle l'Embrasure m'avait paru à plus de cent pieds de hauteur perpendiculaire. Au reste, je lui recommandai fort d'être toujours exact à dire la vérité, et d'imiter dans ses récits ce héros protégé de Minerve, qui avait beaucoup moins voyagé que lui, mais qui avait vu des choses bien plus extraordinaires *.

En vérité, s'il m'est permis de le dire, je crois que mon humble pastorale pourrait fort bien m'acquérir un jour autant de célébrité que les poèmes sublimes de l'*Iliade* et de l'*Odyssée* en ont valu à Homère. L'éloignement des lieux comme celui des temps en met les personnages à la même distance, et les couvre du même respect. J'ai déjà un Nestor dans le vieux Domingue, et un Ulysse dans mon jeune voyageur. Les commentaires commencent à naître; il est possible qu'à la faveur de mes amis, et surtout de mes ennemis, qui se piquent d'une grande sensibilité à mon égard, elle me prépare autant d'éloges après ma mort que mes autres écrits, où je n'ai cherché que la vérité, m'ont attiré de persécutions pendant ma vie.

Cependant, je l'avoue, un autre motif plus touchant que celui de la gloire m'a engagé à faire une belle édition de *Paul et Virginie* : c'est le désir paternel de laisser à mes enfants, qui portent les mêmes noms, une édition exécutée par les plus habiles artistes en tout genre, afin qu'elle ne pût être imitée par les contrefacteurs. Ce sont eux qui ont dépouillé mes enfants de la meilleure partie du patrimoine qui était en ma disposition. Les gens de lettres se sont assez plaints de leurs brigandages; mais ils ne savent pas que ceux qui se présentent aujourd'hui pour s'y opposer sont souvent

---

* L'existence actuelle de Domingue m'avait déjà été confirmée par plusieurs autres voyageurs. Ils m'ont assuré même qu'un habitant de l'île de France le faisait voir sur un théâtre pour de l'argent.

plus dangereux que les contrefacteurs eux-mêmes. Ils en jugeront par deux traits encore tout récents à ma mémoire.

Il y a environ deux ans et demi qu'un homme, moitié libraire, moitié homme de loi, vint m'offrir ses services pour Lyon. Il allait, me dit-il, dans cette ville qui remplit de ses contrefaçons les départements du midi, et même la capitale. Il était revêtu des pouvoirs de plusieurs imprimeurs et libraires pour saisir les contrefaçons de leurs ouvrages, et s'était obligé de faire tous les frais de voyage et de saisie, à la charge de leur tenir compte du tiers des amendes et des confiscations. Il m'offrit de se charger de mes intérêts aux mêmes conditions. Nous en signâmes l'acte mutuellement. Il partit. A peine était-il arrivé à Lyon que je reçus de cette ville quantité de réclamations des libraires qui se plaignaient de ses procédures, attestaient leur innocence, leur qualité de père de famille, etc. De son côté mon fondé de procuration me mandait qu'il faisait de fort bonnes affaires ; qu'il me suppliait de ne m'en point mêler, et de le laisser le maître de disposer de tout, suivant nos conventions. Je me gardai donc bien de l'arrêter dans sa marche, et je me félicitai de recevoir incessamment de lui des fonds considérables, que je devais verser dans l'édition que je me proposais de faire. Mais deux ans et demi se sont écoulés sans que j'aie entendu parler de lui, quelques recherches que j'en aie faites.

Il y a environ dix-huit mois qu'un imprimeur-libraire me fit la même proposition pour Bruxelles : j'y consentis. Il traita de fripon et de vagabond celui que j'avais chargé à Lyon de mes intérêts. A peine arrivé à Bruxelles, il me manda qu'il avait saisi plusieurs de mes ouvrages contrefaits; et après m'avoir engagé à employer mon crédit pour lui faire obtenir des jugements de condamnation, je n'en ai pas plus entendu parler que de l'autre.

J'avais sans doute compté sur des fonds moins casuels pour entreprendre une édition de *Paul et Virginie*. Engagé depuis huit ans dans des procès à l'occasion de la succession du père de ma première femme; et voyant que les créanciers de cette succession, non contents de la dévorer en frais, quoique déclarée par la justice plus que suffisante pour en acquitter les dettes, avaient jeté leurs hypothèques sur mes biens propres, quelque peu considérables qu'ils fussent, j'avais craint que l'incendie ne se portât vers l'avenir, et ne consumât jusqu'aux espérances patrimoniales de mes enfants. J'avais donc rassemblé tout ce que j'avais d'argent comptant, et je l'avais placé dans la caisse d'escompte du commerce, pour leur servir après moi de dernière ressource, ainsi qu'à ma seconde femme, qui leur tenait lieu de mère. C'était là que je portais toutes mes économies; c'était sur ce capital que je fondais l'espoir de mon édition. La somme était déjà si considérable que je l'aurais employée à acheter une bonne métairie, si je n'avais craint de livrer à des créanciers inconnus le berceau de mes enfants et l'asile de ma vieillesse, en l'exposant au soleil.

Mais une révolution de finance, à laquelle je ne m'attendais pas, renversa à la fois mes projets de fortune passés, présents et futurs. La caisse d'escompte fut supprimée. Je n'imaginai rien de mieux que de transporter mes fonds dans celle d'un de ses actionnaires, ami de mes amis, et jouissant d'une si bonne réputation, que ses commettants venaient de le nommer un de leurs derniers administrateurs. Je lui confiai mon argent à un très modique intérêt, et le priai, sous le secret, d'en disposer après moi en faveur de mes deux enfants en bas âge, et de ma femme, par portions égales. Il me le jura, et trois mois et demi après il me fit banqueroute.

J'avais éprouvé de grandes pertes dans la Révolution pour un homme né avec bien peu de fortune. On m'avait ôté la place d'intendant du Jardin des plantes : mais je ne l'avais pas demandée. Louis XVI m'y avait nommé de son propre mouvement. J'avais perdu deux pensions, mais je ne les avais pas sollicitées. Les contrefaçons m'avaient fait un tort considérable ; mais c'était plutôt un manque de bénéfice qu'une perte réelle. Ici c'était les fruits de mes longs travaux qui s'évanouissaient dans ma vieillesse, emportant avec eux l'espoir de ma famille. Cependant Dieu me donna plus de force pour en supporter la perte que je ne l'avais espéré. Ce qui m'en sembla de plus rude, ce fut de l'annoncer à ma femme. Je ne pouvais cacher cet énorme déficit à ma compagne et à la tutrice de mes enfants. Je le lui annonçai donc avec beaucoup de ménagement. Quelle fut ma surprise, lorsqu'elle me dit d'un grand sang-froid : « Nous nous sommes bien passés de cet argent jusqu'à présent, nous nous en passerons bien encore. Je me sens assez de courage pour supporter avec toi la mauvaise fortune comme la bonne. Mais, crois-moi, Dieu ne nous abandonnera pas. »

Je rendis grâce au ciel de mon malheur. En perdant à peu près tout ce que j'avais, je découvrais un trésor plus précieux que tous ceux que la fortune peut donner. Quelle dot, quelles dignités, quels honneurs, peuvent égaler pour un père de famille les vertus d'une épouse ?

Environ dans le même temps, on diminua d'un cinquième un bienfait annuel que je recevais du gouvernement. J'y fus d'autant plus sensible que j'en attribuai alors la cause à une dispute dans laquelle je m'étais engagé au sujet de ma nouvelle théorie des courants et des marées de l'océan.

Cependant, malgré ces contretemps réunis, je ne perdis point courage. Je levai les yeux au ciel. Je me dis : « Puisque je suis né dans un monde où on repousse la vérité et où on accueille les fictions, tirons parti de celle de mes enfants adoptifs, en faveur de mes propres enfants. Les fonds me manquent pour mon édition de *Paul et Virginie,* mais je peux la proposer par souscriptions. Il y a quantité de gens riches qui se feront un plaisir de les remplir. Plusieurs m'y invitent depuis longtemps. »

Je m'arrêtai donc à ce projet, et je me hâtai d'en imprimer les prospectus. Je crus en augmenter l'intérêt en y parlant d'une partie de mes pertes. Enfin, j'étais si persuadé qu'elles produiraient un grand effet, que je traitai sur-le-champ avec des artistes pour commencer les dessins qui m'étaient nécessaires. Je fixai même à un terme assez prochain la clôture des souscriptions, pour n'en être pas accablé. En effet, pour en avoir tout de suite un bon nombre, je les avais mises à un tiers au-dessous de la vente de l'ouvrage et je n'en demandais d'avance que la moitié. Une foule de gens officieux se chargea de répandre ces prospectus dans la capitale, les départements, et même dans toute l'Europe. Au bout de quelque temps, quelques-uns d'entre eux m'apportèrent des listes assez nombreuses de personnages riches, grands amateurs des arts, et surtout fort sensibles, qui me priaient d'inscrire leurs noms, mais ils ne m'envoyaient point d'argent.

Je leur fis dire que je regardais une souscription comme un traité de commerce entre un entrepreneur sans argent et des amateurs qui en ont de superflu, par lequel il leur demandait des avances pour l'exécution d'un ouvrage qu'il s'engageait à leur livrer à une époque fixe, en diminuant pour eux seuls une partie du prix de la vente; que ces avances m'étaient nécessaires pour en faire moi-même à des artistes; ce qui m'était impossible si je n'en recevais de mes souscripteurs; et qu'enfin je ne pouvais regarder comme tels que ceux qui concouraient aux frais de mon édition.

Des raisons si justes et si simples ne firent aucune impression sur eux. Je ne pus même les faire goûter à un ministre d'une cour étrangère, chargé spécialement par sa souveraine de me remettre une lettre où elle me témoignait le plus grand désir d'être sur la liste de mes souscripteurs. Il avait accompagné cette lettre d'un billet plein de compliments. Il me rencontra deux ou trois fois dans le monde, où il me dit, après bien des révérences, qu'il se faisait un véritable reproche d'avoir différé si longtemps de remplir les désirs de sa souveraine; qu'il se ferait honneur de m'apporter lui-même l'argent de sa souscription. En vain je passai chez lui pour lui en épargner la peine, il ne s'y trouva point. Comme ces scènes eurent lieu plusieurs fois, je cessai de m'y prêter. Je ne connais point de *primatum* et d'*ultimatum* dans les affaires. Ma première parole est aussi ma dernière. La liste de mes souscripteurs n'a donc point été honorée du nom de cette souveraine, parce que son ministre n'a pas jugé à propos de remplir ses intentions. Mais si jamais j'en trouve une occasion sûre, je prendrai la liberté de lui en faire parvenir un des exemplaires, comme un hommage que j'aime à rendre à ses désirs, à son rang, et à ses vertus.

Au reste je ne fus pas surpris qu'un ministre livré à la politique fît peu de cas de la souscription d'une pastorale; mais je le fus beaucoup, je l'avoue, de n'en recevoir aucune de l'Angleterre. Quoique je n'aie jamais été dans cette île, j'ai lieu de croire que mes ouvrages m'y ont fait beaucoup d'amis. Ma Théorie des mers y a un grand nombre de partisans. Des familles des plus illustres m'y ont offert un asile avant cette guerre, et plusieurs Anglais de toutes conditions me sont venus voir alors à Paris. Des savants célèbres y ont traduit mes *Etudes de la Nature*; mais on y a fait surtout un si grand nombre de traductions de *Paul et Virginie,* que l'original français y est devenu un livre classique. C'est ce que m'apprit il y a environ trois ans un de nos émigrés ci-devant fort riche. Il s'était réfugié à Londres, où il ne trouva d'autre ressource que de se faire libraire. A son retour en France, il vint me remercier d'avoir vécu fort à son aise de la seule vente de *Paul et Virginie*. Je fus sensiblement touché du bonheur que j'avais eu de lui être utile par mon ouvrage, et surtout du témoignage de sa reconnaissance. Je me rappelai, si on peut comparer les petites choses aux grandes, que les Athéniens, prisonniers de guerre et errants en Sicile, ne subsistèrent qu'en récitant des vers des tragédies d'Euripide, et qu'à leur retour à Athènes ils vinrent en foule remercier ce grand poète d'avoir été si bien accueillis à la faveur de ses ouvrages.

Encore une fois, je ne veux établir ici aucun objet de comparaison entre Euripide et moi ; mais je cite ce trait à l'honneur immortel des muses françaises, qui, comme celles d'Athènes, peuvent apporter par tout pays des consolations aux victimes de la guerre et de la politique. Comment se faisait-il donc que les Anglais vissent avec tant d'indifférence le prospectus de la magnifique édition d'une pastorale si fort de leur goût, et dans des circonstances semblables à celles où se trouvait le père de famille qui en était l'auteur ? est-ce l'amour de la patrie, qui, leur faisant regarder l'argent comme le nerf des intérêts publics, ne leur permet pas d'en laisser passer la plus petite partie de chez eux chez les nations avec lesquelles ils sont en guerre ? préfèrent-ils l'intérêt de leur commerce à celui de l'humanité ? Mais je leur offrais un monument des arts commerçable et d'un plus grand prix que les avances que j'en attendais. Se méfient-ils des souscriptions françaises ? Quoi qu'il en soit, il ne m'en est venu qu'une seule de ce riche pays, où se rend, dit-on, tout l'or de l'Europe, et où tant d'offres généreuses

m'avaient été faites ; encore m'a-t-elle été envoyée par
le fils d'une dame anglaise de mes amies domiciliée
depuis longtemps en France. Quelle est donc la cause
de cette indifférence ? Je l'ignore ; mais elle a été
presque générale dans le reste de l'Europe, malgré le
grand nombre de prospectus que j'y ai répandus.

A la vérité, je m'étais fait une loi, surtout dans ma
patrie, de ne faire aucune démarche directe ou indi-
recte pour solliciter des souscriptions, de quelque
homme que ce pût être. C'était, comme je l'ai dit, un
monument de littérature, illustré par le concours de
nos plus célèbres artistes, dont je proposais l'exécution
aux riches amateurs. A la vérité j'y avais parlé de
l'intérêt de mes enfants ruinés. Il est possible qu'en
exprimant ce sentiment il me soit échappé quelques
expressions paternelles trop tendres, qui sont bien
goûtées par les gens du monde sur nos théâtres et dans
nos romans, mais qui sont rejetées par eux dans
l'usage ordinaire de la vie à cause de leur sensibilité
extrême. Ils voient avec intérêt un infortuné sur la
scène, mais ils en détournent la vue dans la société. Je
pense donc avoir éprouvé, sans m'en douter, la vérité
de cet adage confirmé par les imprudents qui s'adres-
sent confidentiellement à eux dans leurs peines :
« Plus on se découvre, plus on a froid. »

Cependant les trompettes et les cloches de notre
renommée n'avaient pas encore sonné ; mon prospectus n'avait point encore été annoncé par les journalistes : ils attendaient, suivant leur usage, le jugement
que le monde en porterait pour y confirmer leurs
opinions ; mais voyant que sur ce point comme sur

bien d'autres il n'en avait aucune, ils se décidèrent à lui en donner.

Le premier qui emboucha sa trompette en ma faveur fut le *Journal de Paris*. Son rédacteur me trouva d'abord fort à plaindre d'en être réduit à parler si souvent au public de mes affaires particulières. Il remarqua qu'il était fort au-dessous de ma grande réputation d'écrivain d'être obligé de recourir aux souscriptions. Je crois même qu'il me renouvela à ce sujet le conseil d'ami qu'il m'avait plusieurs fois donné dans son journal, de ne me plus mêler d'écrire sur les marées, où je n'entendais rien, et d'en laisser le soin à nos astronomes. Je crus d'abord que c'était une pierre qui me tombait de la lune ; mais ce n'était pas lui qui me la jetait : au contraire il se pénétra si bien de mes malheurs et de leurs causes, qu'il oublia de parler des beautés de mon édition future. Qui n'aurait pas connu sa franchise aurait cru entendre le maître d'école qui tance l'enfant tombé dans la Seine en jouant imprudemment sur ses bords. Il me regardait sans doute comme tombé dans la mer en me jouant avec mon système des marées.

Si, en effet, je ne m'étais pas senti couler à fond, j'aurais pu lui dire que, m'étant occupé toute ma vie des intérêts du public, j'avais cru qu'il m'était permis de l'intéresser quelquefois aux miens, sans prétendre devenir chef de parti ; qu'il ne dédaignait pas lui-même de captiver sa bienveillance en lui annonçant chaque jour les événements heureux et malheureux, et jusqu'à la vente des plus petits meubles de la capitale ; que la banqueroute presque totale que j'avais éprouvée était un événement public, et que j'étais aussi fondé à m'en plaindre que lui des différents cabinets de l'Europe, dont il révélait avec tant de sagacité les projets de malveillance. J'aurais pu lui rappeler que le revenu de son journal n'était fondé que sur des souscriptions; que Voltaire s'était honoré d'une semblable ressource en faisant imprimer les œuvres de Pierre Corneille au profit de la petite-nièce de ce grand poète; qu'en ma qualité de père de famille, j'avais pu faire imprimer une pastorale au profit de mes enfants ruinés, avec d'autant plus de raison que par des lois modernes, qui ne lui étaient pas inconnues, sur les propriétés littéraires des gens de lettres, mes enfants devraient être privés des miennes dix ans après ma mort.

J'aurais pu lui alléguer d'autres raisons pour justifier mon droit naturel et acquis de raisonner sur la cause des marées; mais un homme submergé ne peut plus parler. Je me noyais en effet; les souscriptions me venaient de loin à loin et en très petit nombre [3]. Des artistes, qu'il fallait payer comptant, travaillaient avec activité : j'allais manquer de fonds et engager mes dernières ressources, lorsque après Dieu une branche me sauva du naufrage. Un libraire, homme de bien, M. Déterville, vint me demander la permission d'imprimer une édition *in*-8° de mes *Etudes de la Nature,* sous mon nom, et semblable à mon édition originale *in*-12, à quelques transpositions près, avec le privilège de la vendre à son profit pendant cinq ans, moyennant six mille six cents livres, dont il me paierait le tiers d'avance, et les deux autres tiers dans le cours de l'année. Je remerciai la Providence, qui m'envoyait à point nommé une partie des fonds qui m'étaient nécessaires. Nous signâmes mutuellement, le libraire et moi, l'acte de nos conventions, qui toutes ont été remplies jusqu'à présent. Cette édition a paru en l'an XII (1804). Il y avait environ trois mois qu'elle était en vente quand un jeune homme de mes amis, qui se destine aux lettres, entra chez moi tenant à sa main un journal. Quoique naturellement gai, il avait l'air sombre.

— Que m'apportez-vous là ? lui dis-je.

Mon ami. — Une nouvelle méchanceté du *Journal des Débats :* vous en êtes l'objet.

Moi. — Vous me surprenez. J'ai toujours cru son rédacteur bien disposé pour mes ouvrages.

Mon ami. — Avez-vous été le voir à l'occasion de votre nouvelle édition ?

Moi. — Non, je ne l'ai même jamais vu. Il est journaliste ; et j'ai pour maxime que quand on donne à un particulier le pouvoir de nous honorer, on lui donne en même temps celui de nous déshonorer.

Mon ami. — Lisez, lisez ; vous verrez comme il parle de vous. Il dit que vous n'êtes propre qu'à faire des romans ; que votre Théorie des marées n'est qu'un roman ; que vous avez la manie d'en parler sans cesse ; que vos principes de morale sont exagérés ; que vous n'avez aucune connaissance en politique. Pardonnez-moi si je répète ses injures, mais j'en suis indigné. Ce sont des personnalités dont vous devez vous faire justice.

Moi. — Je lis rarement ce journal, parce que je trouve sa critique amère et souvent injuste. Son

rédacteur est d'ailleurs un homme d'esprit ; mais ses
satires répugnent à mes principes de morale ; voilà
peut-être pourquoi il les trouve exagérés. Quant à mon
ignorance en politique, il n'est guère question de cette
science moderne dans mes *Etudes de la Nature*. Mais
pourquoi en a-t-il parlé ?

Mon ami. — C'est peut-être que vos ennemis lui
auront dit que vous ambitionniez quelque place.

Moi. — Voyons donc ce redoutable feuilleton. Et
après l'avoir lu tout entier :

Je ne trouve point, lui dis-je, que j'aie tant à m'en
plaindre. D'abord il commence par me blâmer, et finit
par me louer. Celui qui veut nuire fait précisément le
contraire : il loue au commencement, et blâme à la fin.
Le premier paraît un ennemi impartial qui est forcé
enfin de reconnaître vos bonnes qualités ; le second
semble être un ami équitable qui ne demande qu'à
vous louer, mais qui est contraint ensuite d'avouer vos
défauts, par le sentiment de la justice. L'un et l'autre
savent bien que la dernière impression est la seule qui
reste dans la tête du lecteur. C'est le dernier coup de la
cloche qui la fait longtemps vibrer.

Mon ami. — Permettez-moi de vous dire que tout
journaliste qui condamne une opinion ou même qui la
loue est tenu de motiver sa critique ou son éloge. Bayle
est là-dessus un vrai modèle. Lorsqu'il réfute une
erreur, il y supplée la vérité. Tout critique qui se
conduit autrement est ou ignorant ou de mauvaise foi.
Le vôtre est à la fois l'un et l'autre.

Moi. — Oh ! cela est trop fort : il ne me blâme que
sur le fond des choses qu'il n'entend pas, et peut-être

qu'on le charge de blâmer ; mais il me loue de bonne foi sur le style. Il dit positivement que je suis un des plus grands écrivains du siècle.

Mon ami. — Voilà un bel éloge !

Moi. — Sans doute, et l'un des plus beaux qu'on puisse donner aujourd'hui. Quel est l'homme de loi, par exemple, qui ne serait plus flatté de passer dans les affaires pour un fameux orateur que pour un bon juge ? La forme est tout, le fond est peu de chose. Celui-ci n'intéresse que les particuliers mis en cause ; celle-là regarde le public, qui donne les réputations. Sachez donc que le rédacteur du feuilleton m'a donné la plus grande des louanges, et qu'il la préférerait pour lui-même à toutes celles dont on voudrait l'honorer, comme d'être juste, bon logicien, penseur profond, observateur éclairé. Les anciens pensaient à peu près là-dessus comme les modernes. Beaucoup de Romains en faisaient le principal mérite de Cicéron. J'ai ouï dire que ce père de l'éloquence latine, passant un jour sur la place aux harangues, quelques citoyens oisifs qui s'y promenaient l'entourèrent et le prièrent de monter à la tribune. « Que voulez-vous que j'y fasse ? leur dit-il, je n'ai rien à vous dire. » « N'importe, s'écrièrent-ils, parlez-nous toujours. Que nous ayons le plaisir d'entendre vos périodes, si belles, si harmonieuses, qui flattent si délicieusement les oreilles. » Je crois que M. de La Harpe nous a conservé ce beau trait dans son *Cours de littérature française*. Il le trouvait admirable, et le citait comme une preuve du grand goût que les Romains avaient pour l'éloquence.

Mon ami. — C'est nous les représenter comme des

imbéciles. Quel goût pouvaient-ils trouver à entendre
parler à vide ? Je sais qu'il est commun à beaucoup de
nos lecteurs de journaux, mais le journaliste des
Débats, qui ne sait point faire de belles périodes,
remplit tant qu'il peut son feuilleton de malignité :
voilà pourquoi il a tant de vogue. Il sait bien que le
nombre des méchants est encore plus grand que celui
des imbéciles.

Moi. — Ne comptez-vous pour rien l'éloge si pur
que le critique a fait de *Paul et Virginie ?*

Mon ami. — Quoi ? ne voyez-vous pas que c'est pour
se donner à lui-même un air de sensibilité qui le rende
recommandable à une multitude de ses lecteurs qui se
plaignent sans cesse d'en avoir trop, tandis qu'ils se
repaissent tous les jours de ses sarcasmes ? Vos ennemis louent la moindre partie de vos travaux, pour se
donner le droit, comme vos amis, de blâmer les plus
importantes. Oui, je vous le dis avec franchise, les
journalistes sont des pirates qui infestent toute la
littérature, ainsi que les contrefacteurs. Ceux-ci, moins
coupables, n'en veulent qu'à l'argent ; les autres,
soudoyés par divers partis, attaquent les réputations
de ceux qui ne tiennent à aucun. Ils se coalisent entre
eux, quoique sous divers pavillons ; ils font la guerre
aux morts et aux vivants. Quel sera désormais le sort
des gens de lettres qui, sous les auspices des Muses, se
dirigent vers la fortune et la gloire ? A peine un jeune
homme riche de ses seules études s'embarque sur la
mer des opinions humaines, qu'il est coulé à fond en
sortant du port : il ne lui reste d'autre ressource que de
prendre parti avec les brigands. C'est alors que,

presque sans peine et sans travail, il sera payé, redouté, honoré, et pourra parvenir à tout.

Moi. — Vous tombez vous-même dans le défaut que vous leur reprochez. La passion vous rend injuste. Nos journalistes ne sont point des pirates : ce sont, pour l'ordinaire, de paisibles paquebots qui passent et repassent sur le fleuve de l'oubli, qu'ils appellent fleuve de mémoire, nos fugitives réputations. Amis et ennemis, tous leur sont indifférents. Ils n'ont d'autre but, au fond, que de remplir leur barque, afin de gagner honnêtement leur vie.

Ce n'est pas une petite affaire de mettre tous les jours à la voile avec une nouvelle cargaison. Un journaliste à vide serait capable de remplir ses feuilles de leur propre critique. J'en ai eu un jour une preuve assez singulière. Un d'entre eux, voulant plaire à un parti puissant qui le protégeait, s'avisa d'attaquer ma Théorie du mouvement des mers. Comme il n'entendait pas plus celle des astronomes que la mienne, il me fut aisé de le réfuter. Je lui répondis par un autre journal, et j'insérai dans ma réponse quelques légères épigrammes sur sa double ignorance. Je crus qu'il en serait piqué. Point du tout. Il m'écrivit tendrement pour se plaindre de ce que je n'avais pas eu assez de confiance en lui pour lui adresser ma réponse, en m'assurant que, quoiqu'il y fût maltraité, il l'aurait imprimée avec la fidélité la plus exacte et qu'elle aurait fait le plus grand honneur à ses feuilles. Il est clair qu'il n'avait eu, en me provoquant, d'autre but que l'innocent désir de gagner de l'argent en remplissant son journal. Peu de temps après, il fut obligé d'y renoncer.

Cependant les mathématiciens qui l'avaient armé d'arguments contre moi et poussé en avant comme leur champion vinrent à son secours. Ils lui firent avoir une place à la fois lucrative et honorable. Il y a apparence que, s'il eût imprimé ma réponse, il serait resté journaliste. Mais comme les objections qu'il m'avait faites paraissaient toutes seules sur son champ de bataille, elles avaient un certain air victorieux dont son parti pouvait fort bien se féliciter comme d'un triomphe.

Mon ami. — Celui dont vous vous moquez était un de ces oiseaux innocents qui voltigent autour des greniers pour y ramasser quelques grains. Mais le *Journal des Débats* est un oiseau de proie : son plaisir est de s'acharner aux réputations d'écrivains célèbres, surtout après leur mort. Comment ne traite-t-il pas ce pauvre Jean-Jacques! A-t-il besoin de quelque philosophe d'une grande autorité en morale? c'est Jean-Jacques qu'il loue. Ses lecteurs accoutumés à se repaître de sa malignité viennent-ils à s'ennuyer de ses éloges? c'est Jean-Jacques qu'il déchire; il le dénonce comme la source de toute corruption.

Moi. — Il en agit donc avec lui comme les matelots portugais avec S. Antoine de Pade ou de Padoue. Ces bonnes gens ont une petite statue de ce saint au pied de leur grand mât. Dans le beau temps ils lui allument des cierges; dans le mauvais ils l'invoquent; mais dans le calme ils lui disent des injures et le jettent à la mer au bout d'une corde, jusqu'à ce que le bon vent revienne.

Mon ami. — Vous en riez; mais cela n'est pas plaisant pour la réputation des gens de lettres. Voyez comme les journaux de parti en ont agi avec Voltaire pendant sa vie. Ils l'ont fait passer pour un fripon qui vendait ses manuscrits à plusieurs libraires à la fois, et pour un lâche superstitieux sans cesse effrayé de la crainte de la mort. Enfin sa correspondance secrète et intime pendant trente ans a été publiée ; elle a prouvé qu'il était l'homme de lettres le plus généreux ; qu'il donnait le produit de la plupart de ses ouvrages à ses libraires, à des acteurs, et à des gens de lettres malheureux ; que, presque toujours malade, il s'était si bien familiarisé avec l'idée de la mort, qu'il se jouait perpétuellement des fantômes que la superstition a placés au-delà des tombeaux, pour gouverner les âmes faibles pendant leur vie. Aujourd'hui le *Journal des Débats* poursuit sa mémoire, et, ce qui est le comble de l'absurdité, il veut faire passer pour un imbécile l'écrivain de son siècle qui avait le plus d'esprit. Oui, quand je vois dans un feuilleton un grand homme, utile au genre humain par ses talents et ses travaux, mis en pièces par des gens de lettres éclairés de ses lumières, qui n'ont imité de lui que les arts faciles et germains de médire et de flatter ; et quand je lis ensuite à la fin de ce même feuilleton l'éloge d'un misérable charlatan, je crois voir un taureau déchiré dans une arène par une meute de chiens qu'il a nourris des fruits de ses labeurs, ainsi que les spectateurs barbares de son supplice, tandis que ces mêmes animaux, dressés à lécher les jarrets d'un âne, terminent cette scène féroce par une course ridicule.

Moi. — Le calomniateur est un serpent qui se cache

à l'ombre des lauriers pour piquer ceux qui s'y reposent. Homère a eu son Zoïle ; Virgile, Bavius et Mævius ; Corneille, un abbé d'Aubignac, etc. La fleur la plus belle a son insecte rongeur.

Mon ami. — J'en conviens ; mais il n'y a jamais eu chez les anciens d'établissements littéraires uniquement destinés à déchirer les gens de lettres tous les jours de la vie. Le nombre s'en augmente sans cesse. Il y a déjà plus de journalistes que d'auteurs. Ceux-ci abandonnent même leurs laborieux et stériles travaux pour le lucratif métier de raisonner, à tort et à travers, sur ceux d'autrui.

Moi. — Vous avez raison. Mais ce genre de littérature a aussi son utilité. Combien de citoyens occupés de leurs affaires ne sont pas à portée de savoir ce qui se passe en politique, dans les lettres, et dans les arts ? Ils trouvent dans les journaux des connaissances tout acquises, qui n'exigent de leur part aucune réflexion. L'âme a besoin de nourriture comme le corps ; et il est remarquable que le nombre des journaux s'est accru chez nous, à mesure que celui des sermons y a diminué.

Mon ami. — Et c'est par cela même que je les trouve dangereux. En donnant des raisonnements tout faits, ils ôtent la faculté de raisonner et celle d'être juste, par des jugements dictés souvent par l'esprit de parti. Ils paralysent à la fois les esprits et les consciences. Ceux qui les lisent habituellement s'accoutument à les regarder comme des oracles. Entrez dans nos cafés, et voyez la quantité de gens qui oublient leurs amis, leur commerce, et leur famille, pour se livrer à cette oisive occupation. Qu'en rapportent-ils chez eux? quelque maxime de morale? quelque principe de conduite? non, mais un sarcasme bien mordant, ou une calomnie impudente contre des gens de lettres estimables.

Moi. — Au moins, vous en excepterez quelques journalistes sensés, tels que *le Moniteur, le Publiciste,* etc.; quant aux autres, je n'ai point trop à m'en plaindre.

Mon ami. — Comment! pas même de ceux qui traitent de romans vos *Etudes,* où vous avez employé trente ans d'observations?

Moi. — Plût à Dieu qu'ils fussent persuadés que mes *Etudes* sont des romans comme *Paul et Virginie!* Les romans sont les livres les plus agréables, les plus universellement lus, et les plus utiles. Ils gouvernent le monde. Voyez l'*Iliade* et l'*Odyssée,* dont les héros, les dieux, et les événements sont presque tous de l'invention d'Homère; voyez combien de souverains, de peuples, de religions, en ont tiré leur origine, leurs lois, et leur culte. De nos jours même, quel empire ce poète exerce encore sur nos académies, nos arts libéraux, nos théâtres! C'est le dieu de la littérature de l'Europe.

Mon ami. — Je vous avoue que je suis fort dégoûté de la nôtre. Je ne veux plus courir dans une carrière où des études pénibles vous attendent à l'entrée, l'envie et la calomnie au milieu, des persécutions et l'infortune à la fin.

Moi. — Quoi! n'auriez-vous cultivé les lettres que dans la vaine espérance d'être honoré des hommes pendant votre vie? Rappelez-vous Homère.

Mon ami. — Qui voudrait cultiver les Muses sans cette perspective de gloire qu'elles prolongent au loin

sur notre horizon? Elle consola sans doute Homère
pendant sa vie. Voyez comme elle s'est étendue après
sa mort.

Moi. — Sans doute la gloire acquise par les lettres
est la plus durable. Ce n'est même qu'à sa faveur que
les autres genres de gloire parviennent à la postérité.
Mais les monuments qui l'y transmettent n'ont pas
l'esprit de vie comme ceux de la nature. Ils sont de
l'invention des hommes, et par conséquent caducs et
misérables comme eux. Qu'est-ce qu'un livre, après
tout? il est pour l'ordinaire conçu par la vanité;
ensuite il est écrit avec une plume d'oie, au moyen
d'une liqueur noire extraite de la gale d'un insecte, sur
du papier de chiffon ramassé au coin des rues. On
l'imprime ensuite avec du noir de fumée. Voilà les
matériaux dont l'homme, parvenu à la civilisation,
fabrique ses titres à l'immortalité. Il en compose ses
archives, il y renferme l'histoire des nations, leurs
traités, leurs lois, et tout ce qu'il conçoit de plus sacré
et de plus digne de foi. Mais qu'arrive-t-il? A peine
l'ouvrage paraît au jour que des journalistes se hâtent
d'en rendre compte. S'ils en disent du mal, le public le
tourne en ridicule; s'ils le louent, des contrefacteurs
s'en emparent. Il ne reste bientôt à l'auteur que le
droit frivole de propriété, que les lois ne lui peuvent
assurer pendant sa vie, et dont elles dépouillent ses
enfants peu d'années après sa mort. Que se proposait-
il donc dans sa pénible carrière? de plaire aux
hommes, à des êtres qui, comme le dit Marc-Aurèle, se
déplaisent à eux-mêmes dix fois le jour. Oh! mon ami,
un homme de lettres doit se proposer un but plus

sublime dans le cours de sa vie. C'est d'y chercher la vérité. Comme la lumière est la vie des corps, dont elle développe avec le temps toutes les facultés, la vérité est la vie de l'âme, qui lui doit pareillement les siennes. Quel plus noble emploi que de la répandre dans un monde encore plus rempli d'erreurs et de préjugés que la terre n'est couverte au nord de sombres forêts ?

Le philosophe doit extirper les erreurs du sein des esprits, pour y faire germer la vérité, comme un laboureur extirpe les ronces de la terre pour y planter des chênes. Si de noires épines en ont épuisé tous les sucs, si le sol en est plein de roches, son rude travail n'est pas perdu : ses nerfs en acquièrent de nouvelles forces.

Mon ami. — Je travaillerai aussi pour la vérité sans tant de fatigues. Je me ferai journaliste. Je m'assoirai au rang de mes juges.

Moi. — Pourriez-vous vous abaisser à servir les haines d'autrui ? N'en doutez pas, il y a des hommes qui n'aspirent qu'au retour de la barbarie. Ils se réjouissent de voir les gens de lettres en guerre. Ils excitent entre eux des querelles pour les livrer au mépris public. S'ils le pouvaient, ils crèveraient les yeux au genre humain : ils le priveraient de la lumière comme de la vérité, pour le mieux asservir.

Mon ami. — Dieu me préserve d'être jamais de leur nombre ! Je ferai le journal des journaux. Les auteurs fournissent aux journalistes la plupart des idées et des tirades dont ils remplissent leurs feuilles ; les journalistes me fourniront à leur tour la malignité dont j'aurai besoin. Je tournerai contre eux leurs propres flèches, et je m'attirerai bientôt tous leurs lecteurs.

Moi. — Si jamais vous entreprenez des feuilles périodiques, faites-les dignes d'une âme généreuse et des hautes destinées où s'élève la France. Encouragez, à leur naissance, les talents timides, en vous rappelant les faibles débuts de Corneille, de Racine, et de Fontenelle. Préparez au siècle nouveau des artistes, des poètes, des historiens. Ce n'est point de héros dont il manque, c'est d'écrivains capables de les célébrer. N'insérez dans vos feuilles que ce qui méritera les souvenirs de la postérité. Mettez-y les découvertes du génie et les actes de vertu en tout genre. Ne craignez pas que vos jeunes talents fléchissent sous de si nobles fardeaux; ils n'en prendront qu'un vol plus assuré; et la reconnaissance des races futures suffira pour les rendre illustres. Vos feuilles deviendront pour la France ce que sont depuis tant de siècles pour la Chine les annales de son empire.

En parcourant cette carrière, que vous indique l'amour de la patrie, étendez de temps en temps vos regards sur les autres parties du monde; votre journal renfermera un jour les archives du genre humain.

Mon jeune ami se leva, me serra la main, et se retira plein d'émotion.

Pour moi je redoublai de zèle pour mon édition de *Paul et Virginie*. Les plus célèbres artistes s'en occupaient. J'éprouvai d'abord plusieurs mois de retard à l'occasion de quelques-uns d'entre eux appelés à composer et à dessiner les magnifiques costumes du couronnement de l'empereur. Mais je fus bien plus retardé par les graveurs. Je suis fâché de le dire, quoique nous eussions signé mutuellement les époques auxquelles ils m'en devaient livrer les planches, aucun d'eux n'a rempli ses engagements. Ils m'ont donné pour excuse que la beauté des dessins les avait menés bien plus loin qu'ils ne croyaient ; qu'ils étaient jaloux de rendre leur burin rival du crayon et du pinceau des grands maîtres. Cependant ils devaient considérer, avant tout, qu'ils étaient artistes, c'est-à-dire des professeurs de morale chargés, ainsi que les gens de lettres, de transmettre à la postérité des traits de vertu, et par conséquent d'en donner eux-mêmes l'exemple ; que la première base de la vertu est la probité, et celle de la probité de tenir scrupuleusement ses engagements ; qu'enfin en manquant de parole à ceux qui ont traité avec eux, ils les obligent à leur tour d'en manquer à d'autres, et les exposent de plus à des pertes considérables.

D'un autre côté, comme ces longs retardements ont contribué en effet à la perfection de mon ouvrage, je me sens obligé d'en témoigner ma reconnaissance. Je ne me tiens pas quitte envers eux du seul emploi de leur temps et de leurs talents, quand je les ai payés. Je me sens encore plus redevable au zèle qu'ils y ont mis dans l'espèce de concours où ils ont employé à l'envi leurs crayons et leur burin, autant par affection pour ma pastorale que, j'ose dire, pour son auteur. Plusieurs même de ceux qui m'ont fourni des dessins ont voulu que je les tinsse de leur seule amitié. Je les nommerai donc tour à tour dans l'explication que je vais donner des figures. Je tâcherai de les faire connaître, quoique la plupart n'aient pas besoin de mes annonces pour être avantageusement connus du public.

Les figures de cette édition sont au nombre de sept.
J'en ai donné les programmes. La première, qui est au
frontispice, est mon portrait. Les six autres sont tirées
de *Paul et Virginie,* et représentent les principales
époques de leur vie, depuis leur naissance jusqu'à leur
mort.

Mon portrait est tiré d'après moi, à mon âge actuel
de soixante-sept ans. Je l'ai fait dessiner et graver sur
les demandes réitérées de mes amis. On y lit mon nom
en bas en caractères romains, avec les simples initiales
de mes deux premiers prénoms : Jacques-Henri-Ber-
nardin DE SAINT-PIERRE. J'observerai que dans l'ordre
naturel de mes prénoms, Bernardin était le second, et
Henri le troisième. Mais cet ordre ayant été changé,
par hasard, au titre de la première édition de mes
Etudes, Henri s'y est trouvé le second, et Bernardin le
troisième. J'ai eu beau réclamer leur ancien ordre, le
public n'a plus voulu s'y conformer. Il en est résulté
que beaucoup de personnes croient que Bernardin de
Saint-Pierre est mon nom propre. J'ai cru devoir moi-
même obéir à la volonté générale, en les signant
quelquefois tous deux ensemble. Cette observation
peut paraître frivole ; mais j'y attache de l'importance,
parce qu'il me semble que le public, en ajoutant un
nouveau nom à mon nom de famille, m'a en quelque
sorte adopté.

Au-dessous du portrait on voit dans des nuages le
globe de la terre en équilibre sur ses pôles couverts de
deux océans rayonnants de glaces. Il a le soleil à son
équateur ; et en lui présentant tour à tour les sommets
glacés de ses deux hémisphères, il en varie deux fois

par an les pondérations, les courants, et les saisons. Cette devise, que j'ai fait graver sur mon cachet, a une légende qui peut aussi bien s'appliquer aux lois morales de la nature qu'à ses lois physiques : *Stat in medio virtus, librata contrariis.* « La vertu est stable au milieu, balancée par les contraires. » Ce portrait, avec ses accessoires, a été dessiné au crayon noir par M. Lafitte, qui a remporté à l'Académie de peinture de Paris le grand prix de Rome, au commencement de notre révolution. On a de lui plusieurs ouvrages très estimés, entre autres un gladiateur expirant. Personne ne dessine avec plus de promptitude et d'exactitude. M. Ribault, élève de M. Ingouf, a gravé ce dessin, tout au burin, avec une fidélité qui rivalise celle *(sic)* du crayon de l'original. Il ne manque à ce jeune homme qu'une célébrité dont ses talents me paraissent bien dignes.

Le premier sujet de la pastorale a pour titre, *Enfance de Paul et Virginie.* On lit au-dessous ces paroles du texte, *Déjà leurs mères parlaient de leur mariage sur leurs berceaux.*

Madame de la Tour et Marguerite les tiennent sur leurs genoux, où ils se caressent mutuellement. Fidèle, leur chien, est endormi sous leur berceau. Près de lui est une poule entourée de ses poussins. La négresse Marie est en avant, sur un côté de la scène, occupée à tisser des paniers. On voit au loin Domingue, qui ensemense un champ ; et plus loin l'Habitant, leur voisin, qui arrive à la barrière. A droite et à gauche de ce tableau plein de vie sont les deux cases des deux amies. Près de l'une est un bananier, la plante du tabac, un cocotier qui sort de terre près d'une flaque d'eau, et d'autres accessoires rendus avec beaucoup de vérité. Au loin on découvre les montagnes pyramidales de l'Ile de France, des Palmiers, et la mer.

Ce paysage, ainsi que ses personnages remplis de suavité, est de M. Lafitte, qui a dessiné mon portrait. Il a été d'abord gravé à l'eau-forte par M. Dussault, qui excelle en ce genre de préparation, et gravé ensuite au burin relevé de pointillé par M. Bourgeois de la Richardière, jeune artiste qui, après avoir quitté ses premières études pour obéir à la voix de la patrie qui l'appelait aux armées, les a reprises avec une nouvelle vigueur. Il a gravé un grand portrait de l'empereur Napoléon Bonaparte, et plusieurs autres ouvrages goûtés du public. J'ai dit que trois artistes, en comptant le dessinateur, avaient concouru à exécuter le sujet de cette première planche ; il y en a dans la suite où quatre et même plus ont mis la main. C'est un usage assez généralement adopté aujourd'hui par les graveurs les plus distingués. Ils prétendent qu'un sujet en est mieux traité lorsque ses diverses parties sont exécutées par divers artistes dont chacun excelle dans son genre. Ainsi l'entrepreneur en donne d'abord le sujet, et en fait faire le dessin ; il le livre ensuite à un graveur, qui en fait exécuter tour à tour l'eau-forte, le paysage, les figures, et met le tout en harmonie. Après quoi un graveur en lettres y met l'inscription. C'est aux connaisseurs à juger si ces procédés, de mains différentes, perfectionnent l'art. Ils ont été employés souvent par les grands maîtres en peinture, qui, à la vérité, entreprenaient d'immenses travaux, comme des galeries et des plafonds. Les graveurs disent, de leur côté, que les longs travaux du burin, dans un petit espace, ne demandent pas moins de temps que ceux du pinceau sur de larges voûtes et de vastes pans de mur. Les amateurs semblent de leur avis, car plusieurs recherchent les simples eaux-fortes, et les préfèrent quelquefois aux estampes finies. C'est par cette raison que j'en ai fait tirer un certain nombre d'exemplaires, comme je l'ai dit dans la feuille d'avertissement insérée dans cette édition. J'y ai même parlé de quatre autres sujets *in*-8° de *Paul et Virginie,* tirés sur *in*-4°, dessinés et gravés par M. Moreau le Jeune, qu'on peut réunir dans le même exemplaire, attendu qu'ils représentent des événements différents.

La seconde planche a pour sujet Paul traversant un torrent, en portant Virginie sur ses épaules. Il a pour titre, *Passage du torrent,* et pour inscription ces paroles du texte, *N'aie pas peur, je me sens bien fort avec toi.*

Le fond représente les sites bouleversés des montagnes de l'Ile de France où les rivières qui descendent de leurs sommets se précipitent en cascades. Ce fond âpre, rude et rocailleux, relève l'élégance, la grâce et la beauté des deux jeunes personnages qui sont sur le devant, dans la fleur d'une vigoureuse adolescence. Paul, au milieu des roches glissantes et des eaux tumultueuses, porte sur son dos Virginie tremblante. Il semble devenu plus léger de sa belle charge, et plus fort du danger qu'elle court. Il la rassure d'un sourire, contre la peur si bien exprimée dans l'attitude craintive de son amie, et dans ses yeux orbiculaires. La confiance de son amante, qui le presse de ses bras, semble naître ici, pour la première fois, du courage de l'amant ; et l'amour de l'amant, si bien rendu par ses tendres regards et son sourire, semble naître à son tour de la confiance de son amante.

On trouvera peut-être que ces deux charmantes figures sont un peu fortes, comparées avec quelques-unes de celles qui les suivent ; mais on doit considérer qu'elles sont plus rapprochées de l'œil du spectateur. Qui ne voudrait voir la beauté de leurs proportions encore plus développées ? Aussi l'auteur se propose-t-il d'en faire un tableau grand comme nature. Ce sujet l'emportera, à mon avis, sur celui de l'amoureux Centaure, qui porte sur sa croupe, à travers un fleuve, la tremblante Déjanire. Comment le Guide a-t-il pu choisir pour sujet de son charmant pinceau un monstre composé de deux natures incompatibles ? Comment une bouche humaine pourrait-elle alimenter à la fois l'estomac d'un homme et celui d'un cheval ? Cependant on en supporte la vue sans peine, et même avec plaisir : tant l'autorité d'un grand nom et celle de l'habitude ont de pouvoir ! Elles nous font adopter, dès l'enfance, les plus étranges absurdités au physique et au moral, sans que nous soyons même tentés, dans le cours de la vie, d'y opposer notre raison.

Je dois le beau dessin de M. Girodet à son amitié. Il m'en a fait présent. Il serait seul capable de lui faire une grande réputation, si elle n'était déjà florissante par le charme et la variété de ses conceptions. Il y réunit toujours les grâces naïves de la nature à l'étude sévère de l'antique. On reconnaît ici l'auteur des tableaux du bel Endymion endormi dans une forêt,

éclairé de la lumière amoureuse de la déesse des nuits ;
d'Hippocrate, refusant l'or et la pourpre du roi de
Perse, qui voulait l'attirer à son service ; et de
l'Apothéose de nos guerriers dans le palais d'Ossian.
Je pense que le premier eût fait à Athènes le plus bel
ornement du salon d'Aspasie ; que le second eût été
placé sous le péristyle de quelque temple pour y servir
à jamais d'exemple de patriotisme ; et qu'enfin le
troisième eût été peint sur la voûte du Panthéon ; mais
il occupe, chez nous, une place plus honorable dans le
palais de l'empereur, l'illustre chef de nos héros.

Le paysage de mon dessin a été gravé à l'eau-forte
par M. Dussault, dont j'ai déjà parlé ; et le groupe des
deux figures l'a été au pointillé et au burin par
M. Roger, qui excelle dans ce genre. Il a bien voulu
suspendre ses nombreux travaux pour s'occuper de
celui-ci, si digne du burin d'un grand maître.

La troisième planche représente l'arrivée de M. de
la Bourdonnais. Elle porte au titre, *Arrivée de M. de la
Bourdonnais ;* et pour inscription, *Voilà ce qui est destiné
aux préparatifs du voyage de mademoiselle votre fille, de la part
de sa tante.* Cet illustre fondateur de la colonie française
de l'Ile de France arrive dans la cabane de madame de
la Tour, où les deux familles sont rassemblées à l'heure
du déjeuner. Il fait poser sur la table, par un de ses
noirs, un gros sac de piastres. A la vue du gouverneur,
tous les personnages se lèvent, et toutes les physionomies changent. Il annonce à madame de la Tour que
cet argent est destiné au départ prochain de sa fille.
Madame de la Tour, tournée vers elle, lui propose d'en
délibérer. Virginie et son ami Paul sont dans l'accable-

ment; Domingue, qui n'a jamais vu tant d'argent à la fois, en est dans l'admiration; enfin jusqu'au chien Fidèle a son expression. Il flaire le gouverneur, qu'il n'a jamais vu, et témoigne par son attitude que cet étranger lui est suspect. J'observerai ici que la figure de M. de la Bourdonnais a le mérite particulier d'être ressemblante. Elle a été dessinée et retouchée d'après la gravure qui est à la tête des Mémoires de sa vie. On me saura gré sans doute de donner ici une notice du physique et du moral de ce grand homme. J'en suis redevable à sa propre fille, Madame Mahé de la Bourdonnais, aujourd'hui veuve de Molezun Pardiac, qui a honoré cette édition de sa souscription. Dans une de ses lettres, où elle se félicite de concourir à un monument qui intéresse la gloire de son père, voici le portrait qu'elle me fait de sa personne.

« Mon père avait de beaux yeux noirs, ainsi que les sourcils; son nez était long et sa bouche un peu grande... Il avait peu d'embonpoint. Il était de taille médiocre, n'ayant que cinq pieds et quelques lignes de hauteur, d'ailleurs se tenant très bien. Il portait une perruque à la cavalière qui imitait les cheveux... Son air était vif, spirituel et très gai...

« Sa principale vertu était l'humanité. Les monuments qu'il a établis à l'Ile de France sont garants de cette vérité... »

En effet j'ai vu dans cette île, où j'ai servi comme ingénieur du roi, non seulement des batteries et des redoutes qu'il avait placées aux lieux les plus convenables, mais des magasins et des hôpitaux très bien distribués. On lui doit surtout un aqueduc, de plus de trois quarts de lieue, par lequel il a amené les eaux de la petite rivière jusqu'au Port-Louis, où, avant lui, il n'y en avait pas de potable. Tout ce que j'ai vu dans cette île de plus utile et de mieux exécuté était son ouvrage.

Ses talents militaires n'étaient pas moindres que ses vertus et ses talents d'administrateur. Nommé gouverneur des îles de France et de Bourbon, il battit avec neuf vaisseaux l'escadre de l'amiral Peyton qui croisait sur la côte de Coromandel avec des forces très supérieures. Après cette victoire, il fut assiéger aussitôt Madras, n'ayant pour toute armée de débarquement que dix-huit cents hommes, tant blancs que noirs. Après avoir pris cette métropole du commerce des Anglais dans l'Inde, il retourna en France. Des divisions s'étaient élevées entre lui et M. Dupleix, gouverneur de Pondichéry. Aussitôt après son arrivée dans sa patrie, il fut accusé d'avoir tourné à son profit les richesses de sa conquête, et en conséquence, il fut mis à la Bastille sans autre examen. On lui opposait, comme principal témoin de ce délit, un simple soldat. Cet homme assurait, sur la foi du serment, qu'après la prise de Madras, étant en faction sur un des bastions de cette place, il avait vu, la nuit, des chaloupes embarquer quantité de caisses et de ballots sur le vaisseau de M. de la Bourdonnais. Cette calomnie était appuyée à Paris du crédit d'une foule d'hommes jaloux qui n'avaient jamais été aux Indes, mais, par tout pays, sont toujours prêts à détruire la gloire d'autrui. Le vainqueur infortuné de Madras assurait qu'il était impossible qu'on eût pu voir du bastion

indiqué par le soldat cette embarcation, quand même
elle aurait eu lieu. Mais il fallait le prouver ; et suivant
la tyrannie exercée alors envers les prisonniers d'Etat,
on lui avait ôté tous moyens de défense. Il s'en procura
de toute espèce par des procédés fort simples, qui
donneront une idée des ressources de son génie. Il fit
d'abord une lame de canif avec un sou-marqué, aiguisé
sur le pavé, et en tailla des rameaux de buis, sans
doute distribués aux prisonniers, aux fêtes de Pâques.
Il en fit un compas et une plume. Il suppléa au papier
par des mouchoirs blancs, enduits de riz bouilli, puis
séchés au soleil. Il fabriqua de l'encre avec de l'eau et
de la paille brûlée. Il lui fallait surtout des couleurs
pour tracer le plan et la carte des environs de Madras :
il composa du jaune avec du café, et du vert avec des
liards chargés de vert-de-gris et bouillis. Je tiens tous
ces détails de sa tendre fille, qui conserve encore avec
respect ces monuments du génie qui rendit la liberté à
son père. Ainsi, muni de canif, de compas, de règle, de
plume, de papier, d'encre et de couleurs de son
invention, il traça, de ressouvenir, le plan de sa
conquête, écrivit son mémoire justificatif, et y démon-
tra évidemment que l'accusateur qu'on lui opposait
était un faux témoin, qui n'avait pu voir du bastion où
il avait été posté, ni le vaisseau commandant, ni même
l'escadre. Il remit secrètement ces moyens de défense à
l'homme de loi qui lui servait de conseil. Celui-ci les
porta à ses juges. Ce fut un coup de lumière pour eux.
On le fit donc sortir de la Bastille, après trois ans de
prison. Il languit encore trois ans après sa sortie,
accablé de chagrin de voir toute sa fortune dissipée, et

de n'avoir recueilli de tant de services importants que des calomnies et des persécutions. Il fut sans doute plus touché de l'ingratitude du gouvernement que de la jalousie triomphante de ses ennemis. Jamais ils ne purent abattre sa franchise et son courage, même dans sa prison. Parmi le grand nombre d'accusateurs qui y vinrent déposer contre lui, un directeur de la Compagnie des Indes crut lui faire une objection sans réponse en lui demandant comment il avait si bien fait ses affaires, et si mal celles de la Compagnie. « C'est, lui répondit la Bourdonnais, que j'ai toujours fait mes affaires d'après mes lumières, et celles de la Compagnie d'après ses instructions. »

Bernard-François Mahé de la Bourdonnais naquit à Saint-Malo en 1699, et est mort en 1754, âgé d'environ cinquante-cinq ans. O vous qui vous occupez du bonheur des hommes, n'en attendez point de récompense pendant votre vie ! La postérité seule peut vous rendre justice. C'est ce qui est enfin arrivé au vainqueur de Madras et au fondateur de la colonie de l'Ile de France. Joseph Dupleix, son rival de gloire et de fortune dans l'Inde, et le plus cruel de ses persécuteurs, mourut peu de temps après lui, ayant éprouvé une destinée semblable, les dernières années de sa vie, par une juste réaction de la Providence. Le gouvernement donna à la veuve de M. de la Bourdonnais une pension de 2 400 livres, par un brevet qui honore de ses regrets la mémoire de son époux ; enfin sa respectable fille me mande aujourd'hui que les habitants de l'Ile de France viennent, de leur propre mouvement, de lui faire à elle-même une pension en mémoire des services qu'ils ont reçus de son père.

Je crois qu'aucun de mes lecteurs ne trouvera mauvais que je me sois un peu écarté de mon sujet, pour rendre moi-même quelques hommages aux vertus d'un grand homme malheureux, à celles de sa digne fille et d'une colonie reconnaissante. Le dessin original de cette gravure a été fait par M. Gérard : on reconnaît dans cette composition la touche et le caractère de l'école de Rome où il est né. Mais ce qui m'intéresse encore davantage, je la dois à son amitié, ainsi que je dois la précédente à celle de son ami M. Girodet ; il a désiré concourir avec lui en talents et en témoignages de son estime à la beauté de mon édition.

Ce dessin a été gravé à l'eau-forte, au burin, et au pointillé par M. Mécou, élève et ami de M. Roger, qui, n'ayant pu s'en charger lui-même, à cause de deux autres dessins qu'il gravait pour moi, n'a trouvé personne plus digne de sa confiance et de la mienne que M. Mécou, dont les talents sont déjà célèbres par plusieurs charmants sujets du Musée Impérial, très connus du public, entre autres par la jeune femme qui pare sa négresse.

La quatrième planche représente la séparation de Paul et de Virginie ; on y lit pour titre, *Adieux de Paul et de Virginie ;* et pour épigraphe, ces paroles du texte, *Je pars avec elle, rien ne pourra m'en détacher.* La scène se passe au milieu d'une nuit éclairée de la pleine lune ; il y a une harmonie touchante de lumières et d'ombres qui se fait sentir jusqu'à l'entrée du port. Madame de la

Tour se jette aux pieds de Paul au désespoir, qui saisit dans ses bras Virginie défaillante à la vue du vaisseau où elle doit s'embarquer pour l'Europe, et qu'elle aperçoit au loin dans le port, prêt à faire voile. Marguerite, mère de Paul, l'habitant et Marie, accourent hors d'eux-mêmes autour de ce groupe infortuné.

Cette scène déchirante a été dessinée par M. Moreau le Jeune, si connu par ses belles et nombreuses compositions qui enrichissent la gravure depuis longtemps : il composa en 1788 les quatre sujets de ma petite édition *in*-18[4]. On peut voir en leur comparant celui-ci que l'âge joint à un travail assidu perfectionne le goût des artistes. Celui que M. Moreau m'a fourni est d'une chaleur et d'une harmonie qui surpassent peut-être tout ce qu'il a fait de plus beau dans ce genre. Mais l'estime que je porte à ses talents m'engage à le prévenir que l'usage qu'il fait de la sépia dans ses dessins est peu favorable à leur durée : on sait que la sépia est une encre naturelle qui sert au poisson qui en porte le nom à échapper à ses ennemis. Il est mou et sans défense, mais au moindre danger il lance sept ou huit jets de sa liqueur ténébreuse, dont il s'environne comme d'un nuage, et qui le fait disparaître à la vue. Les artistes ont trouvé le moyen d'en faire usage dans les lavis ; ils en tirent des tons plus chauds et plus vaporeux que ceux de l'encre de Chine. Mais soit qu'en Italie, d'où on nous l'apporte tout préparé, on y mêle quelque autre couleur pour le rendre plus roux ; soit qu'il soit naturellement fugace, il est certain que ces belles nuances ne sont pas de durée. J'en ai fait l'expérience dans les quatre dessins originaux de ma petite édition faite il y a dix-sept ans, dont il ne reste presque plus que le trait. Cette fugacité a été encore plus sensible dans mon dernier dessin. Cette nuit, où il n'y avait de blanc que le disque de la lune, est devenue, en moins d'un an, un pâle crépuscule : peut-être cet affaiblissement général de teintes a-t-il été produit par la négligence du graveur, qui a exposé ce dessin au soleil. Au reste, comme les couleurs à l'huile qu'emploie la peinture sont sujettes aux mêmes inconvénients, il faut plutôt en accuser l'art, qui ne peut atteindre aux procédés de la nature. Le noir du bois d'ébène dure des siècles exposé à l'air ; il en est de même des couleurs des plumes et des poils des animaux. Je me suis permis ici ces légères observations pour l'utilité générale des artistes et la gloire particulière de M. Moreau le Jeune, dont les dessins sont dignes de passer à la postérité, ainsi que sa réputation. La gravure ne m'a pas donné moins d'embarras que le dessin original ; l'artiste qui avait entrepris de le graver a employé un procédé nouveau qui ne lui a pas réussi ; il m'a rendu, au bout d'un an, ma planche à peine commencée au tiers ; j'en ai été pour mes avances ; il a fallu chercher un autre artiste pour l'achever ; mais nul n'a voulu la continuer. Heureusement M. Roger m'a découvert un jeune graveur, M. Prot, plein de zèle et de talent, qui l'a recommencée, et l'a mise seul à l'eau-forte, au burin et au pointillé en six mois, dans l'état où on la voit aujourd'hui.

La cinquième planche représente le naufrage de Virginie ; le titre en est au bas avec ces paroles du texte, *Elle parut un ange qui prend son vol vers les cieux.* On

ne voit qu'une petite partie de la poupe et de la galerie
du vaisseau le S. Géran ; mais il est aisé de voir à la
solidité de ses membres et à la richesse de son
architecture que c'est un gros vaisseau de la Compagnie française des Indes. Une lame monstrueuse, telle
que sont celles des ouragans des grandes mers, s'engouffre dans le canal où il est mouillé, engloutit son
avant, l'incline à bâbord, couvre tout son pont, et
s'élevant par-dessus le couronnement de sa poupe,
retombe dans la galerie dont elle emporte une partie de
la balustrade. Les feux semblent animer ses eaux
écumantes, et vous diriez que tout le vaisseau est
dévoré par un incendie. Virginie en est environnée ;
elle détourne les yeux de sa terre natale, dont les
habitants lui témoignent d'impuissants regrets, et du
malheureux Paul, qui nage en vain à son secours, prêt
à succomber lui-même à l'excès de son désespoir,
autant qu'à celui de la tempête. Elle porte une main
pudique sur ses vêtements tourbillonnés par les vents
en furie ; de l'autre, elle tient sur son cœur le portrait
de son amant qu'elle ne doit plus revoir, et jette ses
derniers regards vers le ciel, sa dernière espérance. Sa
pudeur, son amour, son courage, sa figure céleste, font
de ce magnifique dessin un chef-d'œuvre achevé.

Comment M. Prud'hon a-t-il pu renfermer de si
grands objets dans un si petit espace ? où a-t-il trouvé
les modèles de ces mobiles et fugitifs effets que l'art ne
peut poser, et dont la nature seule ne nous présente
que de rapides images ; une vague en furie dans un
ouragan, et une âme angélique dans une scène de
désespoir ? Cette conception a trouvé ses expressions

dans l'âme sensible, les ressouvenirs, et les talents
supérieurs d'un artiste déjà très connu des gens de
goût. A la fois dessinateur, graveur et peintre, on lui
doit des enfants et des femmes remarquables par leur
naïveté et leur grâce. Il exposa il y a quelques années
au salon un grand tableau de la Vérité qui descend du
ciel sur la terre ; mais, il faut l'avouer, sa figure
quoique céleste n'y fut guère mieux accueillie du
public que si elle y fût descendue en personne. Elle ne
dut même, peut-être, qu'à l'indifférence des spectateurs de n'y être pas critiquée et persécutée. Cependant elle était toute nue, et aussi belle qu'une Vénus ;
mais comme elle portait le nom de la Vérité, peu de
gens s'en occupèrent. Si M. Prud'hon réussit par la
pureté de ses crayons et l'élégance de ses formes à
rendre des divinités, il intéresse encore davantage,
selon moi, en représentant des mortelles. Ses femmes
ont dans leurs proportions, leurs attitudes, et leurs
physionomies riantes, un laisser-aller, un abandon, des
grâces, un caractère de sexe inimitables : ses enfants
potelés, naïfs, gais, sont dignes de leurs mères. Il est
selon moi le La Fontaine des dessinateurs, et il a avec
ce premier de nos poètes encore plus d'une ressemblance par sa modestie, sa fortune, et sa destinée.
Puisse ce peu de lignes concourir à étendre sa réputation jusque dans les pays étrangers ! Son beau dessin y
justifiera suffisamment mes éloges.

M. Roger, son élève et son ami, qui en a senti tout le
mérite, a désiré le graver en entier ; il a voulu accroître
sa réputation du dessin d'un maître qui l'avait si
heureusement commencée, et lui rendre ainsi ce qu'il

en avait reçu. Il a donc retardé de nouveau le cours de ses travaux ordinaires pour s'occuper entièrement du naufrage de Virginie. Sa planche a rendu toutes les beautés de l'original, autant qu'il est possible au burin de rendre toutes les nuances du pinceau. Je me trouve heureux d'avoir fait concourir à la célébrité de mon édition deux amis également modestes et également habiles dans leur genre ; mais il me semble que je suis plus redevable à M. Prud'hon, quoique je n'aie eu de lui qu'un seul dessin, parce que je lui dois d'avoir eu une seconde gravure de M. Roger.

La sixième et dernière planche a pour titre, *Les Tombeaux,* et pour inscription, *On a mis auprès de Virginie, au pied des mêmes roseaux, son ami Paul, et autour d'eux leurs tendres mères et leurs fidèles serviteurs.* Elle représente une allée de bambous qui conduit vers la mer ; elle est éclairée par les derniers rayons du soleil couchant : on aperçoit, entre quatre gerbes de ces bambous, trois tombes rustiques sur lesquelles sont écrits, deux à deux, les noms de la Tour et de Marguerite, de Virginie et de Paul, de Marie et de Domingue. On voit, un peu en avant de celle du milieu, le squelette d'un chien : c'est celui de Fidèle, qui est venu mourir de douleur, près de la tombe de Paul et de Virginie.

On n'aperçoit dans cette solitude aucun être vivant ; ici reposent à jamais, sous l'herbe, tous les personnages de cette histoire : les premiers jeux de l'heureuse enfance de Paul et de Virginie sur des genoux maternels, les amours innocentes de leur adolescence, les dons funestes de la fortune, leur cruelle séparation, leur réunion encore plus douloureuse, n'ont laissé près de leurs humbles tertres aucun monument de leur vie. On n'y voit ni inscriptions, ni bas-reliefs. L'art n'y a gravé que leurs simples noms, mais la nature y a placé, pour tous les hommes, de plus durables et de plus éloquents ressouvenirs. Ces roseaux gigantesques qui murmurent toujours, agités par les moindres vents, comme les faibles et orgueilleux mortels ; ces flots lointains qui viennent, l'un après l'autre, expirer sur le rivage, comme nos jours fugitifs sur celui de la vie ; ce vaste océan d'où ils sortent et retournent sans cesse, image de l'éternité, nous disent que le temps nous entraîne aussi vers elle.

Je dois le dessin de cette composition mélancolique et touchante à M. Isabey. Son amitié a voulu m'en faire un présent dont je m'honore. Je m'étais adressé à lui pour exécuter ce sujet, où il ne devait y avoir aucun personnage vivant ; et j'étais sûr d'avance qu'il réussirait par l'art particulier que je lui connais d'harmonier la lumière et les ombres, et d'en tirer des effets magiques. Il a réussi au-delà de mes espérances. Il a rendu les bambous avec la plus exacte vérité. Leur perspective fait illusion. Il est si connu et si estimé par ses portraits d'une ressemblance frappante, par ses grandes compositions, telles que Bonaparte passant ses gardes en revue, que ses ouvrages n'ont pas besoin de mes éloges. Celui-ci suffirait pour rendre mon édition célèbre.

L'eau-forte en a été faite par M. Pillement le Jeune qui excelle, au jugement de tous les graveurs, à faire celle des paysages. Elle a été terminée au burin par

M. Beauvinet, dont j'ai déjà parlé avec éloge. Il suffit de dire que l'auteur du dessin a été très satisfait de l'exécution de ces deux artistes.

M. Dien, imprimeur en taille-douce, qui m'a été indiqué par M. Roger, comme très recommandable par sa probité et son talent, a tiré toutes les feuilles de mes sept planches, en y comprenant le portrait. M. Dien, son frère, en a gravé la lettre.

Comme plusieurs de mes souscripteurs ont souscrit pour des exemplaires coloriés, les auteurs des dessins ont eu la complaisance de colorier chacun une épreuve de la gravure qui en était résultée pour servir de modèle. D'après eux M. Langlois, imprimeur dans ce genre, et si avantageusement connu par ses belles fleurs, en a mis les planches en couleur, et les a retouchées au pinceau.

M. Didot l'aîné, si célèbre par la beauté de ses éditions, en a imprimé le texte; il en a revu les épreuves avec moi, et m'a aidé plus d'une fois de ses utiles observations.

Enfin M. Bradel en a cartonné et étiqueté les exemplaires.

On voit que je n'ai rien négligé pour enrichir et perfectionner cette édition. J'ai eu le bonheur d'y faire concourir une partie des plus fameux artistes de mon temps. Quoique la plupart aient diminué, par affection pour l'ouvrage et pour l'auteur, le prix ordinaire de leurs travaux, et que quelques-uns même m'aient fait présent de leurs dessins, je puis assurer que les seuls frais de dessins et de gravures me reviennent à plus de 11 000 livres. Chaque dessin m'en coûte 300; chaque

planche gravée de *Paul et Virginie* 1 000 ; celle du
portrait 2 400, sans les exemplaires à fournir. Si on y
ajoute les frais de papier vélin, d'impression en taille-
douce, de celle du texte, de celle des exemplaires
coloriés, leur retouche au pinceau, la gravure en
lettres, le cartonnage, etc., elle me coûte au moins
20 000 francs, sans les frais de vente. Je ne parle pas du
temps, des courses, et des inquiétudes que m'ont
coûtés à moi-même ces différents travaux, ainsi que
des frais d'impression de ce préambule que je n'avais
pas promis à mes souscripteurs : j'espère les avoir
dédommagés, autant qu'il était en moi, de leur longue
attente.

Je leur ai de mon côté beaucoup d'obligations ; ils
sont venus d'eux-mêmes à mon secours, sans que j'en
aie fait solliciter aucun. Comme souscripteurs ils sont
en petit nombre, mais comme amis ils sont beaucoup.
C'est avec leurs avances que j'ai commencé mon
entreprise ; sans elles je ne l'eusse jamais osé. Ainsi je
puis dire que c'est à elles que le public doit cette
édition ; elles ne se montaient qu'à 4 500 livres, moitié
du prix total des souscriptions que j'ai reçues ; elles
m'ont porté bonheur. Quand elles ont cessé, j'ai pu y
joindre, bientôt après, les 6 600 livres qui m'ont été
offertes par un libraire. Ce qu'il y a de très remarquable, c'est que ces deux sommes réunies, qui font
environ 11 000 livres, sont précisément ce que je devais
payer pour frais de dessins, et de gravures.

Je suis entré dans ces détails pour remercier mes
souscripteurs, leur donner quelque idée du prix des
travaux des artistes, de l'embarras de mon entreprise ;

et leur montrer qu'il y a une Providence qui se manifeste aussi bien au milieu du désordre de nos sociétés que dans l'ordre de la nature.

Je venais de traverser des temps de révolution, de guerre, de procès, de banqueroute, de calomnies audacieuses, de persécutions sourdes, et d'anarchie en tout genre, lorsque Bonaparte prit en main le gouvernail de l'empire. Son premier soin fut de conjurer les vents ; il renferma ceux de l'opinion dans des outres, et les força de souffler dans ses voiles[5].

> *... regemque dedit qui fœdere certo*
> *Et premere et laxas sciret dare jussus habenas.*

« Il leur donna un roi qui, d'après des ordres supérieurs et des moyens infaillibles, pût leur lâcher ou leur retenir les rênes. »

Le *Journal de Paris* est rentré dans sa sphère, celui des *Débats* est devenu journal impérial, et sans doute se rendra digne de ce titre auguste ; les nuages de mon horizon se sont élevés, et j'ai fait voile enfin vers le port.

Les fonds de mon édition tiraient à leur fin, et j'avais besoin encore d'environ 9 000 livres pour en solder tous les comptes. Le banquier dont j'avais éprouvé la faillite, voyant que je ne voulais pas accepter les vingt-cinq pour cent qu'il m'avait offerts, et que j'étais décidé à réclamer le bien de mes enfants devant les tribunaux, me proposa de joindre à son offre pour 9 000 francs de billets sur une maison solvable, payables d'année en année. Enfin, sa vertueuse sœur

venant à son secours me pria d'accepter, pour les
12 000 livres restant de ma créance sur son frère, une
maison de campagne qui avait coûté au moins cette
somme à bâtir. Bien des gens ne s'en seraient pas
souciés, surtout à cause de son éloignement ; c'était un
bien national à sept lieues et demie de Paris. Cependant, le désir de voir cette affaire terminée et l'exemple
de la sœur me rendirent facile envers le frère. Je
terminai avec lui, et je recueillis ainsi les débris de mon
naufrage. Toutefois quand j'eus examiné à loisir ma
nouvelle acquisition, je trouvai qu'elle avait avec mon
bonheur plus de convenance que je ne l'avais d'abord
imaginé. Elle est à mi-côte, en bon air ; la vue,
quoiqu'un peu sauvage, en est riante ; ce sont des
coteaux nus et escarpés, mais bordés à leur base d'une
belle lisière de prairies qu'arrose l'Oise et qui, en se
perdant en portions de cercle à l'horizon, forment au
loin, avec d'autres coteaux, de charmants amphithéâtres. En face, de l'autre côté de l'Oise, sont de vastes
plaines bien cultivées. Le jardin, qui n'est que de cinq
quarts d'arpent, a été planté avec goût : ce sont des
espaliers couronnés de cordons de vignes, des arbres
fruitiers à mi-côte au milieu des gazons, des carrés de
légumes entourés de bordures de fleurs, des bosquets
où quelques arbres étrangers se mêlent avec ceux du
pays, de petits chemins bordés de fraisiers, qui circu-
lent et aboutissent partout à de nouveaux points de
vue. Enfin, il y a un peu de tout ce qui peut servir aux
besoins et aux plaisirs d'une famille ; la mienne en fut
enchantée : il semblait que la maison eût été distribuée
pour elle, tant elle est commode et solide. Des caves et

des puits creusés dans le roc, deux basses-cours
entourées de granges, d'écuries, de remises, et ombragées de beaux noyers; c'était un asile tout à fait
convenable à un père de famille, et à un homme de
lettres, tel que je le désirais depuis longtemps. C'est,
comme je l'ai dit, un bien national; c'était un presby-
tère dont le curé a péri sur l'échafaud dans la
révolution : mais c'était pour moi deux nouveaux
motifs d'intérêt. Tant de particuliers m'avaient enlevé
mon bien que je ne m'y fiais plus. Je pensais au
contraire que si la nation me reprenait jamais celui-ci,
elle aurait honte d'achever de dépouiller mes enfants,
et qu'elle les dédommagerait d'une manière ou d'une
autre. Quant à ce que cette maison avait été l'habitation d'un malheureux pasteur, elle ne faisait qu'accroître l'intérêt que je prenais pour elle. Les lieux les plus
intéressants pour moi sont ceux qui ont été habités par
des infortunés qu'on peut supposer avoir été victimes
de leur vertu, ou de leur innocence : il me semble que
leur ombre me protège. Comme je n'ai jamais connu
mon devancier, cette supposition m'est aussi aisée à
faire en sa faveur qu'en celle des anciens habitants de
la Grèce et de Rome, dont les ruines ne m'inspirent
aujourd'hui de l'intérêt que par l'idée que je me forme
de leurs vertus, et de leurs malheurs. C'est toujours à
un sentiment moral de vertu, de gloire, de splendeur,
enfin à quelque chose de céleste, que se rapporte le
respect des noms et des lieux; j'étends le mien
jusqu'au nom de ce village qui s'appelle Æragni[6] :
j'imagine qu'il vient d'*Ara-ignis,* autel de feu. Je me
fonde sur ce qu'il y en a, aux environs, un du même

nom; et d'autres qui s'appellent *Mont-igni,* mont de feu.

Tant de convenances physiques et morales me plaisaient beaucoup; mais il se rencontrait un grand obstacle à leur jouissance, je n'avais pas les moyens d'occuper cette agréable solitude. Sa distance de Paris, qui était pour moi un mérite de plus, me devenait très coûteuse, par les frais d'allées et de venues, seul ou en famille, à Paris, où j'avais des devoirs à remplir toutes les semaines. Il fallait de plus fournir aux frais d'un nouvel ameublement, et terminer ceux de mon édition. Toutes ces dépenses ne pouvaient s'accorder avec mon revenu. Je me résolus donc de la louer si j'en trouvais l'occasion*. Homère dit que Jupiter a deux tonneaux au pied de son trône, l'un plein de biens, l'autre de maux, dont il nous envoie alternativement une des deux mesures. Mais il a oublié de nous dire que chacune de ces mesures est double. Le bonheur ainsi que le malheur ne vient guère seul.

Je me trouvai bientôt en état d'arranger et d'occuper ma maison des champs, au moment où je m'y attendais le moins.

---

* Quelques journalistes me reprocheront peut-être encore que je parle toujours de moi. Mais puisque j'ai commencé mes *Etudes de la nature* par l'histoire d'un fraisier et des insectes qui l'habitaient, pourquoi ne parlerais-je pas dans ce préambule de ma maison de campagne et de ma famille? Aimeraient-ils mieux que je parlasse d'eux? C'est ce que je pourrai faire encore s'ils m'y obligent. Il n'y a que mes souscripteurs qui auraient droit de se plaindre que je les ennuie. Mais je les prie de considérer que je leur fais présent de ce préambule, que je ne leur ai pas promis. Je le leur donne comme un dédommagement de leur longue attente, ainsi que je l'ai dit.

Un de mes souscripteurs m'invita, il y a environ un an et demi, à le venir voir à sa campagne. C'est un jeune père de famille dont la physionomie annonce les qualités de l'âme. Il réunit en lui toutes celles qui distinguent le fils, le frère, l'époux, le père, et l'ami de l'humanité. Il me prit en particulier, et me dit « Il y a cinq ans que nous ne nous sommes vus. Je n'en ai pas moins conservé le désir de vous être utile. Ma fortune, que je dois à la nation, m'en donne aujourd'hui les moyens. Je n'en peux faire un meilleur usage qu'en vous en offrant une petite portion. Ajoutez à mon bonheur en me donnant les moyens de contribuer au vôtre : Je vous prie d'accepter deux mille écus de pension, avec un titre ou sans titre, comme vous le voudrez. Je ne veux pas gêner votre liberté, nécessaire à vos travaux ; je ne désire que vous la conserver. » « Et moi, lui répondis-je, permettez que je ne vous sois attaché que par les liens de la reconnaissance. » Ce philosophe, si digne d'un trône, si quelque trône était digne de lui, est le prince Joseph Bonaparte.

O mon généreux bienfaiteur, aimable protecteur des lettres, puisse cette édition, entreprise en faveur de mes enfants, être un monument de la reconnaissance de leur père envers toi ! puissé-je moi-même la reproduire par de nouveaux sujets plus dignes de ton âme philanthrope ! Je suis vieux. Ma navigation est déjà avancée. Mais si la Providence, qui a dirigé ma faible nacelle au milieu de tant d'orages, retarde encore de quelques années mon arrivée au port, je les emploierai à rassembler d'autres études. Les fleurs tardives de mon printemps promettent encore quelques fruits pour mon automne. Si les rayons d'une aurore orageuse ont fait éclore les premiers, les feux d'un paisible couchant mûriront les derniers. J'ai décrit le bonheur passager de deux enfants élevés au sein de la nature par des mères infortunées ; j'essaierai de peindre le bonheur durable d'un peuple ramené à ses lois éternelles par des révolutions.

Espérons de nos malheurs passés notre félicité à venir. Ce n'est que par des révolutions que l'intelligence divine elle-même développe ses ouvrages et les conduit de perfections en perfections.

Elle n'a point renfermé dans un petit gland le chêne robuste couvert de son vaste feuillage. Elle n'y a déposé que le germe fragile de ses premiers éléments. Mais elle ordonne aux eaux du ciel et de la terre de la nourrir, aux rochers de recevoir dans leurs flancs ses racines profondes, aux tempêtes de les raffermir par leurs secousses, au soleil de les féconder, aux saisons de couvrir tour à tour ses bras noueux de verdure, de fleurs et de fruits, aux années de corroborer son tronc par de nouveaux cylindres, de l'élever au-dessus des forêts, et d'en faire un monument durable pour les animaux et pour les hommes.

Il en est de même de notre globe ; il n'est pas sorti de ses mains tel que nous le voyons aujourd'hui. Elle a chargé les siècles de le rouler dans les cieux, et de le développer dans des périodes qui nous sont inconnues. Elle le créa d'abord dans la région des ténèbres et des hivers, enseveli sous un vaste océan de glaces, comme un enfant dans l'amnios au sein maternel. Bientôt son centre et ses pôles furent aimantés de diverses attrac-

tions par le soleil qui parut à son orient. Ses eaux
échauffées dans cette partie de son équateur se levèrent
en brumes épaisses dans l'atmosphère, dilatées par la
chaleur ; les vents les voiturèrent dans les airs, les pôles
encore gelés les attirèrent, et les fixèrent en nouveaux
océans de glaces aux extrémités de son axe, qu'ils
tinrent en équilibres *(sic)* par leurs mobiles contre-
poids. Devenu plus léger à son orient, il éleva son
occident, encore immobile de froid et plus pesant, vers
le soleil qui l'attirait. Alors il circula sur lui-même, en
balançant ses pôles dans le cercle de l'année, autour de
l'astre qui lui donnait le mouvement et la vie. Bientôt à
la surface de ses mers fluides, demi-épuisées par les
mers aériennes et glaciales, qui en étaient sorties,
apparurent les sommets graniteux de ses continents et
de ses îles, comme les premiers ossements de son
squelette.

Peu à peu ses eaux marines saturées de lumière et de
sels, étendirent autour d'eux leurs alluvions, et les
transformèrent en vastes couches de roches calcaires,
comme les eaux aériennes se changent en bois dans les
végétaux, et la sève des végétaux en sang, en chair
dans les animaux. Ainsi se formèrent dans la région
des tempêtes, les rochers et les durs minéraux, ces
ossements et ces nerfs de la terre, où devaient s'attacher comme des muscles les vastes croupes des montagnes, et qui devaient supporter le poids des continents.
Leurs fondements caverneux, et encore mal assis, en
paraissant à la lumière, se raffermirent par des trem-
blements ; et de leurs affreuses collisions, des tourbillons de fumée s'élevèrent à la surface des mers, qui

annoncèrent les premiers volcans dont les feux devaient les épurer.

D'autres bouleversements préparèrent d'autres organisations ; le globe, surchargé sur ses pôles de deux océans de glace de poids inégaux et versatiles, les présenta tour à tour au soleil ; et tour à tour de vastes courants en sortirent qui labourèrent, chacun pendant six mois, ses deux hémisphères. Celui du nord creusa d'abord les contours de cet immense canal où l'Atlantique, semblable à un fleuve, renferme aujourd'hui ses eaux et les verse deux fois par jour entre l'ancien et le nouveau monde. Celui du sud, au contraire, descendant d'un seul glacier, placé au sein du vaste océan de son hémisphère, et faisant équilibre avec la plus grande partie des continents opposés, versa une seule fois par jour sur leurs rivages ses flots divergents dans le même temps et du même côté que le soleil en embrasait le pôle de ses rayons. Les torrents demi-glacés qui s'en précipitèrent découpèrent alors les côtes de l'ancien monde en nombreux archipels, en vastes baies et en longs promontoires.

Le globe est un vaisseau céleste, sphérique, sans proue et sans poupe, propre à voguer, dans tous les sens, dans toute l'étendue des cieux. Le soleil en est l'aimant et le cœur ; l'océan est le sang dont la circulation le rend mobile. L'astre du jour en opère le systole et le diastole, le flux et le reflux, par sa présence et son absence, par le jour et la nuit, par l'été et l'hiver, par les mers fluides et glaciales. Les pôles du globe changent avec les siècles par les diverses pondérations de ses océans glacés. Il a été un temps où ceux qu'il a aujourd'hui dans notre méridien étaient dans notre équateur ; où nos zones torrides étaient projetées dans nos zones tempérées et glaciales, et celles-ci dans nos torrides ; où les hivers régnaient sur d'autres contrées, et où les mers glacées s'échappaient de leur empire par d'autres canaux. Il en est de même des autres planètes. Leurs sphères, diversement inclinées vers le soleil, sont dans les mains de la Providence comme ces cylindres de musique dont il suffit de relever ou d'abaisser les axes de quelques degrés pour en changer tous les concerts.

Ce ne fut sans doute que quand elle l'eut fait passer, si j'ose dire, par les périodes successifs de l'enfance, de l'adolescence, de la puberté, qu'elle créa tour à tour les végétaux, les animaux, et les hommes*, comme elle fait produire successivement à un arbre, après certain période d'années, des feuilles, des fleurs, et des fruits. Mais ce fut dans les temps où le globe élevait à peine quelques portions de ses continents à la surface des mers, que les torrents de ses pôles couverts de glace, et ceux de ses montagnes les plus élevées, creusèrent, en se précipitant, les nombreux amphithéâtres que le soleil devait éclairer de divers aspects, sous les mêmes latitudes. Ils excavèrent ces vallées vastes et profondes où errent aujourd'hui d'innombrables troupeaux. Ils escarpèrent les cimes aériennes des ces rochers qui font le charme de nos perspectives. Les tempêtes de l'atmosphère ajoutèrent à leur beauté. Elles transpor-

---

* Voyez la note *a,* à la fin du préambule.

tèrent dans les airs les premières semences des forêts qui croissent sur leurs inaccessibles plateaux.

Ce fut l'Océan qui, de siècles en siècles, épuisant ses eaux par d'innombrables productions, éleva en s'abaissant les sommets de ses îles primitives; et en reculant ses bords, les plaça au sein des continents. Ce sont leurs antiques pyramides qui couronnent à diverses hauteurs les chaînes des montagnes. Les unes sont couvertes de verdure, d'autres sont toutes nues comme aux jours de leur naissance; d'autres, toujours entourées de neiges et de glaces, semblent au niveau des pôles; d'autres vomissent des tourbillons épais de flammes sulfureuses et bitumineuses, et paraissent avoir leur fondement au niveau des mers qui les alimentent. Les pics du Ténérif et de l'Etna réunissent ce double empire, et du sein des glaces et des feux versent au loin l'abondance et la fécondité : toutes ces pyramides aériennes, dont la plupart s'élèvent au-dessus de la moyenne région de l'air, ont pour bases les corps marins qui entourèrent leurs premiers berceaux. Toutes attirent, aujourd'hui, autour d'elles les vapeurs et les orages de l'atmosphère. Tantôt elles s'en couvrent comme d'un voile, et disparaissent à la vue; tantôt elles découvrent la tête, ou les flancs de leurs longs obélisques. Si le soleil alors les frappe de ses rayons il les colore d'or et de pourpre, et répand sur leurs robes mobiles toutes les couleurs de l'arc-en-ciel. Elles apparaissent, au sein des tonnerres, comme des divinités bienfaisantes; les croupes qui les supportent deviennent autant de mamelles qui répandent de toutes parts des pluies fécondantes; les cavernes profondes de leurs flancs sont des urnes d'où elles versent les fleuves qui fertilisent les campagnes jusqu'aux bords de l'Océan leur père, et invitent les navigateurs à aborder sur ces mêmes rivages dont elles étaient l'épouvante dans les temps de leur origine.

Chaque siècle diminue l'empire de l'Océan tempétueux, et accroît celui de la terre paisible : voyez seulement les collines qui bordent de part et d'autre nos vallées ; elles portent à leurs contours saillants les empreintes des dégradations des fleuves qui remplissaient jadis de leurs eaux tout l'intervalle qui les sépare. Le sol même des vallées et de leurs couches horizontales, ainsi que les coquillages fluviatiles disséminés dans toute sa largeur attestent qu'il a été formé sous les eaux. Mais jetez les yeux sur les terres les plus élevées de notre hémisphère ; l'antique Scandinavie, séparée autrefois de la Norvège et du continent par de bruyants détroits qui communiquaient de la mer Glaciale à la mer Baltique, a cessé d'être une île. J'ai marché moi-même dans le fond de leurs bassins de granit ; la mer Baltique, où j'ai navigué, baisse d'un pouce tous les quarante ans : on voit des diminutions semblables dans les mers de l'hémisphère austral. La nouvelle Hollande, dont les montagnes escarpées s'élèvent au-dessus des nuages, étend aujourd'hui ses flancs sablonneux au-dessus des flots ; elle montre déjà au sein de ses marais saumâtres des colonies florissantes d'Européens, jadis les fléaux de leur patrie : dans toutes les mers, des foules d'îles naissantes et de rochers à demi submergés soulèvent, à travers les vagues irritées, leurs têtes noires couronnées de fucus,

de glaïeuls, et de varechs. A leurs couleurs brunes et
empourprées, à leurs bruits confus et rauques, aux
nappes d'écume qui bouillonnent autour d'eux, on
dirait de vieux tritons qui se disputent avec fureur de
jeunes néréides. Un jour, ces écueils si redoutables aux
marins offriront des asiles aux bergères ; après de
nombreuses tempêtes le détroit qui sépare l'Angleterre
de la France se changera en guérets. Après d'intermi-
nables guerres, les Anglais et les Français verront leurs
intérêts réunis comme leur territoire.

   Il en sera de même du genre humain. Dieu l'a
destiné à jouir de ses bienfaits par tout le globe. Il en a
fait un petit monde où il a renfermé tous les désirs et
les besoins des êtres sensibles. Il l'a formé comme un
seul homme qu'il fait d'abord passer par l'enfance,
entouré d'une nuit d'ignorance et de préjugés, mais
dont il aimante la tête de la lumière de la raison, et le
cœur de l'instinct de la vertu, afin qu'il puisse
gouverner ses passions et se diriger vers ces facultés
divines, comme le globe qu'il habite autour du soleil. Il
voulut que ces dons célestes ne se développassent dans
les nations, comme dans les individus, que par leur
expérience et celle de leurs semblables. Il voulut même
que les intérêts du genre humain ne se composassent
un jour que des intérêts de chaque homme. Chaque
peuple a eu donc une enfance imbécile, une adolescence crédule, et une jeunesse sans frein. Lisez seulement les histoires de notre Europe, vous la voyez tour à
tour couverte de Gaulois, de Grecs, de Romains, de
Cimbres, de Goths, de Visigoths, de Vandales,
d'Alains, de Francs, de Normands, etc., qui s'extermi-

nent les uns après les autres, et la ravagent comme les flots d'une mer débordée. L'histoire de chacun de ces peuples ne présente qu'une suite non interrompue de guerres, comme si l'homme ne venait au monde que pour détruire son semblable. Ces temps anciens, si vantés pour leur innocence et leurs vertus héroïques, ne sont que des temps de crimes et d'erreurs dont la plupart, pour notre bonheur, n'existent plus. L'absurde idolâtrie, la magie, les sorts, les oracles, le culte des démons, les sacrifices humains, l'anthropophagie, les guerres permanentes, les incendies, les famines, l'esclavage, la polygamie, l'inceste, la mutilation des hommes, les droits de naufrage, les droits d'aubaine, etc., désolaient alors nos malheureuses contrées et sont relégués aujourd'hui sur les côtes de l'Afrique inhospitalière, ou dans les sombres forêts de l'Amérique. Il en est de même de plusieurs maladies du corps aussi communes que celles de l'âme, telles que les pestes innombrables, les lèpres, la ladrerie, les obsessions ou convulsions, etc. Que dire des mensonges religieux qui illustraient des forfaits et consacraient des origines absurdes et criminelles encore révérées de nos jours? Que de héros, que nous font admirer nos écoles, qui n'étaient au fond que des scélérats; le féroce Achille, Ulysse le perfide, Agamemnon le parricide, la famille entière d'Atrée, et tant d'autres aussi criminels qui se prétendaient descendus des dieux et des déesses, le plus souvent changés en bêtes! Il semble que le monde moral ait roulé autrefois, comme le physique, sur d'autres pôles. Cependant des bienfaiteurs du genre humain s'élevèrent de siècles en siècles au-dessus de ses brigandages. Hercule, Esculape, Orphée, Linus, Confucius, Lockman[7], Lycurgue, Solon, Pythagore, Socrate, Platon, etc., civilisent peu à peu ces hordes de barbares. Ils déposent parmi eux les éléments de la concorde, des lois, de l'industrie, de religions plus humaines. Ils apparaissent dans les siècles passés au-dessus de leurs nations, comme des sources inépuisables de sagesse, de lumière, et de vertus, qui ont circulé jusqu'à nous de générations en générations, semblables à ces fleuves descendus des sommets aériens des montagnes lointaines, qui traversent depuis des siècles, des rochers, des marais, des sables, pour venir féconder nos plaines et nos vallons.

Déjà sur ces mêmes terres où les druides brûlaient des hommes, les philosophes les appellent pour les éclairer du flambeau de la raison. Les Muses du nord, de l'occident, et surtout les françaises, planent sur l'Europe, unissent leurs lyres, et, y joignant leurs voix mélodieuses, enchaînent par leurs concerts les cœurs de ses habitants. Ce sont elles qui ont brisé en Amérique les fers des noirs enfants de l'Afrique, et défriché ses forêts par des mains libres. Elles en ont exporté une foule de jouissances, et elles y ont transporté, de l'Europe et de l'Asie, des cultures et des troupeaux utiles, de nouveaux végétaux, des habitants plus humains, et des législations .évangéliques. O vertueux Penn, divin Fénelon, éloquent Jean-Jacques, vos noms seront un jour plus révérés que ceux des Lycurgue et des Platon ! La superstition n'élève plus chez nous, comme autrefois, de temples à Dieu par la crainte des démons ; la philosophie les a dissipés à la lumière de l'astre du jour. Elle montre la terre couverte des bienfaits de la divinité, et les cieux remplis de ses soleils. Que de découvertes utiles! que d'inventions hardies! que d'établissements humains inconnus à l'antiquité! Ce sont les vertus des grands hommes qui ont fait descendre du ciel sur la terre les flambeaux de la vérité; hélas! souvent, persécutées et fugitives, elles n'en éclairent le monde ténébreux qu'après de longues secousses et de nombreuses révolutions.

Mais les femmes ont contribué plus que les philosophes à former et à réformer les nations. Elles ne pâlirent point les nuits à composer de longs traités de morale; elles ne montèrent point dans des tribunes pour faire tonner les lois. Ce fut dans leurs bras qu'elles firent goûter aux hommes le bonheur d'être tour à tour, dans le cercle de la vie, enfants heureux, amants fidèles, époux constants, pères vertueux. Elles posèrent les premières bases des lois naturelles. La première fondatrice d'une société humaine fut une mère de famille. En vain un législateur, un livre à la main, déclara de la part du ciel que la nature était dénaturée, qu'elle était odieuse même à son auteur : elles se montrèrent avec leurs charmes, et le fanatique tomba à leurs pieds.

Ce fut autour d'elles que, dans l'origine, les hommes errants se rassemblèrent et se fixèrent. Les géographes et les historiens ne les ont point classées en castes et en tribus. Ils n'en ont point fait des portions de monarchies ou de républiques. Les hommes naissent asiatiques, européens, français, anglais; ils sont cultivateurs, marchands, soldats; mais par tout pays les

femmes naissent, vivent, et meurent femmes. Elles ont
d'autres devoirs, d'autres occupations, d'autres destinées que les hommes. Elles sont disséminées parmi eux
pour leur rappeler surtout qu'ils sont hommes, et
maintenir, malgré les lois politiques, les lois fondamen-
tales de la nature. Semblables à ces vents harmoniés
avec les rayons du soleil, ou avec leur absence, qui
varient les températures des pays qu'ils fécondent en
les réchauffant, ou les rafraîchissant de leurs haleines,
on ne peut les circonscrire dans aucune carte, ni en
faire hommage à aucun souverain. Ils n'appartiennent
qu'à l'atmosphère. Ainsi les femmes n'appartiennent
qu'au genre humain. Elles le rappellent sans cesse à
l'humanité par leurs sentiments naturels et même par
leurs passions.

C'est par cette influence qu'elles conservent souvent
un peuple depuis son origine jusqu'à ses derniers
débris. Voyez ceux qui n'ont plus maintenant ni
autels, ni trône, ni capitale, tels que les Guèbres, les
Arméniens, les Juifs, les Maures d'Afrique ; ils sont
roulés par les siècles et les événements, de contrées en
contrées ; mais leurs femmes en lient encore entre eux
les individus par les aimants multipliés de filles, de
sœurs, d'épouses, de mères. Elles les maintiennent par
les mêmes lois qui les ont rassemblés. Leurs hordes
errantes sont semblables aux antiques monuments de
leurs empires, qui gisent renversés, malgré les ancres
de fer qui en liaient les assises. En vain l'Océan en
roule les granits dans ses flots, aucune pierre ne se
délite : tant est fort le ciment naturel qui en conglo-
méra les grains dans la carrière.

Non seulement les femmes réunissent les hommes entre eux par les liens de la nature, mais encore par ceux de la société. Remplies pour eux des affections les plus tendres, elles les unissent à celles de la divinité, qui en est la source. Elles sont les premiers et les derniers apôtres de tout culte religieux qu'elles leur inspirent, dès la plus tendre enfance. Elles embellissent tout le cours de leur vie. Ils leur sont redevables de l'invention des arts de première nécessité, et de tous ceux d'agrément. Elles inventèrent le pain, les boissons agréables, les tissus des vêtements, les filatures, les toiles, etc. Elles amenèrent les premières à leurs pieds les animaux utiles et timides qu'ils effrayaient par leurs armes, et qu'elles subjuguèrent par des bienfaits. Elles imaginèrent pour plaire aux hommes les chansons gaies, les danses innocentes, et inspirèrent à leur tour la poésie, la peinture, la sculpture, l'architecture, à ceux d'entre eux qui désirèrent conserver d'elles de précieux ressouvenirs. Ils sentirent alors se mêler à leurs passions ambitieuses l'héroïsme et la pitié. Ils n'avaient imaginé au milieu de leurs guerres cruelles et permanentes que des dieux redoutables, un Jupiter foudroyant, un noir Pluton, un Neptune toujours en courroux, un Mars sanglant, un Mercure voleur, un Bacchus toujours ivre; mais à la vue de leurs femmes chastes, douces, aimantes, laborieuses, ils conçurent dans les cieux des divinités bienfaisantes. Remplis de reconnaissance pour les compagnes de leur vie, ils leur élevèrent des monuments plus nombreux et plus durables que des temples. Ils donnèrent d'abord, dans toutes les langues, des noms féminins à tout ce qu'ils trouvèrent de plus aimable et de plus doux sur la terre, à leurs diverses patries, à la plupart des rivières qui les arrosaient, aux fleurs les plus odorantes, aux fruits les plus savoureux, aux oiseaux qui avaient le plus de mélodie.

Mais tout ce qui leur sembla mériter dans la nature des hommages plus étendus par une beauté ou par une utilité supérieure reçut d'eux des noms de déesses, c'est-à-dire de femmes immortelles. Elles eurent leur séjour dans les cieux et leurs départements sur la terre. Ainsi ils féminisèrent et déifièrent la lumière, les étoiles, la nuit, l'aurore. Ils attribuèrent les fontaines aux naïades, les ondes azurées de la mer aux néréides, les prairies à Palès, les forêts aux dryades. Ils distribuèrent de plus grands départements à des déesses d'un plus haut rang, l'air avec ses nuages majestueux à Junon, la mer paisible à Téthys, la terre et ses riches minéraux à Cybèle, les bêtes fauves à Diane, et les moissons à Cérès. Ils caractérisèrent les puissances de l'âme, source de toutes leurs jouissances, comme celles de la nature. Ils firent des déesses des vertus qui les fortifiaient, des grâces qui les rendaient sensibles, des Muses qui les inspiraient, de Minerve, mère de toute industrie. Enfin ils donnèrent à la déesse qui réunissait tous les charmes de la femme le nom de Vénus, plus expressif sans doute que celui d'aucune divinité. Ils lui attribuèrent pour père Saturne ou le Temps, pour berceau l'Océan, pour compagnons de sa naissance les jeux, les ris, les grâces, pour époux le dieu du feu, pour enfant l'amour, et pour domaine toute la nature.

En effet tout objet aimable a sa vénusté, c'est-à-dire

une portion de cette beauté ineffable qui engendre les amours. La plus touchante en est sans doute la sensibilité, cette âme de l'âme qui en anime toutes les facultés. Ce fut par elle que Vénus subjugua le dieu indomptable de la guerre.

Ce n'est pas que les femmes aient reçu du ciel plus de perfections que les hommes. Soumises par la nature même de leurs charmes aux influences de la déesse des grâces, dont l'astre des nuits était autrefois le symbole, et en porte encore le nom chez les peuples sauvages, par la variété de ses phases, elles brillent dans le cours des mois d'une lumière douce et paisible, mais inconstante et inégale. Cependant elles attirent à elles et dissipent les feux qui dévorent les cœurs ambitieux des hommes, semblables aux feux du soleil, qui embrasent l'horizon pendant le jour et ne s'éteignent que dans le sein des nuits. Ainsi les défauts d'un sexe et les excès de l'autre se compensent mutuellement ; et ces deux moitiés humaines en contraste composent sur la terre une harmonie parfaite, semblable à celle des deux astres de la lumière, conjugués dans les cieux.

O femmes, c'est par votre sensibilité que vous enchaînez les ambitions des hommes ! Partout où vous avez joui de vos droits naturels, vous avez aboli les éducations barbares, l'esclavage, les tortures, les mutilations, le pal, les croix, les roues, les bûchers, les lapidations, le hacher par morceaux, et tous les supplices cruels de l'antiquité, qui étaient bien moins des punitions d'une justice équitable que des vengeances d'une politique féroce. Partout vous avez été les premières à honorer de vos larmes les victimes innocentes de la tyrannie, et à faire connaître les remords aux tyrans. Votre pitié naturelle vous donne à la fois l'instinct de l'innocence et celui de la véritable grandeur. C'est vous qui conservez et embellissez de vos souvenirs les renommées des conquérants magnanimes, dont les vertus généreuses protégèrent les faibles, et surtout votre sexe. Tels ont été les Cyrus, les Alexandre, les Charlemagne; sans vous ils ne nous seraient pas plus recommandables que les Tamerlan, les Bajazet, les Attila. Mais le sang des nations subjuguées élève en vain de sombres nuages autour de leurs grands colosses; au souvenir de leurs bienfaits vous étendez sur eux des rayons de reconnaissance qui les font briller sur notre horizon de tout l'éclat de la vertu.

Vous êtes les fleurs de la vie. C'est dans votre sein que la nature verse les générations et les premières affections qui les font éclore. Vous civilisez le genre humain, et vous en rapprochez les peuples bien mieux par des mariages que la diplomatie par des traités. Vous êtes les âmes de leur industrie et de leur navigation. C'est pour vous procurer de nouvelles jouissances que les puissances maritimes vont chercher aux Indes les plus douces et les plus riches productions de la terre et du soleil. Pline dit que déjà de son temps ce commerce se faisait principalement pour vous. Vous formez entre vous par toute la terre un vaste réseau, dont les fils se correspondent dans le passé, le présent, et l'avenir, se prêtent mutuellement des forces. Vous enchaînez de fleurs ce globe dont les passions cruelles des hommes se disputent l'empire.

O Françaises, c'est pour vous que l'Indienne donne aujourd'hui la transparence au coton et le plus vif éclat à la soie! Ce fut pour vous que les filles d'Athènes imaginèrent ces robes commodes et charmantes, si favorables à la pudeur et à la beauté que le sage Fénelon lui-même les trouvait bien préférables à tous les costumes gênants et orgueilleux de notre ancien régime. La révolution vous en a revêtues, et elles ont ajouté à vos grâces naturelles. Mères et nourrices de notre enfance, quel pouvoir vos charmes n'ajoutent-ils pas à vos vertus? Vous êtes les reines de nos opinions et de notre ordre moral. Vous avez perfectionné nos goûts, nos modes, nos usages, en les simplifiant. Vous êtes les juges nés de tout ce qui est décent, gracieux, bon, juste, héroïque. Vous répandez l'influence de vos jugements dans toute l'Europe, et vous en avez rendu Paris le foyer. C'est dans ses murs, à votre vue, ou par vos souvenirs, que nos soldats s'animent à la défense de la patrie : c'est dans ces mêmes murs que les guerriers étrangers, qui ont porté contre eux des armes malheureuses, viennent en foule, dans les trop courts intervalles de la paix, oublier à vos pieds tous leurs ressentiments.

Notre langue vous doit sa clarté, sa pureté, son élégance, sa douceur, tout ce qu'elle a d'aimable et de naïf. Vous avez inspiré et formé nos plus grands poètes et nos plus fameux orateurs. Vous protégez dans vos cercles l'écrivain solitaire qui a eu le bonheur de vous plaire et le malheur d'irriter des factions jalouses. A vos regards modestes, aux doux sons de votre voix, le sophiste audacieux se trouble, le fanatique sent qu'il est homme, et l'athée qu'il existe un Dieu. Vos larmes touchantes éteignent les torches de la superstition, et vos divins sourires dissipent les froids arguments du matérialisme.

Ainsi sur les rivages de l'Islande, après de longs hivers, la reine des mers boréales, la montagne de l'Hécla, couronnée de volcans, vomit des tourbillons de feux et de fumées à travers des pyramides de glace qui semblent menacer les cieux : mais lorsque le globe, au signe des Gémeaux, achève d'incliner le pôle nord vers le soleil, les vents du printemps qui naissent sous l'empire de l'astre du jour joignent leurs tièdes haleines à ses rayons ardents. Les flancs de la montagne alors se réchauffent : une chaleur souterraine s'étend sous la coupole de glace qui la surmonte et lui refuse bientôt tout appui. D'abord ses sommets orgueilleux se précipitent dans ses cratères brûlants, en éteignent les feux, pénètrent dans ses longs souterrains, et jaillissent autour de sa base en hautes gerbes d'eaux noires et bouillantes. Ses fondements caverneux s'affaissent sur leurs propres piles, glissent, et s'écroulent en énormes rochers dans le sein des mers qu'ils menaçaient d'envahir. Les bruits affreux de leurs chutes, les sombres murmures de leurs torrents, les rugissements des phoques et des ours marins qui les habitaient, sont répétés au loin par les échos d'Horrillax et du Vai-gaths[8]. Les peuples riverains de l'Atlantique voient avec effroi ces glaciers terreux voguer, renversés, le long de leurs rivages. Entraînés par leurs propres courants, sous les formes fantastiques de temples, de châteaux, ils vont rafraîchir les mers torridiennes, et fonder, dans leurs flots attiédis, des écueils que l'hiver suivant ne reverra plus.

Cependant la montagne dessolée[9] apparaît, à travers les brumes de ses neiges fondues et les dernières fumées de ses volcans, nue, hideuse, ses collines dégradées et montrant à découvert ses antiques ossements. C'est alors que les zéphyrs, qui l'ont dépouillée du manteau des hivers, la revêtissent *(sic)* de la robe du printemps. Ils accourent en foule des zones tempérées, portant sur leurs ailes les semences volatiles des végétaux. Ils tapissent de mousses, de graminées, et de fleurs, ses flancs déchirés et ses plaies profondes. Les oiseaux de la terre et des eaux y déposent leurs nids. En peu d'années, de vastes bosquets de cèdres et de bouleaux sortent de ses cratères éteints. Une nouvelle adolescence la pénètre de toutes les influences du soleil pendant un jour de plusieurs mois.

Sa beauté même s'accroît de celle des longues nuits du pôle. Quand l'hiver, à la faveur de leurs ténèbres, y relève son trône, étend sur lui son manteau d'hermine, et prépare à l'océan de nouvelles révolutions, la lune circule tout autour et lui renvoie une partie des rayons du soleil qui l'abandonne. L'aurore boréale le couronne de ses feux mobiles et agite autour de lui ses drapeaux lumineux. A ce signal céleste les rennes fuient vers de moins âpres contrées ; elles aperçoivent, à la lueur de ces clartés tremblantes, l'Hécla au milieu des mers hérissées de glaçons ; et elles viennent, en bramant, chercher dans ses vallées profondes de nouveaux pâturages. Des légions de cygnes tracent autour de sa cime de longues spirales, et, joyeux de descendre sur cette terre hospitalière, font entendre au haut des airs des accents inconnus à nos climats. Les filles d'Ossian, attentives, suspendent leurs chasses nocturnes pour répéter sur leurs harpes ces concerts mélodieux; et bientôt de nouveaux Pauls viennent chercher parmi elles de nouvelles Virginies.

Il en sera de même de notre dernière révolution. Déjà la France apparaît au-dessus des orages. Les feux gémeaux de Castor et de Pollux étincellent sur sa tête, dans un ciel d'azur. Ils annoncent la fin de nos affreuses tempêtes. O Napoléon, que ta puissante étoile repousse au loin ces ambitions effrénées qui rugissent encore autour de nos frontières! Et toi, Joseph, seconde, de ta bienfaisante philanthropie, ton frère toujours victorieux! Convertis les ambitions du dedans, taciturnes et sombres, en amour de la concorde et de la paix. Puissent vos noms fraternels, en harmonie comme vos talents et vos vertus, devenir pour la postérité l'époque d'un nouveau période de gloire et de bonheur! puisse-t-elle vous confondre dans ses ressouvenirs et être un jour en doute qui de vous deux a le mieux mérité de sa reconnaissance!

NOTE *a* INDIQUÉE PAGE 83 DU PRÉAMBULE

Mon opinion sur ces diverses périodes du développement du globe s'accorde avec toutes les traditions orientales. Les unes divisent les temps de sa création en six jours, d'autres en plusieurs âges, d'autres, comme celles des Indiens, en périodes de siècles. On peut fournir d'ailleurs des preuves évidentes de ces révolutions des pôles par les productions des zones torrides que nous retrouvons dans notre zone tempérée et dans notre zone glaciale; par les corps marins de l'hémisphère austral qui sont fossiles dans notre hémisphère boréal; par divers déluges occasionnés par la fonte des glaces lorsque les anciens pôles parcoururent l'équateur; par les zones sablonneuses, les découpures des îles, les golfes profonds, dont un grand nombre ont aujourd'hui des directions différentes de celles dont les pôles étaient alors les foyers, comme on le peut voir sur les cartes de géographie; par les traditions des Chinois, dont les annales attestent que le soleil resta fixe plusieurs semaines consécutives dans une seule constellation; ce qui occasionna, non un embrasement, comme on l'avait craint, mais un déluge dont la Chine fut inondée; enfin par les traditions des prêtres de l'Egypte, qui assurèrent à Hérodote que le soleil s'était levé deux fois à l'occident et deux fois à l'orient; ce que l'on ne peut attribuer qu'aux diverses inclinaisons des pôles de la terre, et à ses mers, qui en varient, dans le cours des siècles, les pondérations et les mouvements.

Les planètes, qui tournent autour du soleil, paraissent soumises à des harmonies semblables. Elles ont leurs axes différemment inclinés, leurs moteurs sont les mêmes, mais ils ont d'autres directions; chacune a un ou plusieurs océans, non pas dirigés du nord au sud, comme notre Atlantique, mais d'orient en occident, à proportion qu'elles s'enfoncent dans les zones célestes glaciales. Mais avant d'aller plus loin, je prendrai la liberté de réfuter quelques erreurs de physique accréditées, depuis longtemps, parmi les astronomes. Ils prétendent que les parties resplendissantes des planètes en sont les montagnes et les rochers, et que les parties sombres en sont les mers. Pour moi, je pense que c'est le contraire. Si on découvre une île, en pleine mer, elle apparaît comme un nuage obscur, et la mer qui l'environne comme un lac argenté. Il en est de même d'un fleuve; on l'aperçoit au milieu des campagnes comme un long serpent d'argent et d'azur, tandis que les collines de l'horizon sont d'un bleu noirâtre. Enfin si on met, dans une chambre au soleil, de l'eau, dans un vase non vernissé, elle renverra au plancher ses mobiles reflets. L'eau, et non le vase, réfléchit la lumière. J'excepte cependant les montagnes à glace des continents, qui réfléchissent encore plus dans l'état de congélation que dans celui de fluidité. Ce n'est pas comme corps opaques, mais comme corps polis et demi-transparents qu'ils affluent et refluent la lumière.

Ceci posé, je prends pour exemple dans les planètes les cinq bandes parallèles blanches et noires de Jupiter qui changent d'éclat tous les six ans, c'est-à-dire dans le cours alternatif de son été et de son hiver. Cette variation périodique prouve que chacune d'elles est composée alternativement d'une zone de terre et d'une zone de mers. Quand un de ces deux hémisphères est lumineux, c'est qu'il est dans son hiver ; alors les vapeurs de la zone maritime couvrent de neige les deux zones terrestres latérales, et l'hémisphère paraît tout blanc. Quand ce même hémisphère est barré d'une zone blanche entre deux obscures, il est dans son été, car les neiges des deux zones terrestres sont fondues, et il ne reste plus que la maritime brillante. Pour ses pôles, qu'on croit aplatis, n'est-ce point par une erreur d'optique ? Est-il vraisemblable d'ailleurs que la force centrifuge ait agi sur Jupiter seul parmi les planètes, et qu'elle soit restée sans action sur les pôles mêmes du soleil, ce corps si sphérique, quoique demi-liquéfié, source de cette même force expansive et de la matière molle qui produisit, dans l'origine, toutes les planètes, suivant nos astronomes ? Pour moi, si j'ose le dire, je crois que les pôles de Jupiter, n'ayant point de zones maritimes dans leur voisinage, n'en reçoivent ni exhalaisons, ni neiges, et par conséquent étant sans éclat, échappent à notre vue. Au reste, il est possible que les trois méditerranées, disposées en anneaux autour de Jupiter, soient cause de la rapidité de sa rotation sur lui-même, qui est de 9 heures 36 minutes, quoiqu'il soit la plus grosse de nos planètes. Si notre terre, beaucoup plus petite et plus voisine du soleil, ne tourne sur elle-même qu'une fois en vingt-quatre heures, ne serait-ce pas parce que ses deux océans n'ont que des cours obliques qui se croisent en partie ? Je ne m'engagerai pas plus avant dans cette question, quoique le célèbre Mairan [10] ait été plus loin. Il a calculé que « la différence qui est entre le poids de la partie inférieure d'une planète tournée vers le soleil, et celui de la supérieure qui ne l'est pas, est capable de produire sa rotation d'occident en orient. »

On peut appliquer ce que je viens de dire des bandes de Jupiter aux échancrures périodiques de Mars, aux bandes de Saturne, etc. Je ne parlerai point des satellites ni des anneaux qui réchauffent les planètes de leurs reflets. Il paraît que dans tous ces astres il y a des océans ou fluides, ou glacés, ou en évaporation, qui sont les moteurs de leurs mouvements et de leur fécondité. Le soleil en est le premier agent ; c'est l'Apollon de notre système. Comme je l'ai déjà dit, il varie sans cesse les cordes de sa lyre pour en tirer de nouveaux airs. Si j'en avais le temps je me permettrais quelques réflexions sur le satellite que nous connaissons le mieux, et sur lequel nous sommes le moins d'accord. Comment la lune peut-elle attirer nos mers, sans attirer en même temps l'air, élément plus étendu, plus léger, plus mobile, plus élastique, qui les environne ? Si elle soulevait et laissait retomber deux fois par jour notre océan atlantique, elle en ferait autant de notre atmosphère. Alors nos baromètres, si sensibles au moindre poids des nuages, nous annonceraient deux fois par jour des marées aériennes en harmonie avec des marées pélagiennes. « Notre air est trop léger, me répondit un jour un professeur de mathématiques, pour être attiré par la lune. » « Pourquoi donc, lui dis-je, est-il attiré par la terre, au point que son poids fait monter l'eau dans une pompe vide, à trente-deux pieds de hauteur ? »

Mais comment la lune peut-elle soulever l'océan, malgré l'attraction même de la terre, qui, d'un autre côté, ne lui permet pas d'attirer à elle les méditerranées, les lacs, les fleuves, etc. ? et en supposant qu'elle ne puisse attirer que l'océan, pourquoi produit-elle sur nos côtes deux marées en vingt-quatre heures, puisque, quand elle est au zénith, et surtout au nadir de notre méridien, le long continent de l'Amérique s'oppose évidemment aux communications directes de la mer du sud et de l'océan atlantique ? Comment, après avoir produit deux marées de six heures chacune par jour dans notre hémisphère boréal, n'en opère-t-elle qu'une de douze heures en vingt-quatre dans l'hémisphère austral, où l'océan est si étendu, et où aucun continent ne s'oppose aux effets de son attraction ?

On sait que par toute la terre elle nous montre toujours la même face : comment donc peut-on supposer aujourd'hui qu'elle tourne, comme notre globe, sur elle-même ? mais comment, par un prodige encore plus étrange, peut-elle, chemin faisant, nous jeter de petites pierres brûlantes, à quatre-vingt-dix mille lieues de distance, avec des mortiers volcaniques de quatre lieues de largeur ? comment des mortiers si larges ont-ils pu les chasser si loin et si chaudes, à travers des régions glacées ? Nos plus terribles volcans, avec de bien moindres ouvertures, et par conséquent bien plus de détonation, ne lancent pas leurs projectiles à deux lieues de hauteur. Les volcans de la lune jettent, dit-on, leurs pierres à cinq mille lieues, c'est-à-dire aux limites de sa sphère d'attraction, d'où elles sont emportées par l'attraction de la terre à quatre-vingt-cinq mille lieues plus loin. Mais comment arrive-t-il que cette incroyable explosion ne dérange pas, par sa réaction, le cours d'un astre qui est en équilibre ? comment se fait-il alors que la lune, qui n'attire qu'à cinq mille lieues ses propres pierres, attire notre océan à quatre-vingt-dix mille, et que la terre, qui, de son côté, entraîne la lune entière dans sa sphère d'attraction, n'y entraîne pas aussi toutes les pierres qui en couvrent la surface ? Si on dit que les sphères d'activité des deux planètes restent en équilibre, l'une à cinq mille lieues, l'autre à quatre-vingt-cinq mille, elles n'exercent donc point d'action l'une sur l'autre. Tout ce que nous savons de plus assuré de la lune, c'est qu'elle a des éléments semblables à ceux de la terre. Les astronomes lui ont refusé longtemps l'air et l'eau, quoiqu'ils sussent qu'elle avait des volcans ; mais ils ne se rappelaient pas que le feu ne pouvait exister sans air, et les volcans sans mers. Pour moi, s'il m'est permis de le dire, je regarde la lune comme un astre en harmonie passive avec le soleil, et active avec la terre. Son mois est une petite année qui a, dans ses quatre phases, quatre saisons. Ses harmonies forment la douzième partie de celles du soleil, et elle les exerce sur les sept puissances de la nature qui règnent sur notre globe. Je m'en suis convaincu par un grand nombre d'observations. Je la considère donc avec sa forme variable et dans sa course oblique comme une navette céleste, chargée de lumière par le soleil. Elle forme de ses fils d'argent, dans le cours du mois, la trame de ce magnifique réseau dont le soleil fournit la chaîne d'or, dans le cours de l'année. La Providence y attacha les germes de tout ce qui est organisé, en environna notre globe ; et, par des harmonies lunisolaires et solilunaires qui s'entrelacent sans cesse, en développe, dans le cours des siècles, les formes, la vie, et les générations.

Si de la lune nous nous élevons jusqu'au soleil, nous verrons combien nous sommes encore nouveaux dans l'étude de la nature. Les anciens croyaient que cet astre était un dieu jeune et charmant, monté sur un char attelé de quatre superbes coursiers, par la main des Heures, et devancé de l'Aurore, qui répandait devant lui des corbeilles de roses, sur l'azur des cieux. Il parcourait ainsi la terre d'orient en occident, et allait se reposer, tous les soirs, dans les bras de la belle Téthys. Les modernes pensent aujourd'hui que c'est une fournaise d'un million de lieues de circonférence, qui tourne sur elle-même. De temps en temps cet astre demi-liquéfié détache de sa circonférence, dans son mouvement de rotation, à l'aide du choc d'une comète, quelques gouttes d'une matière vitrifiée, qui s'arrondissent en planètes, et se mettent aussitôt à tourner autour de lui. Au reste, cet astre ne les éclaire que par hasard, car il est, par rapport à elles, dans une proportion de grosseur telle que celle de la plus volumineuse citrouille, comparée à une douzaine de petits pois.

C'est ici qu'il faut se servir contre le grand Newton de sa propre devise, devenue depuis celle de la Société royale de Londres, et qui est sans doute celle de tout ami de la vérité, *Nullius in verba* : « Ne jurons par les paroles de qui que ce soit. » Newton a calculé la chaleur d'une comète dans le voisinage du soleil, et il l'a trouvée deux mille fois plus ardente que celle d'un fer rouge. Selon lui, les comètes sont destinées, pour la plupart, à alimenter ses feux. Cependant il aurait dû se rappeler que les rayons du soleil n'avaient point de chaleur en eux-mêmes, qu'ils n'en acquéraient sur notre terre qu'en s'harmoniant avec notre atmosphère, et qu'il gèle perpétuellement dans nos zones torrides, sur les sommets des hautes montagnes qui ont seulement une lieue de hauteur perpendiculaire, parce que l'air trop raréfié ne peut s'échauffer par ses rayons. On pourrait encore objecter l'océan, les végétaux, et les animaux de notre globe, qui n'ont jamais pu sortir d'un soleil liquéfié.

Enfin un musicien allemand, Herschel, perfectionne en Angleterre le télescope de Newton. Il en grossit six mille fois les objets qu'il observe, et il découvre que le soleil n'a rien qui ressemble à une fournaise. Il voit distinctement que c'est une planète d'un ordre supérieur à la nôtre, entourée d'une atmosphère de lumière, de quinze cents lieues de hauteur, ondoyante, qui s'entrouvre de temps en temps, et laisse apercevoir à travers une perspective admirable de nuages lumineux, de magnifiques montagnes de cent cinquante lieues de hauteur et de trois à quatre cents de longueur. Herschel réitère si souvent ces observations qu'il ne doute pas que le soleil ne soit une planète habitable.

Ainsi un bon observateur secondé d'un bon instrument, renverse tous les calculs de Newton et des Newtoniens, sur les écumes flottantes du soleil, sur les planètes terrestres qui en étaient sorties, sur la mollesse primitive de ces mêmes planètes, et sur la force centrifuge qui en avait déprimé les pôles en soulevant leur équateur, quoiqu'elle n'ait plus aujourd'hui la force de soulever une paille sur notre globe, et qu'au lieu d'y trouver ses plus hautes montagnes projetées d'orient en occident, on n'y voit que le plus grand diamètre de ses mers, et par conséquent la partie la moins élevée de sa circonférence.

Je pense que le système de Newton, qui a décomposé la lumière en sept couleurs primitives, quoiqu'il n'y en ait réellement que trois, et que son système de l'attraction universelle, éprouveront des objections encore plus fortes que celui du mouvement des comètes qui vont servir de pâture aux feux d'un soleil qui ne brûle point. Herschel, à l'aide de son télescope, a découvert à six cents millions de lieues de nous une nouvelle planète avec des volcans, huit ou dix satellites, un anneau double comme celui de Saturne, et si bien double que l'intervalle des deux moitiés concentriques lui a servi de lunette pour observer une étoile qu'il apercevait au-delà. Notre astronomie, trop rarement reconnaissante, a donné à cette planète le nom d'Herschel. Mais combien de noms d'amis ne pourrait-il pas donner lui-même à ce nombre prodigieux d'étoiles qu'il découvre toutes les nuits à des distances incalculables, groupées deux à deux, trois à trois, quatre à quatre, par milliers et par millions, sur les mêmes plans, ou à la suite les unes des autres dans la profondeur du firmament ! Pouvons-nous bien croire que ces soleils lointains se maintiennent immobiles à des distances infinies, seulement par la loi unique et universelle d'une mutuelle et réciproque attraction ?

Si j'ose en dire ma pensée, je trouve cette idée, qui a aujourd'hui tant de partisans en France, remplie de contradictions. Il faut d'abord supposer que l'univers est infini, et qu'il est rempli d'étoiles attirantes et attirées ; car s'il avait des limites, ou seulement çà et là quelques déserts, les astres qui se trouveraient dans leur voisinage s'écrouleraient nécessairement vers le centre du système, n'ayant aucun corps attirant qui les maintînt fixes sur ses bords.

Ce n'est pas tout : en accordant aux Newtoniens que l'attraction est une propriété universelle de la matière, ils doivent convenir eux-mêmes que toutes les parties de cette matière qui s'attiraient de toutes parts n'ont dû faire, avant de se séparer, qu'une seule masse de l'univers. Il a donc fallu : 1° qu'une multitude de forces particulières et centripètes l'ait divisée par blocs, et ait arrondi ces blocs en globes ; 2° que des forces centrifuges aient succédé aux centripètes pour chasser ces globes à des distances prodigieuses les uns des autres, non seulement dans une même direction, comme le cours d'un fleuve, mais comme des vents déchaînés qui bouleversent une mer ; 3° il a fallu une force d'inertie qui les ait fixés chacun dans le lieu où ils sont à présent, immobiles dans les cieux, dans toutes sortes de projections, comme des vaisseaux surpris après une tempête dans la mer glaciale, par le vent du nord. Qu'était devenue alors la force d'attraction universelle, unique, inhérente à la matière, et qui devait la rendre inséparable ? Il me semble que si elle eût agi seule, entre les astres supposés dans un état de mollesse, loin de les fixer en blocs, en globes, en points fixes dans le ciel, et en équilibre, ils se fussent, en s'attirant mutuellement, allongés et croisés les uns vers les autres par rayons, comme deux de nos soleils de feux d'artifice. Mais ce n'est pas tout ; parmi tant d'étoiles fixes que l'attraction rend immobiles aujourd'hui, comment se trouve-t-il des planètes qui se sont soustraites à son pouvoir, qui, au contraire, tournent sans cesse autour d'un soleil immobile qui les attire ? Il a donc fallu encore une nouvelle force oblique qui les empêchât de s'y précipiter, de manière que de ses deux forces il en résultât une troisième qui les obligeât de circuler autour de lui.

Que de lois diverses et contraires à la loi unique de l'attraction permanente et réciproque des astres ! que de nouvelles objections à faire !

Bayle raconte que, de son temps, un habile physicien essaya de mettre un petit corps dans un simple équilibre au moyen de l'attraction. Il disposa donc, dans le repos de son cabinet, plusieurs aimants au foyer desquels il mit en l'air un globule de fer ; mais jamais il ne put l'y maintenir un seul instant. Comment donc pourrions-nous croire que tant d'astres mobiles et immobiles, grands et petits, attirants et attirés, se maintiennent à des distances infinies les uns des autres, depuis des siècles, par la seule projection du hasard ? Le judicieux Bayle reproche en général aux astronomes leur ignorance en physique, et d'en négliger l'étude pour celle du calcul. Il prétend même que ces deux études sont incompatibles. Il leur déclare, malgré son scepticisme sur la plupart des opinions humaines, que leur système s'écroulera de lui-même, et qu'ils seront forcés, tôt ou tard, pour le soutenir, d'admettre une intelligence dans chacun des astres dont ils veulent expliquer le mouvement ou le repos.

Ce fut Voltaire qui apporta en France l'attraction newtonienne, dont elle était repoussée depuis vingt-sept ans par les tourbillons cartésiens. Ce n'était pas une petite gloire pour lui de renverser un système et d'en édifier un autre. Il aurait pu faire honneur de celui-ci à Képler, son inventeur, et même aux anciens, comme on le voit dans un morceau très curieux de Plutarque. Mais il préféra d'en donner des leçons à la belle Emilie du Châtelet, de lui en dédier un traité, et de le faire paraître sous ses auspices, par une fort belle épître en vers. Il y parle de Newton comme d'un demi-dieu :

> *Confidents du Très-Haut, substances éternelles,*
> *Qui brûlez de ses feux, qui couvrez de vos ailes*
> *Ce trône où votre maître est assis parmi vous,*
> *Parlez, du Grand Newton n'étiez-vous point jaloux ?*

Il y a apparence que dans cet élan il était beaucoup plus enthousiasmé de son écolière que de son précepteur, car voici comme il s'exprimait plusieurs années après, quand il fut d'un sens rassis :

> *Ces cieux divers, ces globes lumineux*
> *Que fait tourner René le songe-creux*
> *Dans un amas de subtile poussière,*
> *Beaux tourbillons que l'on ne prouve guère,*
> *Et que Newton, rêveur bien plus fameux,*
> *Fait tournoyer, sans boussole et sans guide,*
> *Autour de rien, et tout autour du vuide.*

Je ne sais si l'attraction passera un jour sur la terre, comme dans les cieux, pour la loi unique qui en a formé tous les êtres. Mais que deviendront alors les lois morales qui doivent régir les hommes ? n'est-elle pas une loi morale elle-même, cette loi de la raison universelle qui a créé dans la nature les lois mécaniques, les emploie, les développe, et les perfectionne ? L'architecte d'un palais en a, sans doute, précédé les maçons.

Oh ! combien nos doctrines humaines ont dégradé parmi nous la science divine ! Les unes nous représentent ce globe comme un ouvrage céleste dévasté par les démons ; d'autres nous montrent les cieux comme une habitation d'animaux. C'est sous leurs noms et sous leurs images qu'elles font briller les constellations célestes ; et le mécanisme dont elles les font mouvoir renferme, sans contredit, beaucoup moins d'intelligence que les bêtes n'en emploieraient elles-mêmes pour se conduire sur la terre. Qu'en résulte-t-il pour notre instruction et notre bonheur ? Nos premiers documents épouvantent notre enfance et nous rendent, pendant toute la vie, la mort effroyable ; les seconds paralysent notre raison et nous rendent la vie insipide. Souvent les uns et les autres se succèdent pour nous tourmenter et nous abrutir tour à tour.

Heureux ceux qui, forts de leur conscience première, ne cherchent l'auteur de la nature que dans la nature même, avec les simples organes qu'elle leur a donnés ! Ils n'étudient point en tremblant les destinées du genre humain *, dans une polyglotte [11]. Ils ne cherchent point, à la faveur d'un télescope, à travers le Serpent, le Cancer, et les autres monstres des cieux, le retour assuré d'une comète, pour confirmer une théorie du hasard. Les objets de la nature les plus communs sont pour eux les plus dignes d'admiration et de reconnaissance. Dès l'aurore, ils voient le soleil repousser vers l'orient le voile sombre de la nuit, et ranimer de ses rayons une terre couverte de végétaux et d'êtres sensibles ; à midi, l'astre qui fait tout voir disparaît enseveli dans une splendeur éblouissante ; mais vers le soir, déployant à l'occident le voile de sa lumière, il découvre sur l'horizon qu'il abandonne des cieux tout étincelants de constella-

---

* Newton lui-même.

tions. Qu'admireront-ils de plus ? Sera-ce la lunette astronomique, qui, pour en nombrer les étoiles, s'allonge en vain toutes les nuits dans les airs, depuis des siècles ; ou les yeux que leur donna la nature, pour en embrasser le spectacle infini, dans un instant ?

PAUL ET VIRGINIE[1]

Sur le côté oriental de la montagne qui s'élève derrière le Port-Louis de l'Ile-de-France, on voit, dans un terrain jadis cultivé, les ruines de deux petites cabanes[2]. Elles sont situées presque au milieu d'un bassin formé par de grands rochers, qui n'a qu'une seule ouverture tournée au nord. On aperçoit à gauche la montagne appelée le morne de la Découverte, d'où l'on signale les vaisseaux qui abordent dans l'île, et au bas de cette montagne la ville nommée le Port-Louis; à droite, le chemin qui mène du Port-Louis au quartier des Pamplemousses; ensuite l'église de ce nom, qui s'élève avec ses avenues de bambous au milieu d'une grande plaine; et plus loin une forêt qui s'étend jusqu'aux extrémités de l'île. On distingue devant soi, sur les bords de la mer, la baie du Tombeau; un peu sur la droite, le cap Malheureux; et au-delà, la pleine mer, où paraissent à fleur d'eau quelques îlots inhabités, entre autres le coin de Mire, qui ressemble à un bastion au milieu des flots[3].

A l'entrée de ce bassin, d'où l'on découvre tant

d'objets, les échos de la montagne répètent sans cesse le bruit des vents qui agitent les forêts voisines, et le fracas des vagues qui brisent au loin sur les récifs; mais au pied même des cabanes on n'entend plus aucun bruit, et on ne voit autour de soi que de grands rochers escarpés comme des murailles. Des bouquets d'arbres croissent à leurs bases, dans leurs fentes, et jusque sur leurs cimes, où s'arrêtent les nuages. Les pluies que leurs pitons attirent peignent souvent les couleurs de l'arc-en-ciel sur leurs flancs verts et bruns, et entretiennent à leurs pieds les sources dont se forme la petite rivière des Lataniers. Un grand silence règne dans leur enceinte, où tout est paisible, l'air, les eaux et la lumière. A peine l'écho y répète le murmure des palmistes qui croissent sur leurs plateaux élevés, et dont on voit les longues flèches toujours balancées par les vents [4]. Un jour doux éclaire le fond de ce bassin, où le soleil ne luit qu'à midi; mais dès l'aurore ses rayons en frappent le couronnement, dont les pics s'élevant au-dessus des ombres de la montagne paraissent d'or et de pourpre sur l'azur des cieux.

J'aimais à me rendre dans ce lieu où l'on jouit à la fois d'une vue immense et d'une solitude profonde. Un jour que j'étais assis au pied de ces cabanes, et que j'en considérais les ruines, un homme déjà sur l'âge vint à passer aux environs. Il était, suivant la coutume des anciens habitants, en petite veste et en long caleçon. Il marchait nu-pieds, et s'appuyait sur un bâton de bois d'ébène. Ses cheveux étaient tout blancs, et sa physionomie noble et simple. Je le saluai avec respect. Il me rendit mon salut, et m'ayant considéré un moment [5], il s'approcha de moi, et vint se reposer sur le tertre où j'étais assis[6]. Excité par cette marque de confiance, je lui adressai la parole : « Mon père, lui dis-je, pourriez-vous m'apprendre à qui ont appartenu ces deux cabanes ? » Il me répondit : « Mon fils, ces masures et ce terrain inculte étaient habités, il y a environ vingt ans, par deux familles qui y avaient trouvé le bonheur. Leur histoire est touchante : mais dans cette île, située sur la route des Indes, quel Européen peut s'intéresser au sort de quelques particuliers obscurs ? qui voudrait même y vivre heureux, mais pauvre et ignoré ? Les hommes ne veulent connaître que l'histoire des grands et des rois, qui ne sert à personne. — Mon père, repris-je, il est aisé de juger à votre air et à votre discours que vous avez acquis une grande expérience. Si vous en avez le temps, racontez-moi, je vous prie, ce que vous savez des anciens habitants de ce désert, et croyez que l'homme même le plus dépravé par les préjugés du monde aime à entendre parler du bonheur que donnent la nature et la vertu. » Alors, comme quelqu'un qui cherche à se rappeler diverses circonstances, après avoir appuyé quelque temps ses mains sur son front, voici ce que ce vieillard me raconta.

En 1726[7], un jeune homme de Normandie, appelé M. de la Tour, après avoir sollicité en vain du service en France et des secours dans sa famille, se détermina à venir dans cette île pour y chercher fortune. Il avait avec lui une jeune femme qu'il aimait beaucoup et dont il était également aimé. Elle était d'une ancienne et riche maison de sa province ; mais il l'avait épousée en secret et sans dot, parce que les parents de sa femme

s'étaient opposés à son mariage, attendu qu'il n'était
pas gentilhomme[8]. Il la laissa au Port-Louis de cette
île, et il s'embarqua pour Madagascar, dans l'espérance d'y acheter quelques noirs, et de revenir promptement ici former une habitation. Il débarqua à
Madagascar vers la mauvaise saison qui commence à
la mi-octobre; et peu de temps après son arrivée il y
mourut des fièvres pestilentielles qui y règnent pendant six mois de l'année, et qui empêcheront toujours
les nations européennes d'y faire des établissements
fixes. Les effets qu'il avait emportés avec lui furent
dispersés après sa mort, comme il arrive ordinairement
à ceux qui meurent hors de leur patrie. Sa femme,
restée à l'Ile-de-France, se trouva veuve, enceinte, et
n'ayant pour tout bien au monde qu'une négresse,
dans un pays où elle n'avait ni crédit ni recommanda-
tion. Ne voulant rien solliciter auprès d'aucun homme
après la mort de celui qu'elle avait uniquement aimé,
son malheur lui donna du courage. Elle résolut de
cultiver avec son esclave un petit coin de terre, afin de
se procurer de quoi vivre.

Dans une île presque déserte dont le terrain était à
discrétion elle ne choisit point les cantons les plus
fertiles ni les plus favorables au commerce; mais
cherchant quelque gorge de montagne, quelque asile
caché où elle pût vivre seule et inconnue, elle s'ache-
mina de la ville vers ces rochers pour s'y retirer comme
dans un nid. C'est un instinct commun à tous les êtres
sensibles et souffrants de se réfugier dans les lieux les
plus sauvages et les plus déserts; comme si des rochers
étaient des remparts contre l'infortune, et comme si le

calme de la nature pouvait apaiser les troubles malheureux de l'âme. Mais la Providence, qui vient à
notre secours lorsque nous ne voulons que les biens
nécessaires, en réservait un à madame de la Tour que
ne donnent ni les richesses ni la grandeur ; c'était une
amie.

Dans ce lieu depuis un an demeurait une femme
vive, bonne et sensible ; elle s'appelait Marguerite[9].
Elle était née en Bretagne d'une simple famille de
paysans, dont elle était chérie, et qui l'aurait rendue
heureuse, si elle n'avait eu la faiblesse d'ajouter foi à
l'amour d'un gentilhomme de son voisinage qui lui
avait promis de l'épouser ; mais celui-ci ayant satisfait
sa passion s'éloigna d'elle, et refusa même de lui
assurer une subsistance pour un enfant dont il l'avait
laissée enceinte. Elle s'était déterminée alors à quitter
pour toujours le village où elle était née, et à aller
cacher sa faute aux colonies, loin de son pays, où elle
avait perdu la seule dot d'une fille pauvre et honnête,
la réputation. Un vieux noir, qu'elle avait acquis de
quelques deniers empruntés, cultivait avec elle un petit
coin de ce canton.

Madame de la Tour, suivie de sa négresse, trouva
dans ce lieu Marguerite qui allaitait son enfant. Elle
fut charmée de rencontrer une femme dans une
position qu'elle jugea semblable à la sienne. Elle lui
parla en peu de mots de sa condition passée et de ses
besoins présents. Marguerite au récit de madame de la
Tour fut émue de pitié ; et, voulant mériter sa
confiance plutôt que son estime, elle lui avoua sans lui
rien déguiser l'imprudence dont elle s'était rendue

coupable. « Pour moi, dit-elle, j'ai mérité mon sort ; mais vous, madame,... vous, sage et malheureuse ! » Et elle lui offrit en pleurant sa cabane et son amitié. Madame de la Tour, touchée d'un accueil si tendre, lui dit en la serrant dans ses bras : « Ah ! Dieu veut finir mes peines, puisqu'il vous inspire plus de bonté envers moi qui vous suis étrangère, que jamais je n'en ai trouvé dans mes parents. »

Je connaissais Marguerite, et quoique je demeure à une lieue et demie d'ici, dans les bois, derrière la Montagne-Longue [10], je me regardais comme son voisin. Dans les villes d'Europe une rue, un simple mur, empêchent les membres d'une même famille de se réunir pendant des années entières ; mais dans les colonies nouvelles on considère comme ses voisins ceux dont on n'est séparé que par des bois et par des montagnes. Dans ce temps-là surtout, où cette île faisait peu de commerce aux Indes, le simple voisinage y était un titre d'amitié, et l'hospitalité envers les étrangers un devoir et un plaisir. Lorsque j'appris que ma voisine avait une compagne, je fus la voir pour tâcher d'être utile à l'une et à l'autre. Je trouvai dans madame de la Tour une personne d'une figure intéressante, pleine de noblesse et de mélancolie. Elle était alors sur le point d'accoucher. Je dis à ces deux dames qu'il convenait pour l'intérêt de leurs enfants, et surtout pour empêcher l'établissement de quelque autre habitant, de partager entre elles le fond de ce bassin, qui contient environ vingt arpents. Elles s'en rapportèrent à moi pour ce partage. J'en formai deux portions à peu près égales ; l'une renfermait la partie

supérieure de cette enceinte, depuis ce piton de rocher
couvert de nuages, d'où sort la source de la rivière des
Lataniers, jusqu'à cette ouverture escarpée que vous
voyez au haut de la montagne, et qu'on appelle
l'Embrasure, parce qu'elle ressemble en effet à une
embrasure de canon. Le fond de ce sol est si rempli de
roches et de ravins qu'à peine on y peut marcher;
cependant il produit de grands arbres, et il est rempli
de fontaines et de petits ruisseaux. Dans l'autre
portion je compris toute la partie inférieure qui s'étend
le long de la rivière des Lataniers [11] jusqu'à l'ouverture
où nous sommes, d'où cette rivière commence à couler
entre deux collines jusqu'à la mer. Vous y voyez
quelques lisières de prairies, et un terrain assez uni,
mais qui n'est guère meilleur que l'autre; car dans la
saison des pluies il est <u>marécageux</u>, et dans les
sécheresses il est dur comme du plomb; quand on y
veut alors ouvrir une tranchée, on est obligé de le
couper avec des haches. Après avoir fait ces deux
partages j'engageai ces deux dames à les tirer au sort.
La partie supérieure échut à madame de la Tour, et
l'inférieure à Marguerite. L'une et l'autre furent
contentes de leur lot; mais elles me prièrent de ne pas
séparer leur demeure, « afin, me dirent-elles, que nous
puissions toujours nous voir, nous parler et nous
entraider ». Il fallait cependant à chacune d'elles une
retraite particulière. La case de Marguerite se trouvait
au milieu du bassin précisément sur les limites de son
terrain. Je bâtis tout auprès, sur celui de madame de la
Tour, une autre case, en sorte que ces deux amies
étaient à la fois dans le voisinage l'une de l'autre et sur

la propriété de leurs familles. Moi-même j'ai coupé des palissades dans la montagne ; j'ai apporté des feuilles de latanier des bords de la mer pour construire ces deux cabanes, où vous ne voyez plus maintenant ni porte ni couverture. Hélas ! il n'en reste encore que trop pour mon souvenir ! Le temps, qui détruit si rapidement les monuments des empires, semble respecter dans ces déserts ceux de l'amitié, pour perpétuer mes regrets jusqu'à la fin de ma vie.

A peine la seconde de ces cabanes était achevée que madame de la Tour accoucha d'une fille. J'avais été le parrain de l'enfant de Marguerite, qui s'appelait Paul. Madame de la Tour me pria aussi de nommer sa fille conjointement avec son amie. Celle-ci lui donna le nom de Virginie. « Elle sera vertueuse, dit-elle, et elle sera heureuse. Je n'ai connu le malheur qu'en m'écartant de la vertu [12]. »

Lorsque madame de la Tour fut relevée de ses couches, ces deux petites habitations commencèrent à être de quelque rapport, à l'aide des soins que j'y donnais de temps en temps, mais surtout par les travaux assidus de leurs esclaves. Celui de Marguerite, appelé Domingue, était un noir yolof [13], encore robuste, quoique déjà sur l'âge. Il avait de l'expérience et un bon sens naturel. Il cultivait indifféremment sur les deux habitations les terrains qui lui semblaient les plus fertiles, et il y mettait les semences qui leur convenaient le mieux. Il semait du petit mil et du maïs dans les endroits médiocres, un peu de froment dans les bonnes terres, du riz dans les fonds marécageux ; et au pied des roches, des giraumons [14], des courges et des

concombres, qui se plaisent à y grimper. Il plantait
dans les lieux secs des patates qui y viennent très
sucrées, des cotonniers sur les hauteurs, des cannes à
sucre dans les terres fortes, des pieds de café sur les
collines, où le grain est petit, mais excellent ; le long de
la rivière et autour des cases, des bananiers qui
donnent toute l'année de longs régimes de fruits avec
un bel ombrage, et enfin quelques plantes de tabac
pour charmer ses soucis et ceux de ses bonnes maîtresses. Il allait couper du bois à brûler dans la montagne,
et casser des roches çà et là dans les habitations pour
en aplanir les chemins. Il faisait tous ces ouvrages avec
intelligence et activité, parce qu'il les faisait avec zèle.
Il était fort attaché à Marguerite ; et il ne l'était guère
moins à madame de la Tour, dont il avait épousé la
négresse à la naissance de Virginie [15]. Il aimait passionnément sa femme, qui s'appelait Marie. Elle était
née à Madagascar, d'où elle avait apporté quelque
industrie, surtout celle de faire des paniers et des
étoffes appelées pagnes, avec des herbes qui croissent
dans les bois. Elle était adroite, propre, et très fidèle.
Elle avait soin de préparer à manger, d'élever quelques
poules, et d'aller de temps en temps vendre au Port-
Louis le superflu de ces deux habitations, qui était bien
peu considérable. Si vous y joignez deux chèvres
élevées près des enfants, et un gros chien qui veillait la
nuit au-dehors, vous aurez une idée de tout le revenu
et de tout le domestique de ces deux petites métairies.
Pour ces deux amies, elles filaient du matin au soir
du coton. Ce travail suffisait à leur entretien et à celui
de leurs familles ; mais d'ailleurs elles étaient si

dépourvues de commodités étrangères qu'elles mar-
chaient nu-pieds dans leur habitation, et ne portaient
de souliers que pour aller le dimanche de grand matin
à la messe à l'église des Pamplemousses que vous
voyez là-bas. Il y a cependant bien plus loin qu'au
Port-Louis; mais elles se rendaient rarement à la ville,
de peur d'y être méprisées, parce qu'elles étaient
vêtues de grosse toile bleue du Bengale comme des
esclaves [16]. Après tout, la considération publique vaut-
elle le bonheur domestique? Si ces dames avaient un
peu à souffrir au-dehors, elles rentraient chez elles avec
d'autant plus de plaisir. A peine Marie et Domingue
les apercevaient de cette hauteur sur le chemin des
Pamplemousses, qu'ils accouraient jusqu'au bas de la
montagne pour les aider à la remonter. Elles lisaient
dans les yeux de leurs esclaves la joie qu'ils avaient de
les revoir. Elles trouvaient chez elles la propreté, la
liberté, des biens qu'elles ne devaient qu'à leurs
propres travaux, et des serviteurs pleins de zèle et
d'affection. Elles-mêmes, unies par les mêmes besoins,
ayant éprouvé des maux presque semblables, se donnant les doux noms d'amie, de compagne et de sœur,
n'avaient qu'une volonté, qu'un intérêt, qu'une
table [17]. Tout entre elles était commun. Seulement si
d'anciens feux plus vifs que ceux de l'amitié se
réveillaient dans leur âme, une religion pure, aidée par
des mœurs chastes, les dirigeait vers une autre vie,
comme la flamme qui s'envole vers le ciel lorsqu'elle
n'a plus d'aliment sur la terre.

Les devoirs de la nature ajoutaient encore au
bonheur de leur société. Leur amitié mutuelle redou-

blait à la vue de leurs enfants, fruits d'un amour également infortuné. Elles prenaient plaisir à les mettre ensemble dans le même bain, et à les coucher dans le même berceau. Souvent elles les changeaient de lait. « Mon amie, disait madame de la Tour, chacune de nous aura deux enfants, et chacun de nos enfants aura deux mères. » Comme deux bourgeons qui restent sur deux arbres de la même espèce, dont la tempête a brisé toutes les branches, viennent à produire des fruits plus doux, si chacun d'eux, détaché du tronc maternel, est greffé sur le tronc voisin ; ainsi ces deux petits enfants, privés de tous leurs parents, se remplissaient de sentiments plus tendres que ceux de fils et de fille, de frère et de sœur, quand ils venaient à être changés de mamelles par les deux amies qui leur avaient donné le jour. Déjà leurs mères parlaient de leur mariage sur leurs berceaux, et cette perspective de félicité conjugale, dont elles charmaient leurs propres peines, finissait bien souvent par les faire pleurer ; l'une se rappelant que ses maux étaient venus d'avoir négligé l'hymen, et l'autre d'en avoir subi les lois ; l'une, de s'être élevée au-dessus de sa condition, et l'autre d'en être descendue : mais elles se consolaient en pensant qu'un jour leurs enfants, plus heureux, jouiraient à la fois, loin des cruels préjugés de l'Europe, des plaisirs de l'amour et du bonheur de l'égalité[18].

Rien en effet n'était comparable à l'attachement qu'ils se témoignaient déjà. Si Paul venait à se plaindre, on lui montrait Virginie ; à sa vue il souriait et s'apaisait. Si Virginie souffrait, on en était averti par

les cris de Paul; mais cette aimable fille dissimulait
aussitôt son mal pour qu'il ne souffrît pas de sa
douleur. Je n'arrivais point de fois ici que je ne les visse
tous deux tout nus [19], suivant la coutume du pays,
pouvant à peine marcher, se tenant ensemble par les
mains et sous les bras comme on représente la
constellation des gémeaux. La nuit même ne pouvait
les séparer; elle les surprenait souvent couchés dans le
même berceau, joue contre joue, poitrine contre poitrine, les mains passées mutuellement autour de leurs
cous, et endormis dans les bras l'un de l'autre.

Lorsqu'ils surent parler, les premiers noms qu'ils
apprirent à se donner furent ceux de frère et de sœur.
L'enfance, qui connaît des caresses plus tendres, ne
connaît point de plus doux noms. Leur éducation ne fit
que redoubler leur amitié en la dirigeant vers leurs
besoins réciproques. Bientôt tout ce qui regarde l'économie, la propreté, le soin de préparer un repas
champêtre, fut du ressort de Virginie, et ses travaux
étaient toujours suivis des louanges et des baisers de
son frère. Pour lui, sans cesse [20] en action, il bêchait le
jardin avec Domingue, ou, une petite hache à la main,
il le suivait dans les bois; et si dans ces courses une
belle fleur, un bon fruit, ou un nid d'oiseaux se
présentaient à lui, eussent-ils été au haut d'un arbre, il
l'escaladait pour les apporter à sa sœur.

Quand on en rencontrait un quelque part on était
sûr que l'autre n'était pas loin. Un jour que je
descendais du sommet de cette montagne, j'aperçus à
l'extrémité du jardin Virginie qui accourait vers la
maison, la tête couverte de son jupon qu'elle avait

relevé par-derrière, pour se mettre à l'abri d'une ondée
de pluie. De loin je la crus seule ; et m'étant avancé
vers elle pour l'aider à marcher, je vis qu'elle tenait
Paul par le bras, enveloppé presque en entier de la
même couverture, riant l'un et l'autre d'être ensemble
à l'abri sous un parapluie de leur invention. Ces deux
têtes charmantes renfermées sous ce jupon bouffant me
rappelèrent les enfants de Léda enclos dans la même
coquille[21].

Toute leur étude était de se complaire et de s'entraider. Au reste ils étaient ignorants comme des Créoles,
et ne savaient ni lire ni écrire. Ils ne s'inquiétaient pas
de ce qui s'était passé dans des temps reculés et loin
d'eux ; leur curiosité ne s'étendait pas au-delà de cette
montagne. Ils croyaient que le monde finissait où
finissait leur île ; et ils n'imaginaient rien d'aimable où
ils n'étaient pas. Leur affection mutuelle et celle de
leurs mères occupaient toute l'activité de leurs âmes.
Jamais des sciences inutiles n'avaient fait couler leurs
larmes ; jamais les leçons d'une triste morale ne les
avaient remplis d'ennui. Ils ne savaient pas qu'il ne
faut pas dérober, tout chez eux étant commun ; ni être
intempérant, ayant à discrétion des mets simples ; ni
menteur, n'ayant aucune vérité à dissimuler. On ne les
avait jamais effrayés en leur disant que Dieu réserve
des punitions terribles aux enfants ingrats ; chez eux
l'amitié filiale était née de l'amitié maternelle. On ne
leur avait appris de la religion que ce qui la fait aimer ;
et s'ils n'offraient pas à l'église de longues prières,
partout où ils étaient, dans la maison, dans les
champs, dans les bois, ils levaient vers le ciel des mains

innocentes et un cœur plein de l'amour de leurs
parents.

Ainsi se passa leur première enfance comme une
belle aube qui annonce un plus beau jour. Déjà ils
partageaient avec leurs mères tous les soins du
ménage. Dès que le chant du coq annonçait le retour
de l'aurore, Virginie se levait, allait puiser de l'eau à la
source voisine, et rentrait dans la maison pour préparer le déjeuner. Bientôt après, quand le soleil dorait les
pitons de cette enceinte, Marguerite et son fils se
rendaient chez madame de la Tour : alors ils commen-
çaient tous ensemble une prière suivie du premier
repas ; souvent ils le prenaient devant la porte, assis
sur l'herbe sous un berceau de bananiers, qui leur
fournissait à la fois des mets tout préparés [22] dans leurs
fruits substantiels, et du linge de table dans leurs
feuilles larges [23], longues, et lustrées. Une nourriture
saine et abondante développait rapidement les corps
de ces deux jeunes gens, et une éducation douce
peignait dans leur physionomie la pureté et le contentement de leur âme. Virginie n'avait que douze ans ;
déjà sa taille était plus qu'à demi formée ; de grands
cheveux blonds ombrageaient sa tête ; ses yeux bleus et
ses lèvres de corail brillaient du plus tendre éclat sur la
fraîcheur de son visage : ils souriaient toujours de
concert quand elle parlait ; mais quand elle gardait le
silence, leur obliquité naturelle vers le ciel leur donnait
une expression d'une sensibilité extrême, et même celle
d'une légère mélancolie. Pour Paul, on voyait déjà se
développer en lui le caractère d'un homme au milieu
des grâces de l'adolescence. Sa taille était plus élevée

que celle de Virginie, son teint plus rembruni, son nez
plus aquilin, et ses yeux, qui étaient noirs, auraient eu
un peu de fierté, si les longs cils qui rayonnaient autour
comme des pinceaux ne leur avaient donné la plus
grande douceur. Quoiqu'il fût toujours en mouvement,
dès que sa sœur paraissait il devenait tranquille et
allait s'asseoir auprès d'elle. Souvent leur repas se
passait sans qu'ils se disent un mot. A leur silence, à la
naïveté de leurs attitudes, à la beauté de leurs pieds
nus, on eût cru voir un groupe antique de marbre
blanc représentant quelques-uns des enfants de
Niobé[24]; mais à leurs regards qui cherchaient à se
rencontrer, à leurs sourires rendus par de plus doux
sourires, on les eût pris pour ces enfants du ciel, pour
ces esprits bienheureux dont la nature est de s'aimer,
et qui n'ont pas besoin de rendre le sentiment par des
pensées, et l'amitié par des paroles.

Cependant madame de la Tour, voyant sa fille se
développer avec tant de charmes, sentait augmenter
son inquiétude avec sa tendresse. Elle me disait
quelquefois : « Si je venais à mourir, que deviendrait
Virginie sans fortune ? »

Elle avait en France une tante, fille de qualité, riche,
vieille et dévote, qui lui avait refusé si durement des
secours lorsqu'elle se fut mariée à M. de la Tour,
qu'elle s'était bien promis de n'avoir jamais recours à
elle à quelque extrémité qu'elle fût réduite. Mais
devenue mère, elle ne craignit plus la honte des refus.
Elle manda à sa tante la mort inattendue de son mari,
la naissance de sa fille, et l'embarras où elle se
trouvait, loin de son pays, dénuée de support, et

chargée d'un enfant. Elle n'en reçut point de réponse.
Elle qui était d'un caractère élevé, ne craignit plus de
s'humilier, et de s'exposer aux reproches de sa parente,
qui ne lui avait jamais pardonné d'avoir épousé un
homme sans naissance, quoique vertueux. Elle lui
écrivait donc par toutes les occasions afin d'exciter sa
sensibilité en faveur de Virginie. Mais bien des années
s'étaient écoulées sans recevoir d'elle aucune marque
de souvenir.

Enfin en 1738, trois ans après [25] l'arrivée de M. de la
Bourdonnais dans cette île, madame de la Tour apprit
que ce gouverneur avait à lui remettre une lettre de la
part de sa tante. Elle courut au Port-Louis sans se
soucier cette fois d'y paraître mal vêtue, la joie
maternelle la mettant au-dessus du respect humain.
M. de la Bourdonnais lui donna en effet une lettre de
sa tante. Celle-ci mandait à sa nièce qu'elle avait
mérité son sort pour avoir épousé un aventurier, un
libertin ; que les passions portaient avec elles leur
punition ; que la mort prématurée de son mari était un
juste châtiment de Dieu ; qu'elle avait bien fait de
passer aux îles plutôt que de déshonorer sa famille en
France ; qu'elle était après tout dans un bon pays où
tout le monde faisait fortune, excepté les paresseux.
Après l'avoir ainsi blâmée elle finissait par se louer
elle-même : pour éviter, disait-elle, les suites souvent
funestes [26] du mariage, elle avait toujours refusé de se
marier. La vérité est qu'étant ambitieuse, elle n'avait
voulu épouser qu'un homme de grande qualité ; mais
quoiqu'elle fût très riche, et qu'à la cour on soit
indifférent à tout excepté à la fortune, il ne s'était

trouvé personne qui eût voulu s'allier à une fille aussi laide, et à un cœur aussi dur.

Elle ajoutait par post-scriptum que, toute réflexion faite, elle l'avait fortement recommandée à M. de la Bourdonnais. Elle l'avait en effet recommandée, mais suivant un usage bien commun aujourd'hui, qui rend un protecteur plus à craindre qu'un ennemi déclaré : afin de justifier auprès du gouverneur sa dureté pour sa nièce, en feignant de la plaindre, elle l'avait calomniée.

Madame de la Tour, que tout homme indifférent n'eût pu voir sans intérêt et sans respect, fut reçue avec beaucoup de froideur par M. de la Bourdonnais, prévenu contre elle. Il ne répondit à l'exposé qu'elle lui fit de sa situation et de celle de sa fille que par de durs monosyllabes : « Je verrai ;... nous verrons ;... avec le temps :... il y a bien des malheureux... Pourquoi indisposer une tante respectable ?... C'est vous qui avez tort. »

Madame de la Tour retourna à l'habitation, le cœur navré de douleur et plein d'amertume. En arrivant elle s'assit, jeta sur la table la lettre de sa tante, et dit à son amie : « Voilà le fruit de onze ans de patience ! » Mais comme il n'y avait que madame de la Tour qui sût lire dans la société, elle reprit la lettre et en fit la lecture devant toute la famille rassemblée. A peine était-elle achevée que Marguerite lui dit avec vivacité : « Qu'avons-nous besoin de tes parents ? Dieu nous a-t-il abandonnées ? c'est lui seul qui est notre père. N'avons-nous pas vécu heureuses jusqu'à ce jour ? Pourquoi donc te chagriner ? Tu n'as point de courage. » Et voyant madame de la Tour pleurer, elle se jeta à son cou, et la serrant dans ses bras : « Chère amie, s'écria-t-elle, chère amie ! » mais ses propres sanglots étouffèrent sa voix. A ce spectacle Virginie, fondant en larmes, pressait alternativement les mains de sa mère et celles de Marguerite contre sa bouche et contre son cœur ; et Paul, les yeux enflammés de colère, criait, serrait les poings, frappait du pied, ne sachant à qui s'en prendre. A ce bruit Domingue et Marie accoururent, et l'on n'entendit plus dans la case que ces cris de douleur : « Ah, madame !... ma bonne maîtresse !... ma mère !... ne pleurez pas. » De si tendres marques d'amitié dissipèrent le chagrin de madame de la Tour. Elle prit Paul et Virginie dans ses bras, et leur dit d'un air content : « Mes enfants, vous êtes cause de ma peine ; mais vous faites toute ma joie. Oh ! mes chers enfants, le malheur ne m'est venu que de loin ; le bonheur est autour de moi. » Paul et Virginie ne la comprirent pas, mais quand ils la virent tranquille ils sourirent, et se mirent à la caresser. Ainsi ils continuèrent tous d'être heureux, et ce ne fut qu'un orage au milieu d'une belle saison.

Le bon naturel de ces enfants se développait de jour en jour. Un dimanche, au lever de l'aurore, leurs mères étant allées à la première messe à l'église des Pamplemousses, une négresse marronne [27] se présenta sous les bananiers qui entouraient leur habitation. Elle était décharnée comme un squelette, et n'avait pour vêtement qu'un lambeau de serpillière autour des reins. Elle se jeta aux pieds de Virginie, qui préparait le déjeuner de la famille, et lui dit : « Ma jeune demoiselle, ayez pitié d'une pauvre esclave fugitive ; il y a un mois que j'erre dans ces montagnes demi-morte de faim, souvent poursuivie par des chasseurs et par leurs chiens. Je fuis mon maître, qui est un riche habitant de la Rivière-noire[28] : il m'a traitée comme vous le voyez » ; en même temps elle lui montra son corps sillonné de cicatrices profondes par les coups de fouet qu'elle en avait reçus. Elle ajouta : « Je voulais aller me noyer ; mais sachant que vous demeuriez ici, j'ai dit : Puisqu'il y a encore de bons blancs dans ce pays il ne faut pas encore mourir. » Virginie, tout émue, lui répondit : « Rassurez-vous, infortunée créature ! Mangez, mangez » ; et elle lui donna le déjeuner de la maison, qu'elle avait apprêté[29]. L'esclave en peu de moments le dévora tout entier. Virginie la voyant rassasiée lui dit : « Pauvre misérable ! j'ai envie d'aller demander votre grâce à votre maître ; en vous voyant il sera touché de pitié. Voulez-vous me conduire chez lui ? — Ange de Dieu, repartit la négresse, je vous suivrai partout où vous voudrez. » Virginie appela son frère, et le pria de l'accompagner. L'esclave marronne les conduisit par des sentiers, au milieu des bois, à travers de hautes montagnes qu'ils grimpèrent avec bien de la peine, et de larges rivières qu'ils passèrent à gué. Enfin, vers le milieu du jour, ils arrivèrent au bas d'un morne sur les bords de la Rivière-noire. Ils aperçurent là une maison bien bâtie, des plantations considérables, et un grand nombre d'esclaves occupés à toutes sortes de travaux. Leur maître se promenait au milieu d'eux, une pipe à la bouche, et un rotin à la main. C'était un grand homme sec, olivâtre, aux yeux enfoncés, et aux sourcils noirs et joints. Virginie, tout émue, tenant Paul par le bras, s'approcha de l'habitant, et le pria, pour l'amour de Dieu, de pardonner à son esclave, qui était à quelques pas de là derrière eux. D'abord l'habitant ne fit pas grand compte de ces deux enfants pauvrement vêtus; mais quand il eut remarqué la taille élégante de Virginie, sa belle tête blonde sous une capote bleue, et qu'il eut entendu le doux son de sa voix, qui tremblait ainsi que tout son corps en lui demandant grâce, il ôta sa pipe de sa bouche, et levant son rotin vers le ciel, il jura par un affreux serment qu'il pardonnait à son esclave, non pas pour l'amour de Dieu, mais pour l'amour d'elle. Virginie aussitôt fit signe à l'esclave de s'avancer vers son maître; puis elle s'enfuit, et Paul courut après elle.

Ils remontèrent ensemble le revers du morne par où ils étaient descendus, et parvenus au sommet ils s'assirent sous un arbre, accablés de lassitude, de faim et de soif. Ils avaient fait à jeun plus de cinq lieues depuis le lever du soleil. Paul dit à Virginie : « Ma sœur, il est plus de midi; tu as faim et soif : nous ne trouverons point ici à dîner; redescendons le morne, et allons demander à manger au maître de l'esclave. — Oh non, mon ami, reprit Virginie, il m'a fait trop de peur. Souviens-toi de ce que dit quelquefois maman : Le pain du méchant remplit la bouche de gravier. — Comment ferons-nous donc? dit Paul; ces arbres ne produisent que de mauvais fruits; il n'y a pas seulement ici un tamarin [30] ou un citron pour te rafraîchir. — Dieu aura pitié de nous, reprit Virginie; il exauce la voix des petits oiseaux qui lui demandent de la nourriture. » A peine avait-elle dit ces mots qu'ils entendirent le bruit d'une source qui tombait d'un rocher voisin. Ils y coururent, et après s'être désaltérés avec ses eaux plus claires que le cristal, ils cueillirent et mangèrent un peu de cresson qui croissait sur ses bords. Comme ils regardaient de côté et d'autre s'ils ne trouveraient pas quelque nourriture plus solide, Virginie aperçut parmi les arbres de la forêt un jeune palmiste[31]. Le chou que la cime de cet arbre renferme au milieu de ses feuilles est un fort bon manger ; mais quoique sa tige ne fût pas plus grosse que la jambe, elle avait plus de soixante pieds de hauteur. A la vérité le bois de cet arbre n'est formé que d'un paquet de filaments, mais son aubier est si dur qu'il fait rebrousser les meilleures haches ; et Paul n'avait pas même un couteau. L'idée lui vint de mettre le feu au pied de ce palmiste : autre embarras ; il n'avait point de briquet, et d'ailleurs dans cette île si couverte de rochers je ne crois pas qu'on puisse trouver une seule pierre à fusil. La nécessité donne de l'industrie, et souvent les inventions les plus utiles ont été dues aux hommes les plus misérables. Paul résolut d'allumer du feu à la manière des noirs : avec l'angle d'une pierre il fit un petit trou sur une branche d'arbre bien sèche, qu'il assujettit sous ses pieds, puis avec le tranchant de cette pierre il fit une pointe à un autre morceau de branche également sèche, mais d'une espèce de bois différent ; il posa ensuite ce morceau de bois pointu dans le petit trou de la branche qui était sous ses pieds, et le faisant rouler rapidement entre ses mains comme on roule un moulinet dont on veut faire mousser du chocolat, en peu de moments il vit sortir du point de contact de la fumée et des étincelles. Il ramassa des herbes sèches et d'autres branches d'arbres, et mit le feu au pied du palmiste, qui bientôt après tomba avec un grand fracas. Le feu lui servit encore à dépouiller le chou de l'enveloppe de ses longues feuilles ligneuses et piquantes. Virginie et lui mangèrent une partie de ce chou crue, et l'autre cuite sous la cendre, et ils les trouvèrent également savoureuses. Ils firent ce repas frugal remplis de joie par le souvenir de la bonne action qu'ils avaient faite le matin ; mais cette joie était troublée par l'inquiétude où ils se doutaient bien que leur longue absence de la maison jetterait leurs mères. Virginie revenait souvent sur cet objet ; cependant Paul, qui sentait ses forces rétablies, l'assura qu'ils ne tarderaient pas à tranquilliser leurs parents.

Après dîner ils se trouvèrent bien embarrassés ; car ils n'avaient plus de guide pour les reconduire chez eux. Paul, qui ne s'étonnait de rien, dit à Virginie : « Notre case est vers le soleil du milieu du jour ; il faut que nous passions, comme ce matin, par-dessus cette montagne que tu vois là-bas avec ses trois pitons. Allons, marchons, mon amie. » Cette montagne était celle des Trois-mamelles, ainsi nommée parce que ses trois pitons en ont la forme *. Ils descendirent donc le

---

* Il y a beaucoup de montagnes dont les sommets sont arrondis en forme de mamelles, et qui en portent le nom dans toutes les langues. Ce sont en effet de véritables mamelles ; car ce sont d'elles que découlent beaucoup de rivières et de ruisseaux qui répandent l'abondance sur la terre. Elles sont les sources des principaux fleuves qui l'arrosent, et elles fournissent constamment à leurs eaux en

morne de la Rivière-noire du côté du nord, et arrivèrent après une heure de marche sur les bords d'une
large rivière qui barrait leur chemin. Cette grande
partie de l'île, toute couverte de forêts, est si peu
connue même aujourd'hui que plusieurs de ses rivières
et de ses montagnes n'y ont pas encore de nom[32]. La
rivière sur le bord de laquelle ils étaient coule en
bouillonnant sur un lit de roches. Le bruit de ses eaux
effraya Virginie ; elle n'osa y mettre les pieds pour la
passer à gué. Paul alors prit Virginie sur son dos, et
passa ainsi chargé sur les roches glissantes de la rivière
malgré le tumulte de ses eaux. « N'aie pas peur, lui
disait-il ; je me sens bien fort avec toi. Si l'habitant de
la Rivière-noire t'avait refusé la grâce de son esclave, je
me serais battu avec lui. — Comment ! dit Virginie,
avec cet homme si grand et si méchant ? A quoi t'ai-je
exposé ! Mon Dieu ! qu'il est difficile de faire le bien ! il
n'y a que le mal de facile à faire. » Quand Paul fut sur
le rivage il voulut continuer sa route chargé de sa
sœur, et il se flattait de monter ainsi la montagne des
Trois-mamelles qu'il voyait devant lui à une demi-
lieue de là ; mais bientôt les forces lui manquèrent, et il
fut obligé de la mettre à terre, et de se reposer auprès
d'elle. Virginie lui dit alors : « Mon frère, le jour
baisse ; tu as encore des forces, et les miennes me
manquent ; laisse-moi ici, et retourne seul à notre case
pour tranquilliser nos mères. — Oh ! non, dit Paul, je
ne te quitterai pas. Si la nuit nous surprend dans ces

---

attirant sans cesse les nuages autour du piton de rocher qui les
surmonte à leur centre comme un mamelon. Nous avons indiqué ces
prévoyances admirables de la nature dans nos *Etudes* précédentes.

bois, j'allumerai du feu, j'abattrai un palmiste[33], tu en
mangeras le chou, et je ferai avec ses feuilles un
ajoupa[34], pour te mettre à l'abri. » Cependant Virginie, s'étant un peu reposée, cueillit sur le tronc d'un
vieux arbre penché sur le bord de la rivière de longues
feuilles de scolopendre[35] qui pendaient de son tronc;
elle en fit des espèces de brodequins dont elle s'entoura
les pieds, que les pierres des chemins avaient mis en
sang; car dans l'empressement d'être utile elle avait
oublié de se chausser[36]. Se sentant soulagée par la
fraîcheur de ces feuilles, elle rompit une branche de
bambou et se mit en marche en s'appuyant d'une main
sur ce roseau, et de l'autre sur son frère.

Ils cheminaient ainsi doucement à travers les bois;
mais la hauteur des arbres et l'épaisseur de leurs
feuillages leur firent bientôt perdre de vue la montagne
des Trois-mamelles sur laquelle ils se dirigeaient, et
même le soleil qui était déjà près de se coucher. Au
bout de quelque temps ils quittèrent sans s'en apercevoir le sentier frayé dans lequel ils avaient marché
jusqu'alors, et ils se trouvèrent dans un labyrinthe
d'arbres, de lianes, et de roches, qui n'avait plus
d'issue. Paul fit asseoir Virginie, et se mit à courir çà et
là, tout hors de lui, pour chercher un chemin hors de ce
fourré épais; mais il se fatigua en vain. Il monta au
haut d'un grand arbre pour découvrir au moins la
montagne des Trois-mamelles; mais il n'aperçut
autour de lui que les cimes des arbres, dont quelques-
unes étaient éclairées par les derniers rayons du soleil
couchant. Cependant l'ombre des montagnes couvrait
déjà les forêts dans les vallées; le vent se calmait,

comme il arrive au coucher du soleil ; un profond silence régnait dans ces solitudes, et on n'y entendait d'autre bruit que le bramement des cerfs qui venaient chercher leur gîte dans ces lieux écartés. Paul, dans l'espoir que quelque chasseur pourrait l'entendre, cria alors de toute sa force : « Venez, venez au secours de Virginie ! » mais les seuls échos de la forêt répondirent à sa voix, et répétèrent à plusieurs reprises : « Virginie... Virginie. »

Paul descendit alors de l'arbre, accablé de fatigue et de chagrin : il chercha les moyens de passer la nuit dans ce lieu ; mais il n'y avait ni fontaine, ni palmiste, ni même de branche de bois sec propre à allumer du feu. Il sentit alors par son expérience toute la faiblesse de ses ressources, et il se mit à pleurer. Virginie lui dit : « Ne pleure point, mon ami, si tu ne veux m'accabler de chagrin. C'est moi qui suis la cause de toutes tes peines, et de celles qu'éprouvent maintenant nos mères. Il ne faut rien faire, pas même le bien, sans consulter ses parents. Oh ! j'ai été bien imprudente ! » et elle se prit à verser des larmes. Cependant elle dit à Paul : « Prions Dieu, mon frère, et il aura pitié de nous. » A peine avaient-ils achevé leur prière qu'ils entendirent un chien aboyer. « C'est, dit Paul, le chien de quelque chasseur qui vient le soir tuer des cerfs à l'affût. » Peu après, les aboiements du chien redoublèrent. « Il me semble, dit Virginie, que c'est Fidèle, le chien de notre case ; oui, je reconnais sa voix : serions-nous si près d'arriver et au pied de notre montagne ? » En effet un moment après Fidèle était à leurs pieds, aboyant, hurlant, gémissant, et les accablant de cares-

ses. Comme ils ne pouvaient revenir de leur surprise ils
aperçurent Domingue qui accourait à eux. A l'arrivée
de ce bon noir, qui pleurait de joie, ils se mirent aussi à
<u>pleurer</u> sans pouvoir lui dire un mot. Quand Domin-
gue eut repris ses sens : « O mes jeunes maîtres, leur
dit-il, que vos mères ont d'inquiétude ! comme elles ont
été étonnées quand elles ne vous ont plus trouvés au
retour de la messe où je les accompagnais ! Marie, qui
travaillait dans un coin de l'habitation, n'a su nous
dire où vous étiez allés. J'allais, je venais autour de
l'habitation, ne sachant moi-même de quel côté vous
chercher. Enfin j'ai pris vos vieux habits à l'un et à
l'autre *, je les ai fait flairer à Fidèle, et sur-le-champ,
comme si ce pauvre animal m'eût entendu, il s'est mis
à quêter sur vos pas ; il m'a conduit, toujours en
remuant la queue, jusqu'à la Rivière-noire. C'est là où
j'ai appris d'un habitant que vous lui aviez ramené une
négresse marronne, et qu'il vous avait accordé sa
grâce. Mais quelle grâce ! il me l'a montrée attachée,
avec une chaîne au pied, à un billot de bois, et avec un
collier de fer à trois crochets autour du cou. De là
Fidèle, toujours quêtant, m'a mené sur le morne de la
Rivière-noire, où il s'est arrêté encore en aboyant de
toute sa force ; c'était sur le bord d'une source auprès
d'un palmiste abattu, et près d'un feu qui fumait
encore. Enfin il m'a conduit ici : nous sommes au pied
de la montagne des Trois-mamelles, et il y a encore

* Ce trait de sagacité du noir Domingue, et de son chien Fidèle,
ressemble beaucoup à celui du sauvage Téwénissa et de son chien
Oniah, rapporté par M. de Crèvecœur, dans son ouvrage, plein
d'humanité, intitulé *Lettre (sic) d'un Cultivateur américain*[37].

quatre bonnes lieues jusque chez nous. Allons, mangez, et prenez des forces. » Il leur présenta aussitôt un
gâteau, des fruits, et une grande calebasse remplie
d'une liqueur composée d'eau, de vin, de jus de citron,
de sucre et de muscade, que leurs mères avaient
préparée pour les fortifier et les rafraîchir. Virginie
soupira au souvenir de la pauvre esclave, et des
inquiétudes de leurs mères. Elle répéta plusieurs fois :
« Oh qu'il est difficile de faire le bien ! » Pendant que
Paul et elle se rafraîchissaient, Domingue alluma du
feu, et ayant cherché dans les rochers un bois tortu
qu'on appelle bois de ronde, et qui brûle tout vert en
jetant une grande flamme, il en fit un flambeau qu'il
alluma ; car il était déjà nuit. Mais il éprouva un
embarras bien plus grand quand il fallut se mettre en
route : Paul et Virginie ne pouvaient plus marcher ;
leurs pieds étaient enflés et tout rouges. Domingue ne
savait s'il devait aller bien loin de là leur chercher du
secours, ou passer dans ce lieu la nuit avec eux. « Où
est le temps, leur disait-il, où je vous portais tous deux
à la fois dans mes bras ? mais maintenant vous êtes
grands, et je suis vieux. » Comme il était dans cette
perplexité une troupe de noirs marrons se fit voir à
vingt pas de là. Le chef de cette troupe, s'approchant
de Paul et de Virginie, leur dit : « Bons petits blancs,
n'ayez pas peur ; nous vous avons vus passer ce matin
avec une négresse de la Rivière-noire ; vous alliez
demander sa grâce à son mauvais maître : en reconnaissance nous vous reporterons chez vous sur nos
épaules. » Alors il fit un signe, et quatre noirs marrons
des plus robustes firent aussitôt un brancard avec des

branches d'arbres et des lianes, y placèrent Paul et
Virginie, les mirent sur leurs épaules; et Domingue
marchant devant eux avec son flambeau, ils se mirent
en route aux cris de joie de toute la troupe, qui les
comblait de bénédictions. Virginie attendrie disait à
Paul : « Oh, mon ami! jamais Dieu ne laisse un
bienfait sans récompense. »

Ils arrivèrent vers le milieu de la nuit au pied de leur
montagne [38], dont les croupes étaient éclairées de
plusieurs feux. A peine ils la montaient qu'ils entendirent des voix qui criaient : « Est-ce vous, mes
enfants? » Ils répondirent avec les noirs : « Oui, c'est
nous »; et bientôt ils aperçurent leurs mères et Marie
qui venaient au-devant d'eux avec des tisons flam-
bants. « Malheureux enfants, dit madame de la Tour,
d'où venez-vous? dans quelles angoisses vous nous
avez jetées! — Nous venons, dit Virginie, de la
Rivière-noire demander la grâce d'une pauvre esclave
marronne [39], à qui j'ai donné ce matin le déjeuner de la
maison, parce qu'elle mourait de faim; et voilà que les
noirs marrons nous ont ramenés. » Madame de la
Tour embrassa sa fille sans pouvoir parler; et Virginie,
qui sentit son visage mouillé des larmes de sa mère, lui
dit : « Vous me payez de tout le mal que j'ai souffert! » Marguerite, ravie de joie, serrait Paul dans ses
bras, et lui disait : « Et toi aussi, mon fils, tu as fait une
bonne action. » Quand elles furent arrivées dans leur
case avec leurs enfants elles donnèrent bien à manger
aux noirs marrons, qui s'en retournèrent dans leurs
bois en leur souhaitant toute sorte de prospérités [40].

Chaque jour était pour ces familles un jour de

bonheur et de paix. Ni l'envie ni l'ambition ne les
tourmentaient. Elles ne désiraient point au-dehors une
vaine réputation que donne l'intrigue, et qu'ôte la
calomnie ; il leur suffisait d'être à elles-mêmes leurs
témoins et leurs juges. Dans cette île, où, comme dans
toutes les colonies européennes, on n'est curieux que
d'anecdotes malignes[41], leurs vertus et même leurs
noms étaient ignorés ; seulement quand un passant
demandait sur le chemin des Pamplemousses à quelques habitants de la plaine : « Qui est-ce qui demeure
là-haut dans ces petites cases ? » ceux-ci répondaient
sans les connaître : « Ce sont de bonnes gens. » Ainsi
des violettes, sous des buissons épineux, exhalent au
loin leurs doux parfums, quoiqu'on ne les voie pas.

Elles avaient banni de leurs conversations la médisance, qui, sous une apparence de justice, dispose
nécessairement le cœur à la haine ou à la fausseté ; car
il est impossible de ne pas haïr les hommes si on les
croit méchants, et de vivre avec les méchants si on ne
leur cache sa haine sous de fausses apparences de
bienveillance. Ainsi la médisance nous oblige d'être
mal avec les autres ou avec nous-mêmes. Mais, sans
juger des hommes[42] en particulier, elles ne s'entretenaient que des moyens de faire du bien à tous en
général ; et quoiqu'elles n'en eussent pas le pouvoir,
elles en avaient une volonté perpétuelle qui les remplissait d'une bienveillance toujours prête à s'étendre
au-dehors. En vivant donc dans la solitude, loin d'être
sauvages, elles étaient devenues plus humaines. Si
l'histoire scandaleuse de la société ne fournissait point
de matière à leurs conversations, celle de la nature les

remplissait de ravissement et de joie. Elles admiraient avec transport le pouvoir d'une providence qui par leurs mains avait répandu au milieu de ces arides rochers l'abondance, les grâces, les plaisirs purs, simples, et toujours renaissants.

Paul, à l'âge de douze ans, plus robuste et plus intelligent que les Européens à quinze, avait embelli ce que le noir Domingue ne faisait que cultiver. Il allait avec lui dans les bois voisins déraciner de jeunes plants de citronniers, d'orangers, de tamarins dont la tête ronde est d'un si beau vert, et d'attiers [43] dont le fruit est plein d'une crème sucrée qui a le parfum de la fleur d'orange : il plantait ces arbres déjà grands autour de cette enceinte. Il y avait semé des graines d'arbres qui dès la seconde année portent des fleurs ou des fruits, tels que l'agathis, où pendent tout autour, comme les cristaux d'un lustre, de longues grappes de fleurs blanches ; le lilas de Perse, qui élève droit en l'air ses girandoles gris de lin ; le papayer, dont le tronc sans branches, formé en colonne hérissée de melons verts, porte un chapiteau de larges feuilles semblables à celle du figuier [44].

Il y avait planté encore des pépins et des noyaux de badamiers, de manguiers, d'avocats, de goyaviers, de jaques et de jameroses. La plupart de ces arbres donnaient déjà à leur jeune maître de l'ombrage et des fruits. Sa main laborieuse avait répandu la fécondité jusque dans les lieux les plus stériles de cet enclos. Diverses espèces d'aloès, la raquette chargée de fleurs jaunes fouettées de rouge, les cierges épineux, s'élevaient sur les têtes noires des roches, et semblaient vouloir atteindre aux longues lianes, chargées de fleurs bleues ou écarlates, qui pendaient çà et là le long des escarpements de la montagne[45].

Il avait disposé ces végétaux de manière qu'on pouvait jouir de leur vue d'un seul coup d'œil. Il avait planté au milieu de ce bassin les herbes qui s'élèvent peu, ensuite les arbrisseaux, puis les arbres moyens, et enfin les grands arbres qui en bordaient la circonférence ; de sorte que ce vaste enclos paraissait de son centre comme un amphithéâtre de verdure, de fruits et de fleurs, renfermant des plantes potagères, des lisières de prairies, et des champs de riz et de blé. Mais en assujettissant ces végétaux à son plan, il ne s'était pas écarté de celui de la nature ; guidé par ses indications, il avait mis dans les lieux élevés ceux dont les semences sont volatiles, et sur le bord des eaux ceux dont les graines sont faites pour flotter : ainsi chaque végétal croissait dans son site propre et chaque site recevait de son végétal sa parure naturelle. Les eaux qui descendent du sommet de ces roches formaient au fond du vallon, ici des fontaines, là de larges miroirs qui répétaient au milieu de la verdure les arbres en fleurs, les rochers, et l'azur des cieux[46].

Malgré la grande irrégularité de ce terrain toutes ces plantations étaient pour la plupart aussi accessibles au toucher qu'à la vue : à la vérité nous l'aidions tous de nos conseils et de nos secours pour en venir à bout. Il avait pratiqué un sentier qui tournait autour de ce bassin et dont plusieurs rameaux venaient se rendre de la circonférence au centre. Il avait tiré parti des lieux les plus raboteux, et accordé par la plus heureuse

harmonie la facilité de la promenade avec l'aspérité du
sol, et les arbres domestiques avec les sauvages. De
cette énorme quantité de pierres roulantes qui
embrasse maintenant ces chemins ainsi que la plupart
du terrain de cette île, il avait formé çà et là des
pyramides, dans les assises desquelles il avait mêlé de
la terre et des racines de rosiers, de poincillades[47], et
d'autres arbrisseaux qui se plaisent dans les roches ; en
peu de temps ces pyramides sombres et brutes furent
couvertes de verdure, ou de l'éclat des plus belles
fleurs. Les ravins bordés de vieux arbres inclinés sur
les bords formaient des souterrains voûtés inaccessibles à la chaleur, où l'on allait prendre le frais pendant
le jour. Un sentier conduisait dans un bosquet d'arbres
sauvages, au centre duquel croissait à l'abri des vents
un arbre domestique chargé de fruits[48]. Là était une
moisson, ici un verger. Par cette avenue on apercevait
les maisons ; par cette autre, les sommets inaccessibles
de la montagne. Sous un bocage touffu de tatamaques[49] entrelacés de lianes on ne distinguait en plein
midi aucun objet ; sur la pointe de ce grand rocher
voisin qui sort de la montagne on découvrait tous ceux
de cet enclos, avec la mer au loin, où apparaissait
quelquefois un vaisseau qui venait de l'Europe, ou qui
y retournait. C'était sur ce rocher que ces familles se
rassemblaient le soir, et jouissaient en silence de la
fraîcheur de l'air, du parfum des fleurs, du murmure
des fontaines, et des dernières harmonies de la lumière
et des ombres.

Rien n'était plus agréable que les noms donnés à la
plupart des retraites charmantes de ce labyrinthe. Ce

rocher dont je viens de vous parler, d'où l'on me voyait venir de bien loin, s'appelait la DÉCOUVERTE DE L'AMITIÉ. Paul et Virginie, dans leurs jeux, y avaient planté un bambou, au haut duquel ils élevaient un petit mouchoir blanc pour signaler mon arrivée dès qu'ils m'apercevaient, ainsi qu'on élève un pavillon sur la montagne voisine, à la vue d'un vaisseau en mer. L'idée me vint de graver une inscription sur la tige de ce roseau. Quelque plaisir que j'aie eu dans mes voyages à voir une statue ou un monument de l'antiquité, j'en ai encore davantage à lire une inscription bien faite ; il me semble alors qu'une voix humaine sorte de la pierre, se fasse entendre à travers les siècles, et s'adressant à l'homme au milieu des déserts, lui dise qu'il n'est pas seul, et que d'autres hommes dans ces mêmes lieux ont senti, pensé, et souffert comme lui : que si cette inscription est de quelque nation ancienne qui ne subsiste plus, elle étend notre âme dans les champs de l'infini, et lui donne le sentiment de son immortalité, en lui montrant qu'une pensée a survécu à la ruine même d'un empire.

J'écrivis donc sur le petit mât de pavillon de Paul et Virginie ces vers d'Horace :

> *... Fratres Helenæ, lucida sidera,*
> *Venturumque regat pater,*
> *Obstrictis aliis, præter iapyga.*

« Que les frères d'Hélène, astres charmants comme vous, et que le père des vents vous dirigent, et ne fassent souffler que le zéphyr. »

Je gravai ce vers de Virgile sur l'écorce d'un tatamaque, à l'ombre duquel Paul s'asseyait quelquefois pour regarder au loin la mer agitée :

Fortunatus et ille deos qui novit agrestes !

« Heureux, mon fils, de ne connaître que les divinités champêtres ! »

Et cet autre, au-dessus de la porte de la cabane de madame de la Tour, qui était leur lieu d'assemblée :

At secura quies, et nescia fallere vita.

« Ici est une bonne conscience, et une vie qui ne sait pas tromper. »

Mais Virginie n'approuvait point mon latin ; elle disait que ce que j'avais mis au pied de sa girouette était trop long et trop savant : « J'eusse mieux aimé, ajoutait-elle, TOUJOURS AGITÉE, MAIS CONSTANTE. — Cette devise, lui répondis-je, conviendrait encore mieux à la vertu. » Ma réflexion la fit rougir [50].

Ces familles heureuses étendaient leurs âmes sensibles à tout ce qui les environnait. Elles avaient donné les noms les plus tendres aux objets en apparence les plus indifférents. Un cercle d'orangers, de bananiers et de jameroses plantés autour d'une pelouse [51], au milieu de laquelle Virginie et Paul allaient quelquefois danser, se nommait LA CONCORDE. Un vieux arbre, à l'ombre duquel madame de la Tour et Marguerite s'étaient raconté leurs malheurs, s'appelait LES PLEURS ESSUYÉS [52]. Elles faisaient porter les noms de

BRETAGNE et de NORMANDIE à de petites portions de terre où elles avaient semé du blé, des fraises et des pois. Domingue et Marie désirant, à l'imitation de leurs maîtresses, se rappeler les lieux de leur naissance en Afrique, appelaient ANGOLA et FOULLEPOINTE[53] deux endroits où croissait l'herbe dont ils faisaient des paniers, et où ils avaient planté un calebassier. Ainsi, par ces productions de leurs climats, ces familles expatriées entretenaient les douces illusions de leur pays et en calmaient les regrets dans une terre étrangère. Hélas ! j'ai vu s'animer de mille appellations charmantes les arbres, les fontaines, les rochers de ce lieu maintenant si bouleversé, et qui, semblable à un champ de la Grèce, n'offre plus que des ruines et des noms touchants.

Mais de tout ce que renfermait cette enceinte rien n'était plus agréable que ce qu'on appelait le REPOS DE VIRGINIE. Au pied du rocher la DÉCOUVERTE DE L'AMITIÉ est un enfoncement d'où sort une fontaine, qui forme dès sa source une petite flaque d'eau, au milieu d'un pré d'une herbe fine. Lorsque Marguerite eut mis Paul au monde je lui fis présent d'un coco des Indes qu'on m'avait donné. Elle planta ce fruit sur le bord de cette flaque d'eau, afin que l'arbre qu'il produirait servît un jour d'époque à la naissance de son fils. Madame de la Tour, à son exemple, y en planta un autre dans une semblable intention dès qu'elle fut accouchée de Virginie. Il naquit de ces deux fruits deux cocotiers, qui formaient toutes les archives de ces deux familles ; l'un se nommait l'arbre de Paul, et l'autre, l'arbre de Virginie. Ils crûrent tous deux,

arbres

dans la même proportion que leurs jeunes maîtres,
d'une hauteur un peu inégale, mais qui surpassait au
bout de douze ans celle de leurs cabanes. Déjà ils
entrelaçaient leurs palmes, et laissaient pendre leurs
jeunes grappes de cocos au-dessus du bassin de la
fontaine. Excepté cette plantation on avait laissé cet
enfoncement du rocher tel que la nature l'avait orné.
Sur ses flancs bruns et humides rayonnaient en étoiles
vertes et noires de larges capillaires, et flottaient au gré
des vents des touffes de scolopendres suspendues
comme de longs rubans d'un vert pourpré. Près de là
croissaient des lisières de pervenche, dont les fleurs
sont presque semblables à celles de la giroflée rouge, et
des piments, dont les gousses couleur de sang sont plus
éclatantes que le corail. Aux environs, l'herbe de
baume, dont les feuilles sont en cœur, et les basilics à
odeur de girofle, exhalaient les plus doux parfums. Du
haut de l'escarpement de la montagne pendaient des
lianes semblables à des draperies flottantes, qui formaient sur les flancs des rochers de grandes courtines
de verdure. Les oiseaux de mer, attirés par ces retraites
paisibles, y venaient passer la nuit. Au coucher du
soleil on y voyait voler le long des rivages de la mer le
corbigeau et l'alouette marine, et au haut des airs la
noire frégate, avec l'oiseau blanc du tropique, qui
abandonnaient, ainsi que l'astre du jour, les solitudes
de l'océan indien. Virginie aimait à se reposer sur les
bords de cette fontaine, décorée d'une pompe à la fois
magnifique et sauvage. Souvent elle y venait laver le
linge de la famille à l'ombre des deux cocotiers.
Quelquefois elle y menait paître ses chèvres. Pendant

qu'elle préparait des fromages avec leur lait, elle se plaisait à leur voir brouter les capillaires sur les flancs escarpés de la roche, et se tenir en l'air sur une de ses corniches comme sur un piédestal. Paul, voyant que ce lieu était aimé de Virginie, y apporta de la forêt voisine des nids de toute sorte d'oiseaux. Les pères et les mères de ces oiseaux suivirent leurs petits, et vinrent s'établir dans cette nouvelle colonie. Virginie leur distribuait de temps en temps des grains de riz, de maïs et de millet : dès qu'elle paraissait, les merles siffleurs, les bengalis, dont le ramage est si doux, les cardinaux, dont le plumage est couleur de feu, quittaient leurs buissons ; des perruches vertes comme des émeraudes descendaient des lataniers voisins ; des perdrix accouraient sous l'herbe : tous s'avançaient pêle-mêle jusqu'à ses pieds comme des poules. Paul et elle s'amusaient avec transport de leurs jeux, de leurs appétits, et de leurs amours[54].

Aimables enfants, vous passiez ainsi dans l'innocence vos premiers jours en vous exerçant aux bienfaits ! Combien de fois dans ce lieu vos mères, vous serrant dans leurs bras, bénissaient le ciel de la consolation que vous prépariez à leur vieillesse, et de vous voir entrer dans la vie sous de si heureux auspices ! Combien de fois, à l'ombre de ces rochers, ai-je partagé avec elles vos repas champêtres qui n'avaient coûté la vie à aucun animal ! des calebasses pleines de lait, des œufs frais, des gâteaux de riz sur des feuilles de bananier, des corbeilles chargées de patates, de mangues, d'oranges, de grenades, de bananes, de dattes, d'ananas, offraient à la fois les

mets les plus sains, les couleurs les plus gaies, et les
sucs les plus agréables.

La conversation était aussi douce et aussi innocente
que ces festins : Paul y parlait souvent des travaux du
jour et de ceux du lendemain. Il méditait toujours
quelque chose d'utile pour la société. Ici les sentiers
n'étaient pas commodes ; là on était mal assis ; ces
jeunes berceaux ne donnaient pas assez d'ombrage ;
Virginie serait mieux là [55].

Dans la saison pluvieuse ils passaient le jour tous
ensemble dans la case, maîtres et serviteurs, occupés à
faire des nattes d'herbes et des paniers de bambou. On
voyait rangés dans le plus grand ordre aux parois de la
muraille des râteaux, des haches, des bêches ; et auprès
de ces instruments de l'agriculture les productions qui
en étaient les fruits, des sacs de riz, des gerbes de blé,
et des régimes de bananes. La délicatesse s'y joignait
toujours à l'abondance. Virginie, instruite par Marguerite et par sa mère, y préparait des sorbets et des
cordiaux avec le jus des cannes à sucre, des citrons et
des cédrats.

La nuit venue, ils soupaient à la lueur d'une lampe ;
ensuite madame de la Tour ou Marguerite racontait
quelques histoires de voyageurs égarés la nuit dans les
bois de l'Europe infestés de voleurs, ou le naufrage de
quelque vaisseau jeté par la tempête sur les rochers
d'une île déserte. A ces récits les âmes sensibles de
leurs enfants s'enflammaient ; ils priaient le ciel de leur
faire la grâce d'exercer quelque jour l'hospitalité
envers de semblables malheureux. Cependant les deux
familles se séparaient pour aller prendre du repos,

dans l'impatience de se revoir le lendemain. Quelquefois elles s'endormaient au bruit de la pluie qui
tombait par torrents sur la couverture de leurs cases,
ou à celui des vents qui leur apportaient le murmure
lointain des flots qui se brisaient sur le rivage. Elles
bénissaient Dieu de leur sécurité personnelle, dont le
sentiment redoublait par celui du danger éloigné.

De temps en temps madame de la Tour lisait
publiquement quelque histoire touchante de l'ancien
ou du nouveau Testament. Ils raisonnaient peu sur ces
livres sacrés ; car leur théologie était toute en sentiment, comme celle de la nature, et leur morale toute en
action, comme celle de l'Evangile. Ils n'avaient point
de jours destinés aux plaisirs et d'autres à la tristesse.
Chaque jour était pour eux un jour de fête, et tout ce
qui les environnait un temple divin, où ils admiraient
sans cesse une Intelligence infinie, toute-puissante, et
amie des hommes [56] ; ce sentiment de confiance dans le
pouvoir suprême les remplissait de consolation pour le
passé, de courage pour le présent, et d'espérance pour
l'avenir. Voilà comme ces femmes, forcées par le
malheur de rentrer dans la nature, avaient développé
en elles-mêmes et dans leurs enfants ces sentiments
que donne la nature pour nous empêcher de tomber
dans le malheur.

Mais comme il s'élève quelquefois dans l'âme la
mieux réglée des nuages qui la troublent, quand
quelque membre de leur société paraissait triste, tous
les autres se réunissaient autour de lui, et l'enlevaient
aux pensées amères, plus par des sentiments que par
des réflexions. Chacun y employait son caractère

particulier; Marguerite, une gaieté vive; madame de
la Tour, une théologie douce; Virginie, des caresses
tendres; Paul, de la franchise et de la cordialité; Marie
et Domingue même venaient à son secours. Ils s'affli-
geaient s'ils le voyaient affligé, et ils pleuraient s'ils le
voyaient pleurer. Ainsi des plantes faibles s'entrelacent
ensemble pour résister aux ouragans.

Dans la belle saison ils allaient tous les dimanches à
la messe à l'église des Pamplemousses dont vous voyez
le clocher là-bas dans la plaine. Il y venait des
habitants riches, en palanquin, qui s'empressèrent
plusieurs fois de faire la connaissance de ces familles si
unies, et de les inviter à des parties de plaisir. Mais
elles repoussèrent toujours leurs offres avec honnêteté
et respect, persuadées que les gens puissants ne
recherchent les faibles que pour avoir des complai-
sants, et qu'on ne peut être complaisant qu'en flattant
les passions d'autrui, bonnes et mauvaises. D'un autre
côté elles n'évitaient pas avec moins de soin l'accoin-
tance des petits habitants pour l'ordinaire jaloux,
médisants et grossiers. Elles passèrent d'abord auprès
des uns pour timides, et auprès des autres pour fières;
mais leur conduite réservée était accompagnée de
marques de politesse si obligeantes, surtout envers les
misérables, qu'elles acquirent insensiblement le respect des riches et la confiance des pauvres.

Après la messe on venait souvent les requérir de
quelque bon office. C'était une personne affligée qui
leur demandait des conseils, ou un enfant qui les priait
de passer chez sa mère malade dans un des quartiers
voisins. Elles portaient toujours avec elles quelques

recettes utiles aux maladies ordinaires aux habitants, et elles y joignaient la bonne grâce, qui donne tant de prix aux petits services. Elles réussissaient surtout à bannir les peines de l'esprit, si intolérables dans la solitude et dans un corps infirme. Madame de la Tour parlait avec tant de confiance de la Divinité que le malade en l'écoutant la croyait présente. Virginie revenait bien souvent de là les yeux humides de larmes, mais le cœur rempli de joie, car elle avait eu l'occasion de faire du bien. C'était elle qui préparait d'avance les remèdes nécessaires aux malades, et qui les leur présentait avec une grâce ineffable. Après ces visites d'humanité, elles prolongeaient quelquefois leur chemin par la vallée de la Montagne-longue jusque chez moi, où je les attendais à dîner sur les bords de la petite rivière qui coule dans mon voisinage. Je me procurais pour ces occasions quelques bouteilles de vin vieux, afin d'augmenter la gaieté de nos repas indiens par ces douces et cordiales productions de l'Europe. D'autres fois nous nous donnions rendez-vous sur les bords de la mer, à l'embouchure de quelques autres petites rivières, qui ne sont guère ici que de grands ruisseaux : nous y apportions de l'habitation des provisions végétales que nous joignions à celles que la mer nous fournissait en abondance. Nous pêchions sur ses rivages des cabots, des polypes, des rougets, des langoustes, des chevrettes, des crabes, des oursins, des huîtres, et des coquillages de toute espèce[57]. Les sites les plus terribles nous procuraient souvent les plaisirs les plus tranquilles. Quelquefois, assis sur un rocher, à l'ombre d'un veloutier[58], nous voyions les flots du large venir se briser à nos pieds avec un horrible fracas. Paul, qui nageait d'ailleurs comme un poisson, s'avançait quelquefois sur les récifs au-devant des lames, puis à leur approche il fuyait sur le rivage devant leurs grandes volutes écumeuses et mugissantes qui le poursuivaient bien avant sur la grève. Mais Virginie à cette vue jetait des cris perçants, et disait que ces jeux-là lui faisaient grand-peur.

Nos repas étaient suivis des chants et des danses de ces deux jeunes gens. Virginie chantait le bonheur de la vie champêtre, et les malheurs des gens de mer que l'avarice porte à naviguer sur un élément furieux, plutôt que de cultiver la terre, qui donne paisiblement tant de biens. Quelquefois, à la manière des noirs, elle exécutait avec Paul une pantomime. La pantomime est le premier langage de l'homme [59]; elle est connue de toutes les nations; elle est si naturelle et si expressive que les enfants des blancs ne tardent pas à l'apprendre dès qu'ils ont vu ceux des noirs s'y exercer. Virginie se rappelant, dans les lectures que lui faisait sa mère, les histoires qui l'avaient le plus touchée, en rendait les principaux événements avec beaucoup de naïveté. Tantôt, au son du tam-tam de Domingue, elle se présentait sur la pelouse, portant une cruche sur sa tête; elle s'avançait avec timidité à la source d'une fontaine voisine pour y puiser de l'eau. Domingue et Marie, représentant les bergers de Madian, lui en défendaient l'approche et feignaient de la repousser. Paul accourait à son secours, battait les bergers, remplissait la cruche de Virginie, et en la lui posant sur la tête il lui mettait en même temps une couronne de fleurs rouges de pervenche qui relevait la blancheur de son teint. Alors, me prêtant à leurs jeux, je me chargeais du personnage de Raguel, et j'accordais à Paul ma fille Séphora en mariage.

Une autre fois elle représentait l'infortunée Ruth qui retourne veuve et pauvre dans son pays, où elle se trouve étrangère après une longue absence. Domingue et Marie contrefaisaient les moissonneurs. Virginie feignait de glaner çà et là sur leurs pas quelques épis de blé. Paul, imitant la gravité d'un patriarche, l'interrogeait ; elle répondait en tremblant à ses questions. Bientôt ému de pitié il accordait l'hospitalité à l'innocence, et un asile à l'infortune ; il remplissait le tablier de Virginie de toutes sortes de provisions, et l'amenait devant nous, comme devant les anciens de la ville, en déclarant qu'il la prenait en mariage malgré son indigence [60]. Madame de la Tour, à cette scène, venant à se rappeler l'abandon où l'avaient laissée ses propres parents, son veuvage, la bonne réception que lui avait faite Marguerite, suivie maintenant de l'espoir d'un mariage heureux entre leurs enfants, ne pouvait s'empêcher de pleurer ; et ce souvenir confus de maux et de biens nous faisait verser à tous des larmes de douleur et de joie.

Ces drames étaient rendus avec tant de vérité qu'on se croyait transporté dans les champs de la Syrie ou de la Palestine. Nous ne manquions point de décorations, d'illuminations et d'orchestre convenables à ce spectacle. Le lieu de la scène était pour l'ordinaire au carrefour d'une forêt dont les percées formaient autour de nous plusieurs arcades de feuillage : nous étions à

leur centre abrités de la chaleur pendant toute la
journée ; mais quand le soleil était descendu à l'horizon, ses rayons, brisés par les troncs des arbres,
divergeaient dans les ombres de la forêt en longues
gerbes lumineuses qui produisaient le plus majestueux
effet. Quelquefois son disque tout entier paraissait à
l'extrémité d'une avenue et la rendait toute étincelante
de lumière. Le feuillage des arbres, éclairés en dessous
de ses rayons safranés, brillait des feux de la topaze et
de l'émeraude ; leurs troncs mousseux et bruns paraissaient changés en colonnes de bronze antique ; et les
oiseaux déjà retirés en silence sous la sombre feuillée
pour y passer la nuit, surpris de revoir une seconde
aurore, saluaient tous à la fois l'astre du jour par mille
et mille chansons.

La nuit nous surprenait bien souvent dans ces fêtes
champêtres ; mais la pureté de l'air et la douceur du
climat nous permettaient de dormir sous un ajoupa, au
milieu des bois, sans craindre d'ailleurs les voleurs ni
de près ni de loin. Chacun le lendemain retournait
dans sa case, et la retrouvait dans l'état où il l'avait
laissée. Il y avait alors tant de bonne foi et de
simplicité dans cette île sans commerce, que les portes
de beaucoup de maisons ne fermaient point à la clef, et
qu'une serrure était un objet de curiosité pour plusieurs Créoles [61].

Mais il y avait dans l'année des jours qui étaient
pour Paul et Virginie des jours de plus grandes
réjouissances ; c'étaient les fêtes de leurs mères. Virginie ne manquait pas la veille de pétrir et de cuire des
gâteaux de farine de froment, qu'elle envoyait à de

pauvres familles de blancs, nées dans l'île, qui
n'avaient jamais mangé de pain d'Europe, et qui sans
aucun secours de noirs, réduites à vivre de manioc[62] au
milieu des bois, n'avaient pour supporter la pauvreté
ni la stupidité qui accompagne l'esclavage, ni le
courage qui vient de l'éducation. Ces gâteaux étaient
les seuls présents que Virginie pût faire de l'aisance de
l'habitation; mais elle y joignait une bonne grâce qui
leur donnait un grand prix. D'abord c'était Paul qui
était chargé de les porter lui-même à ces familles, et
elles s'engageaient en les recevant de venir le lendemain passer la journée chez madame de la Tour et
Marguerite. On voyait alors arriver une mère de
famille avec deux ou trois misérables filles, jaunes,
maigres et si timides qu'elles n'osaient lever les yeux.
Virginie les mettait bientôt à leur aise; elle leur servait
des rafraîchissements, dont elle relevait la bonté par
quelque circonstance particulière qui en augmentait
selon elle l'agrément. Cette liqueur avait été préparée
par Marguerite, cette autre par sa mère; son frère
avait cueilli lui-même ce fruit au haut d'un arbre. Elle
engageait Paul à les faire danser. Elle ne les quittait
point qu'elle ne les vît contentes et satisfaites; elle
voulait qu'elles fussent joyeuses de la joie de sa famille.
« On ne fait son bonheur, disait-elle, qu'en s'occupant
de celui des autres. » Quand elles s'en retournaient
elle les engageait d'emporter ce qui paraissait leur
avoir fait plaisir, couvrant la nécessité d'agréer ses
présents du prétexte de leur nouveauté ou de leur
singularité. Si elle remarquait trop de délabrement
dans leurs habits, elle choisissait, avec l'agrément de

sa mère, quelques-uns des siens, et elle chargeait Paul d'aller secrètement les déposer à la porte de leurs cases. Ainsi elle faisait le bien, à l'exemple de la Divinité, cachant la bienfaitrice, et montrant le bienfait.

Vous autres Européens, dont l'esprit se remplit dès l'enfance de tant de préjugés contraires au bonheur, vous ne pouvez concevoir que la nature puisse donner tant de lumières[63] et de plaisirs. Votre âme, circonscrite dans une petite sphère de connaissances humaines, atteint bientôt le terme de ses jouissances artificielles : mais la nature et le cœur sont inépuisables. Paul et Virginie n'avaient ni horloges, ni almanachs, ni livres de chronologie, d'histoire, et de philosophie. Les périodes de leur vie se réglaient sur celles de la nature. Ils connaissaient les heures du jour par l'ombre des arbres; les saisons, par les temps où ils donnent leurs fleurs ou leurs fruits; et les années, par le nombre de leurs récoltes. Ces douces images répandaient les plus grands charmes dans leurs conversations. « Il est temps de dîner, disait Virginie à la famille, les ombres des bananiers sont à leurs pieds »; ou bien : « La nuit s'approche, les tamarins ferment leurs feuilles. — Quand viendrez-vous nous voir ? lui disaient quelques amies du voisinage. — Aux cannes de sucre, répondait Virginie. — Votre visite nous sera encore plus douce et plus agréable, reprenaient ces jeunes filles. » Quand on l'interrogeait sur son âge et sur celui de Paul : « Mon frère, disait-elle, est de l'âge du grand cocotier de la fontaine, et moi de celui du plus petit. Les manguiers ont donné douze fois leurs fruits, et les orangers vingt-quatre fois leurs fleurs depuis que je suis au monde. » Leur vie semblait attachée à celle des arbres comme celles des faunes et des dryades : ils ne connaissaient d'autres époques historiques que celles de la vie de leurs mères, d'autre chronologie que celle de leurs vergers, et d'autre philosophie que de faire du bien à tout le monde, et de se résigner à la volonté de Dieu.

Après tout qu'avaient besoin ces jeunes gens d'être riches et savants à notre manière ? leurs besoins et leur ignorance ajoutaient encore à leur félicité. Il n'y avait point de jour qu'ils ne se communiquassent quelques secours ou quelques lumières : oui, des lumières ; et quand il s'y serait mêlé quelques erreurs, l'homme pur n'en a point de dangereuses à craindre. Ainsi croissaient ces deux enfants de la nature. Aucun souci n'avait ridé leur front, aucune intempérance n'avait corrompu leur sang, aucune passion malheureuse n'avait dépravé leur cœur : l'amour, l'innocence, la piété, développaient chaque jour la beauté de leur âme en grâces ineffables, dans leurs traits, leurs attitudes et leurs mouvements. Au matin de la vie, ils en avaient toute la fraîcheur : tels dans le jardin d'Eden parurent nos premiers parents lorsque, sortant des mains de Dieu, ils se virent, s'approchèrent, et conversèrent d'abord comme frère et comme sœur. Virginie, douce, modeste, confiante comme Eve ; et Paul, semblable à Adam, ayant la taille d'un homme avec la simplicité d'un enfant.

Quelquefois seul avec elle[64] (il me l'a mille fois raconté), il lui disait au retour de ses travaux : « Lorsque je suis fatigué ta vue me délasse. Quand du haut de la montagne je t'aperçois au fond de ce vallon, tu me parais au milieu de nos vergers comme un bouton de rose. Si tu marches vers la maison de nos mères, la perdrix qui court vers ses petits a un corsage moins beau et une démarche moins légère. Quoique je te perde de vue à travers les arbres, je n'ai pas besoin de te voir pour te retrouver ; quelque chose de toi que je ne puis dire reste pour moi dans l'air où tu passes, sur l'herbe où tu t'assieds. Lorsque je t'approche, tu ravis tous mes sens. L'azur du ciel est moins beau que le bleu de tes yeux ; le chant des bengalis, moins doux que le son de ta voix. Si je te touche seulement du bout du doigt, tout mon corps frémit de plaisir. Souviens-toi du jour où nous passâmes à travers les cailloux roulants de la rivière des Trois-mamelles. En arrivant sur ses bords j'étais déjà bien fatigué ; mais quand je t'eus prise sur mon dos il me semblait que j'avais des ailes comme un oiseau. Dis-moi par quel charme tu as pu m'enchanter. Est-ce par ton esprit ? mais nos mères en ont plus que nous deux. Est-ce par tes caresses ? mais elles m'embrassent plus souvent que toi. Je crois que c'est par ta bonté. Je n'oublierai jamais que tu as marché nu-pieds jusqu'à la Rivière-noire pour demander la grâce d'une pauvre esclave fugitive. Tiens, ma bien-aimée, prends cette branche fleurie de citronnier que j'ai cueillie dans la forêt ; tu la mettras la nuit près de ton lit. Mange ce rayon de miel ; je l'ai pris pour toi au haut d'un rocher. Mais auparavant repose-toi sur mon sein, et je serai délassé. »

Virginie lui répondait : « O mon frère ! les rayons

du soleil au matin, au haut de ces rochers, me donnent
moins de joie que ta présence. J'aime bien ma mère,
j'aime bien la tienne ; mais quand elles t'appellent mon
fils je les aime encore davantage. Les caresses qu'elles
te font me sont plus sensibles que celles que j'en reçois.
Tu me demandes pourquoi tu m'aimes ; mais tout ce
qui a été élevé ensemble s'aime. Vois nos oiseaux ;
élevés dans les mêmes nids, ils s'aiment comme nous ;
ils sont toujours ensemble comme nous. Ecoute comme
ils s'appellent et se répondent d'un arbre à l'autre : de
même quand l'écho me fait entendre les airs que tu
joues sur ta flûte, au haut de la montagne, j'en répète
les paroles au fond de ce vallon. Tu m'es cher, surtout
depuis le jour où tu voulais te battre pour moi contre le
maître de l'esclave. Depuis ce temps-là, je me suis dit
bien des fois : Ah ! mon frère a un bon cœur ; sans lui je
serais morte d'effroi. Je prie Dieu tous les jours pour
ma mère, pour la tienne, pour toi, pour nos pauvres
serviteurs ; mais quand je prononce ton nom il me
semble que ma dévotion augmente. Je demande si
instamment à Dieu qu'il ne t'arrive aucun mal !
Pourquoi vas-tu si loin et si haut me chercher des fruits
et des fleurs ? N'en avons-nous pas assez dans le
jardin ? Comme te voilà fatigué ! Tu es tout en
nage [65]. » Et avec son petit mouchoir blanc elle lui
essuyait le front et les joues, et elle lui donnait
plusieurs baisers.

Cependant depuis quelque temps Virginie se sentait
agitée d'un mal inconnu. Ses beaux yeux bleus se
marbraient de noir ; son teint jaunissait ; une langueur
universelle abattait son corps. La sérénité n'était plus

sur son front, ni le sourire sur ses lèvres. On la voyait tout à coup gaie sans joie, et triste sans chagrin. Elle fuyait ses jeux innocents, ses doux travaux, et la société de sa famille bien-aimée. Elle errait çà et là dans les lieux les plus solitaires de l'habitation, cherchant partout du repos, et ne le trouvant nulle part. Quelquefois, à la vue de Paul, elle allait vers lui en folâtrant; puis tout à coup, près de l'aborder, un embarras subit la saisissait; un rouge vif colorait ses joues pâles, et ses yeux n'osaient plus s'arrêter sur les siens. Paul lui disait : « La verdure couvre ces rochers, nos oiseaux chantent quand ils te voient; tout est gai autour de toi, toi seule es triste. » Et il cherchait à la ranimer en l'embrassant, mais elle détournait la tête, et fuyait tremblante vers sa mère. L'infortunée se sentait troublée par les caresses de son frère. Paul ne comprenait rien à des caprices si nouveaux et si étranges. Un mal n'arrive guère seul.

Un de ces étés qui désolent de temps à autre les terres situées entre les tropiques vint étendre ici ses ravages. C'était vers la fin de décembre, lorsque le soleil au capricorne échauffe pendant trois semaines l'Ile-de-France de ses feux verticaux. Le vent du sud-est qui y règne presque toute l'année n'y soufflait plus. De longs tourbillons de poussière s'élevaient sur les chemins, et restaient suspendus en l'air. La terre se fendait de toutes parts; l'herbe était brûlée; des exhalaisons chaudes sortaient du flanc des montagnes, et la plupart de leurs ruisseaux étaient desséchés. Aucun nuage ne venait du côté de la mer. Seulement pendant le jour des vapeurs rousses s'élevaient de dessus ses plaines, et paraissaient au coucher du soleil comme les flammes d'un incendie. La nuit même n'apportait aucun rafraîchissement à l'atmosphère embrasée. L'orbe de la lune, tout rouge, se levait, dans un horizon embrumé, d'une grandeur démesurée. Les troupeaux abattus sur les flancs des collines, le cou tendu vers le ciel, aspirant l'air, faisaient retentir les vallons de tristes mugissements. Le cafre même[66] qui les conduisait se couchait sur la terre pour y trouver de la fraîcheur ; mais partout le sol était brûlant, et l'air étouffant retentissait du bourdonnement des insectes qui cherchaient à se désaltérer dans le sang des hommes et des animaux.

Dans une de ces nuits ardentes, Virginie sentit redoubler tous les symptômes de son mal. Elle se levait, elle s'asseyait, elle se recouchait, et ne trouvait dans aucune attitude ni le sommeil, ni le repos. Elle s'achemine, à la clarté de la lune, vers sa fontaine ; elle en aperçoit la source qui, malgré la sécheresse, coulait encore en filets d'argent sur les flancs bruns du rocher. Elle se plonge dans son bassin. D'abord la fraîcheur ranime ses sens, et mille souvenirs agréables se présentent à son esprit. Elle se rappelle que dans son enfance sa mère et Marguerite s'amusaient à la baigner avec Paul dans ce même lieu ; que Paul ensuite, réservant ce bain pour elle seule, en avait creusé le lit, couvert le fond de sable, et semé sur ses bords des herbes aromatiques. Elle entrevoit dans l'eau, sur ses bras nus et sur son sein, les reflets des deux palmiers plantés à la naissance de son frère et à la sienne, qui entrelaçaient au-dessus de sa tête leurs rameaux verts et leurs jeunes

cocos. Elle pense à l'amitié de Paul, plus douce que les
parfums, plus pure que l'eau des fontaines, plus forte
que les palmiers unis ; et elle soupire. Elle songe à la
nuit, à la solitude, et un feu dévorant la saisit. Aussitôt
elle sort, effrayée de ces dangereux ombrages et de ces
eaux plus brûlantes que les soleils de la zone torride.
Elle court auprès de sa mère chercher un appui contre
elle-même. Plusieurs fois, voulant lui raconter ses
peines, elle lui pressa les mains dans les siennes ;
plusieurs fois elle fut près de prononcer le nom de Paul,
mais son cœur oppressé laissa sa langue sans expression, et posant sa tête sur le sein maternel elle ne put
que l'inonder de ses larmes.

Madame de la Tour pénétrait bien la cause du mal
de sa fille, mais elle n'osait elle-même lui en parler.
« Mon enfant, lui disait-elle, adresse-toi à Dieu, qui
dispose à son gré de la santé et de la vie. Il t'éprouve
aujourd'hui pour te récompenser demain. Songe que
nous ne sommes sur la terre que pour exercer la
vertu[67]. »

Cependant ces chaleurs excessives élevèrent de
l'océan des vapeurs qui couvrirent l'île comme un
vaste parasol. Les sommets des montagnes les rassemblaient autour d'eux, et de longs sillons de feu sortaient
de temps en temps de leurs pitons embrumés. Bientôt
des tonnerres affreux firent retentir de leurs éclats les
bois, les plaines et les vallons ; des pluies épouvantables, semblables à des cataractes, tombèrent du ciel.
Des torrents écumeux se précipitaient le long des
flancs de cette montagne : le fond de ce bassin était
devenu une mer ; le plateau où sont assises les cabanes,

une petite île ; et l'entrée de ce vallon, une écluse par
où sortaient pêle-mêle avec les eaux mugissantes les
terres, les arbres et les rochers.

Toute la famille tremblante priait Dieu dans la case
de madame de la Tour, dont le toit craquait horrible-
ment par l'effort des vents. Quoique la porte et les
contrevents en fussent bien fermés, tous les objets s'y
distinguaient à travers les jointures de la charpente,
tant les éclairs étaient vifs et fréquents. L'intrépide
Paul, suivi de Domingue, allait d'une case à l'autre
malgré la fureur de la tempête, assurant ici une paroi
avec un arc-boutant, et enfonçant là un pieu : il ne
rentrait que pour consoler la famille par l'espoir
prochain du retour du beau temps. En effet sur le soir
la pluie cessa ; le vent alizé du sud-est reprit son cours
ordinaire ; les nuages orageux furent jetés vers le nord-
est, et le soleil couchant parut à l'horizon[68].

Le premier désir de Virginie fut de revoir le lieu de
son repos. Paul s'approcha d'elle d'un air timide, et lui
présenta son bras pour l'aider à marcher. Elle l'ac
cepta en souriant, et ils sortirent ensemble de la case[69].
L'air était frais et sonore. Des fumées blanches s'élevaient sur les croupes de la montagne sillonnée çà et là
de l'écume des torrents qui tarissaient de tous côtés.
Pour le jardin, il était tout bouleversé par d'affreux
ravins ; la plupart des arbres fruitiers avaient leurs
racines en haut ; de grands amas de sable couvraient
les lisières des prairies, et avaient comblé le bain de
Virginie. Cependant les deux cocotiers étaient debout
et bien verdoyants ; mais il n'y avait plus aux environs
ni gazons, ni berceaux, ni oiseaux, excepté quelques

bengalis qui, sur la pointe des rochers voisins, déploraient par des chants plaintifs la perte de leurs petits.

A la vue de cette désolation, Virginie dit à Paul : « Vous aviez apporté ici des oiseaux, l'ouragan les a tués. Vous aviez planté ce jardin, il est détruit. Tout périt sur la terre ; il n'y a que le ciel qui ne change point [70]. » Paul lui répondit : « Que ne puis-je vous donner quelque chose du ciel ! mais je ne possède rien, même sur la terre. » Virginie reprit, en rougissant : « Vous avez à vous le portrait de saint Paul. » A peine eut-elle parlé qu'il courut le chercher dans la case de sa mère. Ce portrait était une petite miniature représentant l'ermite Paul [71]. Marguerite y avait une grande dévotion ; elle l'avait porté longtemps suspendu à son cou étant fille ; ensuite, devenue mère, elle l'avait mis à celui de son enfant. Il était même arrivé qu'étant enceinte de lui, et délaissée de tout le monde, à force de contempler l'image de ce bienheureux solitaire, son fruit en avait contracté quelque ressemblance ; ce qui l'avait décidée à lui en faire porter le nom, et à lui donner pour patron un saint qui avait passé sa vie loin des hommes, qui l'avaient abusée, puis abandonnée. Virginie, en recevant ce petit portrait des mains de Paul, lui dit d'un ton ému : « Mon frère, il ne me sera jamais enlevé tant que je vivrai, et je n'oublierai jamais que tu m'as donné la seule chose que tu possèdes au monde. » A ce ton d'amitié, à ce retour inespéré de familiarité et de tendresse, Paul voulut l'embrasser, mais aussi légère qu'un oiseau elle lui échappa, et le laissa hors de lui, ne concevant rien à une conduite si extraordinaire.

Cependant Marguerite disait à madame de la Tour : « Pourquoi ne marions-nous pas nos enfants ? Ils ont l'un pour l'autre une passion extrême dont mon fils ne s'aperçoit pas encore. Lorsque la nature lui aura parlé, en vain nous veillons sur eux, tout est à craindre. » Mme de la Tour lui répondit : « Ils sont trop jeunes et trop pauvres. Quel chagrin pour nous si Virginie mettait au monde des enfants malheureux, qu'elle n'aurait peut-être pas la force d'élever ! Ton noir Domingue est bien cassé ; Marie est infirme. Moi-même chère amie, depuis quinze ans[72] je me sens fort affaiblie. On vieillit promptement dans les pays chauds, et encore plus vite dans le chagrin. Paul est notre unique espérance. Attendons que l'âge ait formé son tempérament, et qu'il puisse nous soutenir par son travail. A présent, tu le sais, nous n'avons guère que le nécessaire de chaque jour. Mais en faisant passer Paul dans l'Inde pour un peu de temps, le commerce lui fournira de quoi acheter quelque esclave : et à son retour ici nous le marierons à Virginie ; car je crois que personne ne peut rendre ma chère fille aussi heureuse que ton fils Paul. Nous en parlerons à notre voisin. »

En effet ces dames me consultèrent, et je fus de leur avis. « Les mers de l'Inde sont belles, leur dis-je. En prenant une saison favorable pour passer d'ici aux Indes, c'est un voyage de six semaines au plus, et d'autant de temps pour en revenir. Nous ferons dans notre quartier une pacotille[73] à Paul ; car j'ai des voisins qui l'aiment beaucoup. Quand nous ne lui donnerions que du coton brut, dont nous ne faisons aucun usage faute de moulins pour l'éplucher ; du bois d'ébène, si commun ici qu'il sert au chauffage, et quelques résines qui se perdent dans nos bois : tout cela se vend assez bien aux Indes, et nous est fort inutile ici. »

Je me chargeai de demander à M. de la Bourdonnais une permission d'embarquement pour ce voyage; et avant tout je voulus en prévenir Paul. Mais quel fut mon étonnement lorsque ce jeune homme me dit avec un bon sens fort au-dessus de son âge : « Pourquoi voulez-vous que je quitte ma famille pour je ne sais quel projet de fortune? Y a-t-il un commerce au monde plus avantageux que la culture d'un champ qui rend quelquefois cinquante et cent pour un [74]? Si nous voulons faire le commerce, ne pouvons-nous pas le faire en portant notre superflu d'ici à la ville, sans que j'aille courir aux Indes? Nos mères me disent que Domingue est vieux et cassé; mais moi je suis jeune, et je me renforce chaque jour. Il n'a qu'à leur arriver pendant mon absence quelque accident, surtout à Virginie qui est déjà souffrante. Oh non, non! je ne saurais me résoudre à les quitter. »

Sa réponse me jeta dans un grand embarras; car madame de la Tour ne m'avait pas caché l'état de Virginie, et le désir qu'elle avait de gagner quelques années sur l'âge de ces jeunes gens en les éloignant l'un de l'autre. C'étaient des motifs que je n'osais même faire soupçonner à Paul.

Sur ces entrefaites un vaisseau arrivé de France apporta à madame de la Tour une lettre de sa tante. La crainte de la mort, sans laquelle les cœurs durs ne seraient jamais sensibles, l'avait frappée. Elle sortait d'une grande maladie dégénérée en langueur, et que l'âge rendait incurable. Elle mandait à sa nièce de repasser en France ; ou, si sa santé ne lui permettait pas de faire un si long voyage, elle lui enjoignait d'y envoyer Virginie, à laquelle elle destinait une bonne éducation, un parti à la cour, et la donation de tous ses biens. Elle attachait, disait-elle, le retour de ses bontés à l'exécution de ses ordres.

A peine cette lettre fut lue dans la famille qu'elle y répandit la consternation. Domingue et Marie se mirent à pleurer. Paul, immobile d'étonnement, paraissait prêt à se mettre en colère. Virginie, les yeux fixés sur sa mère, n'osait proférer un mot. « Pourriez-vous nous quitter maintenant ? dit Marguerite à madame de la Tour. — Non, mon amie ; non, mes enfants, reprit madame de la Tour : je ne vous quitterai point. J'ai vécu avec vous, et c'est avec vous que je veux mourir. Je n'ai connu le bonheur que dans votre amitié. Si ma santé est dérangée, d'anciens chagrins en sont cause. J'ai été blessée au cœur par la dureté de mes parents et par la perte de mon cher époux. Mais depuis, j'ai goûté plus de consolation et de félicité avec vous, sous ces pauvres cabanes, que jamais les richesses de ma famille ne m'en ont fait même espérer dans ma patrie. »

A ce discours des larmes de joie coulèrent de tous les yeux. Paul, serrant madame de la Tour dans ses bras, lui dit : « Je ne vous quitterai pas non plus ; je n'irai point aux Indes. Nous travaillerons tous pour vous, chère maman ; rien ne vous manquera jamais avec nous. » Mais de toute la société la personne qui témoigna le moins de joie, et qui y fut la plus sensible, fut Virginie. Elle parut[75] le reste du jour d'une gaieté douce, et le retour de sa tranquillité mit le comble à la satisfaction générale.

Le lendemain, au lever du soleil, comme ils venaient de faire tous ensemble, suivant leur coutume, la prière du matin qui précédait le déjeuner, Domingue les avertit qu'un monsieur à cheval, suivi de deux esclaves, s'avançait vers l'habitation. C'était M. de la Bourdonnais. Il entra dans la case où toute la famille était à table. Virginie venait de servir, suivant l'usage du pays, du café et du riz cuit à l'eau. Elle y avait joint des patates chaudes et des bananes fraîches. Il y avait pour toute vaisselle des moitiés de calebasses, et pour linge des feuilles de bananier. Le gouverneur témoigna d'abord quelque étonnement de la pauvreté de cette demeure. Ensuite, s'adressant à madame de la Tour, il lui dit que les affaires générales l'empêchaient quelquefois de songer aux particulières; mais qu'elle avait bien des droits sur lui. « Vous avez, ajouta-t-il, madame, une tante de qualité et fort riche à Paris, qui vous réserve sa fortune, et vous attend auprès d'elle. » Madame de la Tour répondit au gouverneur que sa santé altérée ne lui permettait pas d'entreprendre un si long voyage. « Au moins, reprit M. de la Bourdonnais, pour mademoiselle votre fille, si jeune et si aimable, vous ne sauriez sans injustice la priver d'une si grande succession. Je ne vous cache pas que votre tante a employé l'autorité pour la faire venir auprès d'elle. Les bureaux m'ont écrit à ce sujet d'user, s'il le fallait, de mon pouvoir; mais ne l'exerçant que pour rendre

heureux les habitants de cette colonie, j'attends de
votre volonté seule un sacrifice de quelques années,
d'où dépend l'établissement de votre fille, et le bien-
être de toute votre vie. Pourquoi vient-on aux îles ?
n'est-ce pas pour y faire fortune ? N'est-il pas bien plus
agréable de l'aller retrouver dans sa patrie ? »

En disant ces mots, il posa sur la table un gros sac de
piastres que portait un de ses noirs. « Voilà, ajouta-
t-il, ce qui est destiné aux préparatifs de voyage de
mademoiselle votre fille, de la part de votre tante. »
Ensuite il finit par reprocher avec bonté à madame de
la Tour de ne s'être pas adressée à lui dans ses besoins,
en la louant cependant de son noble courage. Paul
aussitôt prit la parole, et dit au gouverneur : « Monsieur, ma mère s'est adressée à vous, et vous l'avez mal
reçue. — Avez-vous un autre enfant, madame ? dit
M. de la Bourdonnais à madame de la Tour. — Non,
monsieur, reprit-elle, celui-ci est le fils de mon amie ;
mais lui et Virginie nous sont communs, et également
chers. — Jeune homme, dit le gouverneur à Paul,
quand vous aurez acquis l'expérience du monde, vous
connaîtrez le malheur des gens en place ; vous saurez
combien il est facile de les prévenir, combien aisément
ils donnent au vice intrigant ce qui appartient au
mérite qui se cache. »

M. de la Bourdonnais, invité par madame de la
Tour, s'assit à table auprès d'elle. Il déjeuna, à la
manière des Créoles, avec du café mêlé avec du riz cuit
à l'eau. Il fut charmé de l'ordre et de la propreté de la
petite case, de l'union de ces deux familles charmantes,
et du zèle même de leurs vieux domestiques. « Il n'y a,

dit-il, ici que des meubles de bois ; mais on y trouve des visages sereins et des cœurs d'or. » Paul, charmé de la popularité du gouverneur, lui dit : « Je désire être votre ami, car vous êtes un honnête homme. » M. de la Bourdonnais reçut avec plaisir cette marque de cordialité insulaire. Il embrassa Paul en lui serrant la main, et l'assura qu'il pouvait compter sur son amitié.

Après déjeuner, il prit madame de la Tour en particulier, et lui dit qu'il se présentait une occasion prochaine d'envoyer sa fille en France, sur un vaisseau prêt à partir ; qu'il la recommanderait à une dame de ses parentes qui y était passagère ; qu'il fallait bien se garder d'abandonner une fortune immense pour une satisfaction de quelques années. « Votre tante, ajouta-t-il en s'en allant, ne peut pas traîner plus de deux ans : ses amis me l'ont mandé. Songez-y bien. La fortune ne vient pas tous les jours. Consultez-vous. Tous les gens de bon sens seront de mon avis. » Elle lui répondit « que, ne désirant désormais d'autre bonheur dans le monde que celui de sa fille, elle laisserait son départ pour la France entièrement à sa disposition ».

Madame de la Tour n'était pas fâchée de trouver une occasion de séparer pour quelque temps Virginie et Paul, en procurant un jour leur bonheur mutuel. Elle prit donc sa fille à part, et lui dit : « Mon enfant, nos domestiques sont vieux ; Paul est bien jeune, Marguerite vient sur l'âge ; je suis déjà infirme : si j'allais mourir, que deviendriez-vous sans fortune au milieu de ces déserts ? Vous resteriez donc seule, n'ayant personne qui puisse vous être d'un grand secours, et obligée, pour vivre, de travailler sans cesse à la terre comme une mercenaire. Cette idée me pénètre de douleur. » Virginie lui répondit : « Dieu nous a condamnés au travail. Vous m'avez appris à travailler, et à le bénir chaque jour. Jusqu'à présent il ne nous a pas abandonnés, il ne nous abandonnera point encore. Sa providence veille particulièrement sur les malheureux. Vous me l'avez dit tant de fois, ma mère ! Je ne saurais me résoudre à vous quitter. » Madame de la Tour, émue, reprit : « Je n'ai d'autre projet que de te rendre heureuse et de te marier un jour avec Paul, qui n'est point ton frère. Songe maintenant que sa fortune dépend de toi. »

Une jeune fille qui aime croit que tout le monde l'ignore. Elle met sur ses yeux le voile qu'elle a sur son cœur ; mais quand il est soulevé par une main amie, alors les peines secrètes de son amour s'échappent comme par une barrière ouverte, et les doux épanchements de la confiance succèdent aux réserves et aux mystères dont elle s'environnait. Virginie, sensible aux nouveaux témoignages de bonté de sa mère, lui raconta quels avaient été ses combats, qui n'avaient eu d'autres témoins que Dieu seul, qu'elle voyait le secours de sa providence dans celui d'une mère tendre qui approuvait son inclination, et qui la dirigeait par ses conseils ; que maintenant, appuyée de son support, tout l'engageait à rester auprès d'elle, sans inquiétude pour le présent, et sans crainte pour l'avenir.

Madame de la Tour voyant que sa confidence avait produit un effet contraire à celui qu'elle en attendait, lui dit : « Mon enfant, je ne veux point te contraindre ; délibère à ton aise ; mais cache ton amour à Paul.

Quand le cœur d'une fille est pris, son amant n'a plus rien à lui demander. »

Vers le soir, comme elle était seule avec Virginie, il entra chez elle un grand homme vêtu d'une soutane bleue. C'était un ecclésiastique[76] missionnaire de l'île, et confesseur de madame de la Tour et de Virginie. Il était envoyé par le gouverneur. « Mes enfants, dit-il en entrant, Dieu soit loué ! Vous voilà riches. Vous pourrez écouter votre bon cœur, faire du bien aux pauvres. Je sais ce que vous a dit M. de la Bourdonnais, et ce que vous lui avez répondu. Bonne maman, votre santé vous oblige de rester ici ; mais vous, jeune demoiselle, vous n'avez point d'excuses. Il faut obéir à la Providence, à nos vieux parents, même injustes. C'est un sacrifice, mais c'est l'ordre de Dieu. Il s'est dévoué pour nous ; il faut, à son exemple, se dévouer pour le bien de sa famille. Votre voyage en France aura une fin heureuse. Ne voulez-vous pas bien y aller, ma chère demoiselle ? »

Virginie, les yeux baissés, lui répondit en tremblant : « Si c'est l'ordre de Dieu, je ne m'oppose à rien. Que la volonté de Dieu soit faite ! » dit-elle en pleurant.

Le missionnaire sortit, et fut rendre compte au gouverneur du succès de sa commission. Cependant madame de la Tour m'envoya prier par Domingue de passer chez elle pour me consulter sur le départ de Virginie. Je ne fus point du tout d'avis qu'on la laissât partir. Je tiens pour principes certains du bonheur qu'il faut préférer les avantages de la nature à tous ceux de la fortune, et que nous ne devons point aller chercher hors de nous ce que nous pouvons trouver chez nous. J'étends ces maximes à tout, sans exception. Mais que pouvaient mes conseils de modération contre les illusions d'une grande fortune, et mes raisons naturelles contre les préjugés du monde et une autorité sacrée pour madame de la Tour ? Cette dame ne me consulta donc que par bienséance, et elle ne délibéra plus depuis la décision de son confesseur. Marguerite même, qui, malgré les avantages qu'elle espérait pour son fils de la fortune de Virginie, s'était opposée fortement à son départ, ne fit plus d'objections. Pour Paul, qui ignorait le parti auquel on se déterminait [77], étonné des conversations secrètes de madame de la Tour et de sa fille, il s'abandonnait à une tristesse sombre. « On trame quelque chose contre moi, dit-il, puisqu'on se cache de moi. »

Cependant le bruit s'étant répandu dans l'île que la fortune avait visité ces rochers, on y vit grimper des marchands de toute espèce. Ils déployèrent, au milieu de ces pauvres cabanes, les plus riches étoffes de l'Inde ; de superbes basins de Goudelour, des mouchoirs de Paliacate et de Mazulipatan, des mousselines de Daca, unies, rayées, brodées, transparentes comme le jour, des baftas de Surate d'un si beau blanc, des chittes de toutes couleurs et des plus rares, à fond sablé et à rameaux verts. Ils déroulèrent de magnifiques étoffes de soie de la Chine, des lampas découpés à jour, des damas d'un blanc satiné, d'autres d'un vert de prairie, d'autres d'un rouge à éblouir ; des taffetas roses, des satins à pleine main, des pékins moelleux comme le drap, des nankins blancs et jaunes, et jusqu'à des pagnes de Madagascar.

Madame de la Tour voulut que sa fille achetât tout ce qui lui ferait plaisir ; elle veilla seulement sur le prix et les qualités des marchandises, de peur que les marchands ne la trompassent. Virginie choisit tout ce qu'elle crut être agréable à sa mère, à Marguerite et à son fils. « Ceci, disait-elle, était bon pour des meubles, cela pour l'usage de Marie et de Domingue. » Enfin le sac de piastres était employé qu'elle n'avait pas encore songé à ses besoins. Il fallut lui faire son partage sur les présents qu'elle avait distribués à la société[78].

Paul, pénétré de douleur à la vue de ces dons de la fortune, qui lui présageaient le départ de Virginie, s'en vint quelques jours après chez moi. Il me dit d'un air accablé : « Ma sœur s'en va : elle fait déjà les apprêts de son voyage. Passez chez nous, je vous prie. Employez votre crédit sur l'esprit de sa mère et de la mienne pour la retenir. » Je me rendis aux instances de Paul, quoique bien persuadé que mes représentations seraient sans effet.

Si Virginie m'avait paru charmante en toile bleue du Bengale, avec un mouchoir rouge autour de sa tête[79], ce fut encore tout autre chose quand je la vis parée à la manière des dames de ce pays. Elle était vêtue de mousseline blanche doublée de taffetas rose. Sa taille légère et élevée se dessinait parfaitement sous son corset, et ses cheveux blonds, tressés à double tresse, accompagnaient admirablement sa tête virginale. Ses beaux yeux bleus étaient remplis de mélancolie ; et son cœur agité par une passion combattue donnait à son teint une couleur animée, et à sa voix des sons pleins d'émotion. Le contraste même de sa parure élégante, qu'elle semblait porter malgré elle, rendait sa langueur encore plus touchante. Personne ne pouvait la voir ni l'entendre sans se sentir ému. La tristesse de Paul en augmenta. Marguerite, affligée de la situation de son fils, lui dit en particulier : « Pourquoi, mon fils, te nourrir de fausses espérances, qui rendent les privations encore plus amères ? Il est temps que je te découvre le secret de ta vie et de la mienne. Mademoiselle de la Tour appartient, par sa mère, à une parente riche et de grande condition : pour toi, tu n'es que le fils d'une pauvre paysanne, et, qui pis est, tu es bâtard. »

Ce mot de bâtard étonna beaucoup Paul ; il ne l'avait jamais ouï prononcer ; il en demanda la signification à sa mère, qui lui répondit : « Tu n'as point eu de père légitime. Lorsque j'étais fille, l'amour me fit commettre une faiblesse dont tu as été le fruit. Ma faute t'a privé de ta famille paternelle, et mon repentir, de ta famille maternelle. Infortuné, tu n'as d'autres parents que moi seule dans le monde ! » et elle se mit à répandre des larmes. Paul, la serrant dans ses bras, lui dit : « Oh, ma mère ! puisque je n'ai d'autres parents que vous dans le monde, je vous en aimerai davantage. Mais quel secret venez-vous de me révéler ! Je vois maintenant la raison qui éloigne de moi mademoiselle de la Tour depuis deux mois, et qui la décide aujourd'hui à partir. Ah ! sans doute, elle me méprise ! »

Cependant, l'heure de souper étant venue, on se mit

à table, où chacun des convives, agité de passions différentes, mangea peu et ne parla point. Virginie en sortit la première, et fut s'asseoir au lieu où nous sommes. Paul la suivit bientôt après, et vint se mettre auprès d'elle. L'un et l'autre gardèrent quelque temps un profond silence. Il faisait une de ces nuits délicieuses, si communes entre les tropiques, et dont le plus habile pinceau ne rendrait pas la beauté. La lune paraissait au milieu du firmament, entourée d'un rideau de nuages que ses rayons dissipaient par degrés. Sa lumière se répandait insensiblement sur les montagnes de l'île et sur leurs pitons, qui brillaient d'un vert argenté. Les vents retenaient leurs haleines. On entendait dans les bois, au fond des vallées, au haut des rochers, de petits cris, de doux murmures d'oiseaux, qui se caressaient dans leurs nids, réjouis par la clarté de la nuit et la tranquillité de l'air. Tous, jusqu'aux insectes, bruissaient sous l'herbe[80]. Les étoiles étincelaient au ciel, et se réfléchissaient au sein de la mer qui répétait leurs images tremblantes. Virginie parcourait avec des regards distraits son vaste et sombre horizon, distingué du rivage de l'île par les feux rouges des pêcheurs. Elle aperçut à l'entrée du port une lumière et une ombre : c'était le fanal et le corps du vaisseau où elle devait s'embarquer pour l'Europe, et qui, prêt à mettre à la voile, attendait à l'ancre la fin du calme. A cette vue elle se troubla, et détourna la tête pour que Paul ne la vît pas pleurer.

Madame de la Tour, Marguerite et moi, nous étions assis à quelques pas de là sous des bananiers ; et dans le silence de la nuit nous entendîmes distinctement leur conversation, que je n'ai pas oubliée.

Paul lui dit : « Mademoiselle, vous partez, dit-on, dans trois jours. Vous ne craignez pas de vous exposer aux dangers de la mer... de la mer dont vous êtes si effrayée ! — Il faut, répondit Virginie, que j'obéisse, à mes parents, à mon devoir. — Vous nous quittez[81], reprit Paul, pour une parente éloignée que vous n'avez jamais vue ! — Hélas, dit Virginie, je voulais rester ici toute ma vie; ma mère ne l'a pas voulu. Mon confesseur m'a dit que la volonté de Dieu était que je partisse; que la vie était une épreuve... Oh ! c'est une épreuve bien dure ! »

« Quoi, repartit Paul, tant de raisons vous ont décidée, et aucune ne vous a retenue ! Ah ! il en est encore que vous ne me dites pas. La richesse a de grands attraits. Vous trouverez bientôt, dans un nouveau monde, à qui donner le nom de frère, que vous ne me donnez plus. Vous le choisirez, ce frère, parmi des gens dignes de vous par une naissance et une fortune que je ne peux vous offrir. Mais, pour être plus heureuse, où voulez-vous aller ? Dans quelle terre aborderez-vous qui vous soit plus chère que celle où vous êtes née ? Où formerez-vous une société plus aimable que celle qui vous aime ? Comment vivrez-vous sans les caresses de votre mère, auxquelles vous êtes si accoutumée ? Que deviendra-t-elle elle-même, déjà sur l'âge, lorsqu'elle ne vous verra plus à ses côtés, à la table, dans la maison, à la promenade où elle s'appuyait sur vous ? Que deviendra la mienne, qui vous chérit autant qu'elle ? Que leur dirai-je à l'une et

à l'autre quand je les verrai pleurer de votre absence?
Cruelle! je ne vous parle point de moi : mais que
deviendrai-je moi-même quand le matin je ne vous
verrai plus avec nous, et que la nuit viendra sans nous
réunir; quand j'apercevrai ces deux palmiers plantés à
notre naissance, et si longtemps témoins de notre
amitié mutuelle? Ah! puisqu'un nouveau sort te
touche, que tu cherches d'autres pays que ton pays
natal, d'autres biens que ceux de mes travaux [82], laisse-
moi t'accompagner sur le vaisseau où tu pars. Je te
rassurerai dans les tempêtes, qui te donnent tant
d'effroi sur la terre. Je reposerai ta tête sur mon sein, je
réchaufferai ton cœur contre mon cœur; et en France,
où tu vas chercher de la fortune et de la grandeur, je te
servirai comme ton esclave. Heureux de ton seul
bonheur, dans ces hôtels où je te verrai servie et
adorée, je serai encore assez riche et assez noble pour
te faire le plus grand sacrifice, en mourant à tes
pieds. »

Les sanglots étouffèrent sa voix, et nous entendîmes
aussitôt celle de Virginie qui lui disait ces mots
entrecoupés de soupirs... « C'est pour toi que je pars,...
pour toi que j'ai vu chaque jour courbé par le travail
pour nourrir deux familles infirmes. Si je me suis
prêtée à l'occasion de devenir riche, c'est pour te
rendre mille fois le bien que tu nous as fait. Est-il une
fortune digne de ton amitié? Que me dis-tu de ta
naissance? Ah! s'il m'était encore possible de me
donner un frère, en choisirais-je un autre que toi? O
Paul! O Paul! tu m'es beaucoup plus cher qu'un frère!
Combien m'en a-t-il coûté pour te repousser loin de

moi ! Je voulais que tu m'aidasses à me séparer de moi-
même jusqu'à ce que le ciel pût bénir notre union.
Maintenant je reste, je pars, je vis, je meurs ; fais de
moi ce que tu veux. Fille sans vertu ! j'ai pu résister à
tes caresses, et je ne peux soutenir ta douleur ! »

A ces mots Paul la saisit dans ses bras, et la tenant
étroitement serrée, il s'écria d'une voix terrible : « Je
pars avec elle ; rien ne pourra m'en détacher. » Nous
courûmes tous à lui. Madame de la Tour lui dit :
« Mon fils, si vous nous quittez [83] qu'allons-nous
devenir ? »

Il répéta en tremblant ces mots : « Mon fils... mon
fils... Vous ma mère, lui dit-il, vous qui séparez le frère
d'avec la sœur ! Tous deux nous avons sucé votre lait ;
tous deux, élevés sur vos genoux, nous avons appris de
vous à nous aimer ; tous deux, nous nous le sommes dit
mille fois. Et maintenant vous l'éloignez de moi ! Vous
l'envoyez en Europe, dans ce pays barbare qui vous a
refusé un asile, et chez des parents cruels qui vous ont
vous-même abandonnée. Vous me direz : Vous n'avez
plus de droits sur elle, elle n'est pas votre sœur. Elle est
tout pour moi, ma richesse, ma famille, ma naissance,
tout mon bien. Je n'en connais plus d'autre. Nous
n'avons eu qu'un toit, qu'un berceau ; nous n'aurons
qu'un tombeau. Si elle part, il faut que je la suive. Le
gouverneur m'en empêchera ? M'empêchera-t-il de me
jeter à la mer ? je la suivrai à la nage. La mer ne saurait
m'être plus funeste que la terre. Ne pouvant vivre ici
près d'elle, au moins je mourrai sous ses yeux, loin de
vous. Mère barbare ! femme sans pitié ! puisse cet
océan où vous l'exposez ne jamais vous la rendre !

puissent ses flots vous rapporter mon corps, et, le roulant avec le sien parmi les cailloux de ces rivages, vous donner, par la perte de vos deux enfants, un sujet éternel de douleur ! »

A ces mots je le saisis dans mes bras ; car le désespoir lui ôtait la raison. Ses yeux étincelaient ; la sueur coulait à grosses gouttes sur son visage en feu ; ses genoux tremblaient, et je sentais dans sa poitrine brûlante son cœur battre à coups redoublés.

Virginie effrayée lui dit : « O mon ami ! j'atteste les plaisirs de notre premier âge, tes maux, les miens, et tout ce qui doit lier à jamais deux infortunés, si je reste, de ne vivre que pour toi ; si je pars, de revenir un jour pour être à toi. Je vous prends à témoins, vous tous qui avez élevé mon enfance, qui disposez de ma vie et qui voyez mes larmes. Je le jure par ce ciel qui m'entend, par cette mer que je dois traverser, par l'air que je respire, et que je n'ai jamais souillé du mensonge. »

Comme le soleil fond et précipite un rocher de glace du sommet des Apennins, ainsi tomba la colère impétueuse de ce jeune homme à la voix de l'objet aimé. Sa tête altière était baissée, et un torrent de pleurs coulait de ses yeux. Sa mère, mêlant ses larmes aux siennes, le tenait embrassé sans pouvoir parler. Madame de la Tour, hors d'elle, me dit : « Je n'y puis tenir ; mon âme est déchirée. Ce malheureux voyage n'aura pas lieu. Mon voisin, tâchez d'emmener mon fils. Il y a huit jours que personne ici n'a dormi. »

Je dis à Paul : « Mon ami, votre sœur restera. Demain nous en parlerons au gouverneur : laissez reposer votre famille, et venez passer cette nuit chez moi. Il est tard, il est minuit ; la croix du sud[84] est droite sur l'horizon. »

Il se laissa emmener sans rien dire, et après une nuit fort agitée, il se leva au point du jour, et s'en retourna à son habitation.

Mais qu'est-il besoin de vous continuer plus longtemps le récit de cette histoire ? Il n'y a jamais qu'un côté agréable à connaître dans la vie humaine. Semblable au globe sur lequel nous tournons, notre révolution rapide n'est que d'un jour, et une partie de ce jour ne peut recevoir la lumière que l'autre ne soit livrée aux ténèbres.

« Mon père, lui dis-je, je vous en conjure, achevez de me raconter ce que vous avez commencé d'une manière si touchante. Les images du bonheur nous plaisent, mais celles du malheur nous instruisent. Que devint, je vous prie, l'infortuné Paul ? »

Le premier objet que vit Paul, en retournant à l'habitation, fut la négresse Marie, qui, montée sur un rocher, regardait vers la pleine mer. Il lui cria du plus loin qu'il l'aperçut : « Où est Virginie ? » Marie tourna la tête vers son jeune maître, et se mit à pleurer. Paul, hors de lui, revint sur ses pas, et courut au port. Il y apprit que Virginie s'était embarquée au point du jour, que son vaisseau avait mis à la voile aussitôt, et qu'on ne le voyait plus. Il revint à l'habitation, qu'il traversa sans parler à personne.

Quoique cette enceinte de rochers paraisse derrière nous presque perpendiculaire, ces plateaux verts qui en divisent la hauteur sont autant d'étages par lesquels on parvient, au moyen de quelques sentiers difficiles, jusqu'au pied de ce cône de rochers incliné et inaccessible, qu'on appelle le Pouce[85]. A la base de ce rocher est une esplanade couverte de grands arbres, mais si élevée et si escarpée qu'elle est comme une grande forêt dans l'air, environnée de précipices effroyables. Les nuages que le sommet du Pouce attire sans cesse autour de lui y entretiennent plusieurs ruisseaux, qui tombent à une si grande profondeur au fond de la vallée, située au revers de cette montagne, que de cette hauteur on n'entend point le bruit de leur chute. De ce lieu on voit une grande partie de l'île avec ses mornes surmontés de leurs pitons, entre autres Piterboth et les Trois-mamelles avec leurs vallons remplis de forêts ; puis la pleine mer, et l'Ile-Bourbon, qui est à quarante lieues de là vers l'Occident. Ce fut de cette élévation que Paul aperçut le vaisseau qui emmenait Virginie. Il le vit à plus de dix lieues au large comme un point noir au milieu de l'océan[86]. Il resta une partie du jour tout occupé à le considérer : il était déjà disparu qu'il croyait le voir encore ; et quand il fut perdu dans la vapeur de l'horizon, il s'assit dans ce lieu sauvage, toujours battu des vents, qui y agitent sans cesse les sommets des palmistes et des tatamaques. Leur murmure sourd et mugissant ressemble au bruit lointain des orgues, et inspire une profonde mélancolie. Ce fut là que je trouvai Paul, la tête appuyée contre le rocher, et les yeux fixés vers la terre. Je marchais après lui depuis le lever du soleil : j'eus beaucoup de peine à le déterminer à descendre, et à revoir sa famille. Je le ramenai cependant à son habitation ; et son premier mouvement, en revoyant madame de la Tour, fut de se

plaindre amèrement qu'elle l'avait trompé. Madame
de la Tour nous dit que le vent s'étant levé vers les
trois heures du matin, le vaisseau étant au moment
d'appareiller, le gouverneur, suivi d'une partie de son
état-major et du missionnaire, était venu chercher
Virginie en palanquin ; et que, malgré ses propres
raisons, ses larmes, et celles de Marguerite, tout le
monde criant que c'était pour leur bien à tous, ils
avaient emmené sa fille à demi mourante. « Au moins,
répondit Paul, si je lui avais fait mes adieux, je serais
tranquille à présent. Je lui aurais dit : Virginie, si
pendant le temps que nous avons vécu ensemble, il
m'est échappé quelque parole qui vous ait offensée,
avant de me quitter pour jamais, dites-moi que vous
me la pardonnez. Je lui aurais dit : Puisque je ne suis
plus destiné à vous revoir, adieu, ma chère Virginie !
adieu ! Vivez loin de moi contente et heureuse ! » Et
comme il vit que sa mère et madame de la Tour
pleuraient : « Cherchez maintenant, leur dit-il, quelque autre que moi qui essuie vos larmes ! » puis il
s'éloigna d'elles en gémissant, et se mit à errer çà et là
dans l'habitation. Il en parcourait tous les endroits qui
avaient été les plus chers à Virginie. Il disait à ses
chèvres et à leurs petits chevreaux, qui le suivaient en
bêlant : « Que me demandez-vous ? Vous ne reverrez
plus avec moi celle qui vous donnait à manger dans sa
main. » Il fut au Repos de Virginie, et à la vue des
oiseaux qui voltigeaient autour, il s'écria : « Pauvres
oiseaux ! vous n'irez plus au-devant de celle qui était
votre bonne nourrice. » En voyant Fidèle qui flairait
çà et là et marchait devant lui en quêtant, il soupira, et

lui dit : « Oh ! tu ne la retrouveras plus jamais. » Enfin
il fut s'asseoir sur le rocher où il lui avait parlé la veille,
et à l'aspect de la mer où il avait vu disparaître le
vaisseau qui l'avait emmenée, il pleura abondamment[87].

Cependant nous le suivions pas à pas, craignant
quelque suite funeste de l'agitation de son esprit. Sa
mère et madame de la Tour le priaient par les termes
les plus tendres de ne pas augmenter leur douleur par
son désespoir. Enfin celle-ci parvint à le calmer en lui
prodiguant les noms les plus propres à réveiller ses
espérances. Elle l'appelait son fils, son cher fils, son
gendre, celui à qui elle destinait sa fille. Elle l'engagea
à rentrer dans la maison, et à y prendre quelque peu de
nourriture. Il se mit à table avec nous auprès de la
place où se mettait la compagne de son enfance ; et,
comme si elle l'eût encore occupée, il lui adressait la
parole et lui présentait les mets qu'il savait lui être les
plus agréables ; mais dès qu'il s'apercevait de son
erreur il se mettait à pleurer. Les jours suivants il
recueillit tout ce qui avait été à son usage particulier,
les derniers bouquets qu'elle avait portés, une tasse de
coco où elle avait coutume de boire ; et comme si ces
restes de son amie eussent été les choses du monde les
plus précieuses, il les baisait et les mettait dans son
sein. L'ambre ne répand pas un parfum aussi doux que
les objets touchés par l'objet que l'on aime. Enfin,
voyant que ses regrets augmentaient ceux de sa mère
et de madame de la Tour, et que les besoins de la
famille demandaient un travail continuel, il se mit,
avec l'aide de Domingue, à réparer le jardin.

Bientôt ce jeune homme, indifférent comme un Créole pour tout ce qui se passe dans le monde, me pria de lui apprendre à lire et à écrire, afin qu'il pût entretenir une correspondance avec Virginie. Il voulut ensuite s'instruire dans la géographie pour se faire une idée du pays où elle débarquerait ; et dans l'histoire, pour connaître les mœurs de la société où elle allait vivre. Ainsi il s'était perfectionné dans l'agriculture, et dans l'art de disposer avec agrément le terrain le plus irrégulier, par le sentiment de l'amour. Sans doute c'est aux jouissances que se propose cette passion ardente et inquiète que les hommes doivent la plupart des sciences et des arts, et c'est de ses privations qu'est née la philosophie, qui apprend à se consoler de tout. Ainsi la nature ayant fait l'amour le lien de tous les êtres, l'a rendu le premier mobile de nos sociétés, et l'instigateur de nos lumières et de nos plaisirs.

Paul ne trouva pas beaucoup de goût dans l'étude de la géographie, qui, au lieu de nous décrire la nature de chaque pays, ne nous en présente que les divisions politiques. L'histoire, et surtout l'histoire moderne, ne l'intéressa guère davantage. Il n'y voyait que des malheurs généraux et périodiques, dont il n'apercevait pas les causes ; des guerres sans sujet et sans objet ; des intrigues obscures ; des nations sans caractère, et des princes sans humanité. Il préférait à cette lecture celle des romans, qui, s'occupant davantage des sentiments et des intérêts des hommes, lui offraient quelquefois des situations pareilles à la sienne. Aussi aucun livre ne lui fit autant de plaisir que le *Télémaque*[88], par ses tableaux de la vie champêtre et des passions naturelles au cœur humain. Il en lisait à sa mère et à madame de la Tour les endroits qui l'affectaient davantage : alors ému par de touchants ressouvenirs, sa voix s'étouffait, et les larmes coulaient de ses yeux. Il lui semblait trouver dans Virginie la dignité et la sagesse d'Antiope, avec les malheurs et la tendresse d'Eucharis. D'un autre côté il fut tout bouleversé par la lecture de nos romans à la mode, pleins de mœurs et de maximes licencieuses ; et quand il sut que ces romans renfermaient une peinture véritable des sociétés de l'Europe, il craignit, non sans quelque apparence de raison, que Virginie ne vînt à s'y corrompre et à l'oublier.

En effet plus d'un an et demi[89] s'était écoulé sans que madame de la Tour eût des nouvelles de sa tante et de sa fille : seulement elle avait appris, par une voie étrangère, que celle-ci était arrivée heureusement en France. Enfin elle reçut, par un vaisseau qui allait aux Indes, un paquet, et une lettre écrite de la propre main de Virginie. Malgré la circonspection de son aimable et indulgente fille[90], elle jugea qu'elle était fort malheureuse. Cette lettre peignait si bien sa situation et son caractère, que je l'ai retenue presque mot pour mot[91].

« Très chère et bien-aimée maman,

« Je vous ai déjà écrit plusieurs lettres de mon écriture ; et comme je n'en ai pas eu de réponse, j'ai lieu de craindre qu'elles ne vous soient point parvenues. J'espère mieux de celle-ci, par les précautions que j'ai prises pour vous donner de mes nouvelles, et pour recevoir des vôtres.

« J'ai versé bien des larmes depuis notre séparation, moi qui n'avais presque jamais pleuré que sur les maux d'autrui ! Ma grand-tante fut bien surprise à mon arrivée, lorsque m'ayant questionnée sur mes talents, je lui dis que je ne savais ni lire ni écrire. Elle me demanda qu'est-ce que j'avais donc appris depuis que j'étais au monde ; et quand je lui eus répondu que c'était à avoir soin d'un ménage et à faire votre volonté, elle me dit que j'avais reçu l'éducation d'une servante. Elle me mit, dès le lendemain, en pension dans une grande abbaye auprès de Paris, où j'ai des maîtres de toute espèce ; ils m'enseignent, entre autres choses, l'histoire, la géographie, la grammaire, la mathématique, et à monter à cheval ; mais j'ai de si faibles dispositions pour toutes ces sciences, que je ne profiterai pas beaucoup avec ces messieurs. Je sens que je suis une pauvre créature qui ai peu d'esprit, comme ils le font entendre. Cependant les bontés de ma tante ne se refroidissent point. Elle me donne des robes nouvelles à chaque saison. Elle a mis près de moi deux femmes de chambre, qui sont aussi bien parées que de grandes dames. Elle m'a fait prendre le titre de comtesse ; mais elle m'a fait quitter mon nom de LA TOUR, qui m'était aussi cher qu'à vous-même, par tout ce que vous m'avez raconté des peines que mon père avait souffertes pour vous épouser. Elle a remplacé votre nom de femme par celui de votre famille, qui m'est encore cher cependant, parce qu'il a été votre nom de fille. Me voyant dans une situation aussi brillante, je l'ai suppliée de vous envoyer quelques secours. Comment vous rendre sa réponse ? mais vous m'avez recommandé de vous dire toujours la vérité. Elle m'a donc répondu que peu ne vous servirait à rien, et que, dans la vie simple que vous menez, beaucoup vous embarrasserait. J'ai cherché d'abord à vous donner de mes nouvelles par une main étrangère, au défaut de la mienne. Mais n'ayant à mon arrivée ici personne en qui je pusse prendre confiance, je me suis appliquée nuit et jour à apprendre à lire et à écrire : Dieu m'a fait la grâce d'en venir à bout en peu de temps. J'ai chargé de l'envoi de mes premières lettres les dames qui sont autour de moi ; j'ai lieu de croire qu'elles les ont remises à ma grand-tante. Cette fois j'ai eu recours à une pensionnaire de mes amies : [92] c'est sous son adresse ci-jointe que je vous prie de me faire passer vos réponses. Ma grand-tante m'a interdit toute correspondance au-dehors, qui pourrait, selon elle, mettre obstacle aux grandes vues qu'elle a sur moi. Il n'y a qu'elle qui puisse me voir à la grille, ainsi qu'un vieux seigneur de ses amis, qui a, dit-elle, beaucoup de goût pour ma personne. Pour dire la vérité, je n'en ai point du tout pour lui, quand même j'en pourrais prendre pour quelqu'un.

« Je vis au milieu de l'éclat de la fortune, et je ne peux disposer d'un sou. On dit que si j'avais de l'argent cela tirerait à conséquence. Mes robes mêmes appartiennent à mes femmes de chambre, qui se les disputent avant que je les aie quittées. Au sein des richesses je suis bien plus pauvre que je ne l'étais auprès de vous ; car je n'ai rien à donner. Lorsque j'ai vu que les grands talents que l'on m'enseignait ne me procuraient pas la facilité de faire le plus petit bien, j'ai eu recours à mon aiguille, dont heureusement vous m'avez appris à faire usage. Je vous envoie donc plusieurs paires de bas de ma façon, pour vous et maman Marguerite, un bonnet pour Domingue, et un de mes mouchoirs rouges pour Marie. Je joins à ce paquet des pépins et des noyaux des fruits de mes collations, avec des graines de toutes sortes d'arbres que j'ai recueillies, à mes heures de récréation, dans le parc de l'abbaye. J'y ai ajouté aussi des semences de violettes, de marguerites, de bassinets, de coquelicots, de bluets, de scabieuses, que j'ai ramassées dans les champs. Il y a dans les prairies de ce pays de plus belles fleurs que dans les nôtres ; mais personne ne s'en soucie. Je suis sûre que vous et maman Marguerite serez plus contentes de ce sac de graines que du sac de piastres qui a été la cause de notre séparation et de mes larmes. Ce sera une grande joie pour moi si vous avez un jour la satisfaction de voir des pommiers croître auprès de nos bananiers, et des hêtres mêler leurs feuillages à celui de nos cocotiers. Vous vous croirez dans la Normandie, que vous aimez tant.

« Vous m'avez enjoint de vous mander mes joies et mes peines. Je n'ai plus de joies loin de vous : pour mes peines, je les adoucis en pensant que je suis dans un poste où vous m'avez mise par la volonté de Dieu. Mais le plus grand chagrin que j'y éprouve est que personne ne me parle ici de vous, et que je n'en puis parler à personne. Mes femmes de chambre, ou plutôt celles de ma grand-tante, car elles sont plus à elle qu'à

moi, me disent, lorsque je cherche à amener la
conversation sur les objets qui me sont si chers :
Mademoiselle, souvenez-vous que vous êtes Française,
et que vous devez oublier le pays des sauvages. Ah ! je
m'oublierais plutôt moi-même que d'oublier le lieu où
je suis née, et où vous vivez ! C'est ce pays-ci qui est
pour moi un pays de sauvages ; car j'y vis seule,
n'ayant personne à qui je puisse faire part de l'amour
que vous portera jusqu'au tombeau,

> « Très chère et bien-aimée maman,
> « Votre obéissante et tendre fille,
> « Virginie de la Tour. »

  « Je recommande à vos bontés Marie et Domingue,
qui ont pris tant de soin de mon enfance ; caressez pour
moi Fidèle, qui m'a retrouvée dans les bois. »

Paul fut bien étonné de ce que Virginie ne parlait
pas du tout de lui, elle qui n'avait pas oublié, dans ses
ressouvenirs, le chien de la maison [93] : mais il ne savait
pas que, quelque longue que soit la lettre d'une femme,
elle n'y met jamais sa pensée la plus chère qu'à la fin.

Dans un post-scriptum Virginie recommandait particulièrement à Paul deux espèces de graines : celles de
violettes et de scabieuses. Elle lui donnait quelques
instructions sur les caractères de ces plantes, et sur les
lieux les plus propres à les semer. « La violette, lui
mandait-elle, produit une petite fleur d'un violet foncé,
qui aime à se cacher sous les buissons ; mais son
charmant parfum l'y fait bientôt découvrir. » Elle lui

enjoignait de la semer sur le bord de la fontaine, au pied de son cocotier. « La scabieuse, ajoutait-elle, donne une jolie fleur d'un bleu mourant, et à fond noir piqueté de blanc. On la croirait en deuil. On l'appelle aussi, pour cette raison, fleur de veuve. Elle se plaît dans les lieux âpres et battus des vents. » Elle le priait de la semer sur le rocher où elle lui avait parlé la nuit, la dernière fois, et de donner à ce rocher, pour l'amour d'elle, le nom de ROCHER DES ADIEUX.

Elle avait renfermé ces semences dans une petite bourse dont le tissu était fort simple, mais qui parut sans prix à Paul lorsqu'il aperçut un P et un V entrelacés et formés de cheveux, qu'il reconnut à leur beauté pour être ceux de Virginie.

La lettre de cette sensible et vertueuse demoiselle fit verser des larmes à toute la famille. Sa mère lui répondit, au nom de la société, de rester ou de revenir à son gré, l'assurant qu'ils avaient tous perdu la meilleure partie de leur bonheur depuis son départ, et que pour elle en particulier elle en était inconsolable.

Paul lui écrivit une lettre fort longue où il l'assurait qu'il allait rendre le jardin digne d'elle, et y mêler les plantes de l'Europe à celles de l'Afrique, ainsi qu'elle avait entrelacé leurs noms dans son ouvrage. Il lui envoyait des fruits des cocotiers de sa fontaine, parvenus à une maturité parfaite. Il n'y joignait, ajoutait-il, aucune autre semence de l'île, afin que le désir d'en revoir les productions la déterminât à y revenir promptement. Il la suppliait de se rendre au plus tôt aux vœux ardents de leur famille, et aux siens particuliers, puisqu'il ne pouvait désormais goûter aucune joie loin d'elle.

Paul sema avec le plus grand soin les graines européennes, et surtout celles de violettes et de scabieuses, dont les fleurs semblaient avoir quelque analogie avec le caractère et la situation de Virginie, qui les lui avait si particulièrement recommandées ; mais, soit qu'elles eussent été éventées dans le trajet, soit plutôt que le climat de cette partie de l'Afrique ne leur soit pas favorable, il n'en germa qu'un petit nombre, qui ne put venir à sa perfection.

Cependant l'envie, qui va même au-devant du bonheur des hommes, surtout dans les colonies françaises, répandit dans l'île des bruits qui donnaient beaucoup d'inquiétude à Paul. Les gens du vaisseau qui avait apporté la lettre de Virginie assuraient qu'elle était sur le point de se marier : ils nommaient le seigneur de la cour qui devait l'épouser ; quelques-uns même disaient que la chose était faite et qu'ils en avaient été témoins. D'abord Paul méprisa des nouvelles apportées par un vaisseau de commerce, qui en répand souvent de fausses sur les lieux de son passage. Mais comme plusieurs habitants de l'île, par une pitié perfide, s'empressaient de le plaindre de cet événement, il commença à y ajouter quelque croyance. D'ailleurs dans quelques-uns des romans qu'il avait lus il voyait la trahison traitée de plaisanterie ; et comme il savait que ces livres renfermaient des peintures assez fidèles des mœurs de l'Europe, il craignit que la fille de madame de la Tour ne vînt à s'y corrompre, et à oublier ses anciens engagements. Ses lumières le rendaient déjà malheureux. Ce qui acheva d'augmenter ses craintes, c'est que plusieurs vaisseaux d'Europe arrivèrent ici depuis, dans l'espace de six mois[94], sans qu'aucun d'eux apportât des nouvelles de Virginie.

Cet infortuné jeune homme, livré à toutes les agitations de son cœur, venait me voir souvent, pour confirmer ou pour bannir ses inquiétudes par mon expérience du monde.

Je demeure, comme je vous l'ai dit, à une lieue et demie d'ici, sur les bords d'une petite rivière qui coule le long de la Montagne-longue. C'est là que je passe ma vie seul, sans femme, sans enfants, et sans esclaves[95].

Après le rare bonheur de trouver une compagne qui nous soit bien assortie, l'état le moins malheureux de la vie est sans doute de vivre seul. Tout homme qui a eu beaucoup à se plaindre des hommes cherche la solitude. Il est même très remarquable que tous les peuples malheureux par leurs opinions, leurs mœurs ou leurs gouvernements, ont produit des classes nombreuses de citoyens entièrement dévoués à la solitude et au célibat. Tels ont été les Egyptiens dans leur décadence, les Grecs du Bas Empire ; et tels sont de nos jours les Indiens, les Chinois, les Grecs modernes, les Italiens, et la plupart des peuples orientaux et méridionaux de l'Europe. La solitude ramène en partie l'homme au bonheur naturel, en éloignant de lui le malheur social. Au milieu de nos sociétés, divisées par tant de préjugés, l'âme est dans une agitation continuelle ; elle roule sans cesse en elle-même mille opinions turbulentes et contradictoires dont les membres d'une société ambitieuse et misérable cherchent à se subjuguer les uns les autres. Mais dans la solitude elle dépose ces illusions étrangères qui la troublent ; elle reprend le sentiment simple d'elle-même, de la nature et de son auteur. Ainsi l'eau bourbeuse d'un torrent qui ravage les campagnes, venant à se répandre dans quelque petit bassin écarté de son cours, dépose ses vases au fond de son lit, reprend sa première limpidité, et, redevenue transparente, réfléchit, avec ses propres rivages, la verdure de la terre et la lumière des cieux. La solitude rétablit aussi bien les harmonies du corps que celles de l'âme. C'est dans la classe des solitaires que se trouvent les hommes qui poussent le plus loin la carrière de la vie ; tels sont les brames de l'Inde. Enfin je la crois si nécessaire au bonheur dans le monde même, qu'il me paraît impossible d'y goûter un plaisir durable, de quelque sentiment que ce soit, ou de régler sa conduite sur quelque principe stable, si l'on ne se fait une solitude intérieure, d'où notre opinion sorte bien rarement, et où celle d'autrui n'entre jamais. Je ne veux pas dire toutefois que l'homme doive vivre absolument seul : il est lié avec tout le genre humain par ses besoins ; il doit donc ses travaux aux hommes ; il se doit aussi au reste de la nature. Mais, comme Dieu a donné à chacun de nous des organes parfaitement assortis aux éléments du globe où nous vivons, des pieds pour le sol, des poumons pour l'air, des yeux pour la lumière, sans que nous puissions intervertir l'usage de ces sens, il s'est réservé pour lui seul, qui est l'auteur de la vie, le cœur, qui en est le principal organe.

Je passe donc mes jours loin des hommes, que j'ai voulu servir, et qui m'ont persécuté. Après avoir parcouru une grande partie de l'Europe, et quelques cantons de l'Amérique et de l'Afrique, je me suis fixé dans cette île peu habitée, séduit par sa douce température et par ses solitudes. Une cabane que j'ai bâtie dans la forêt au pied d'un arbre, un petit champ défriché de mes mains, une rivière qui coule devant ma porte, suffisent à mes besoins et à mes plaisirs. Je joins à ces jouissances celle de quelques bons livres qui m'apprennent à devenir meilleur. Ils font encore servir à mon bonheur le monde même que j'ai quitté ; ils me présentent des tableaux des passions qui en rendent les habitants si misérables, et par la comparaison que je fais de leur sort au mien, ils me font jouir d'un bonheur négatif. Comme un homme sauvé du naufrage sur un rocher, je contemple de ma solitude les orages qui frémissent dans le reste du monde ; mon repos même redouble par le bruit lointain de la tempête. Depuis que les hommes ne sont plus sur mon chemin, et que je ne suis plus sur le leur, je ne les hais plus ; je les plains. Si je rencontre quelque infortuné, je tâche de venir à son secours par mes conseils, comme un passant sur le bord d'un torrent tend la main à un malheureux qui s'y noie. Mais je n'ai guère trouvé que l'innocence attentive à ma voix. La nature appelle en vain à elle le reste des hommes ; chacun d'eux se fait d'elle une image qu'il revêt de ses propres passions. Il poursuit toute sa vie ce vain fantôme qui l'égare, et il se plaint ensuite au ciel de l'erreur qu'il s'est formée lui-même. Parmi un grand nombre d'infortunés que j'ai quelquefois essayé de ramener à la nature, je n'en ai pas trouvé un seul qui ne fût enivré de ses propres misères. Ils m'écoutaient d'abord avec attention dans l'espérance que je les aiderais à acquérir de la gloire ou de la fortune ; mais voyant que je ne voulais leur apprendre qu'à s'en passer, ils me trouvaient moi-même misérable de ne pas courir après leur malheureux bonheur : ils blâmaient ma vie solitaire ; ils prétendaient qu'eux seuls étaient utiles aux hommes, et ils s'efforçaient de m'entraîner dans leur tourbillon. Mais si je me communique à tout le monde, je ne me livre à personne. Souvent il me suffit de moi pour me servir de leçon à moi-même. Je repasse dans le calme présent les agitations passées de ma propre vie, auxquelles j'ai donné tant de prix ; les protections, la fortune, la réputation, les voluptés, et les opinions qui se combattent par toute la terre. Je compare tant d'hommes que j'ai vus se disputer avec fureur ces chimères, et qui ne sont plus, aux flots de ma rivière, qui se brisent en écumant contre les rochers de son lit, et disparaissent pour ne revenir jamais. Pour moi, je me laisse entraîner en paix au fleuve du temps, vers l'océan de l'avenir qui n'a plus de rivages et par le spectacle des harmonies actuelles de la nature, je m'élève vers son auteur, et j'espère dans un autre monde de plus heureux destins.

Quoiqu'on n'aperçoive pas de mon ermitage, situé au milieu d'une forêt, cette multitude d'objets que nous présente l'élévation du lieu où nous sommes, il s'y trouve des dispositions intéressantes, surtout pour un homme qui, comme moi, aime mieux rentrer en lui-même que s'étendre au-dehors. La rivière qui coule devant ma porte passe en ligne droite à travers les bois, en sorte qu'elle me présente un long canal ombragé d'arbres de toutes sortes de feuillages : il y a des tatamaques, des bois d'ébène, et de ceux qu'on appelle ici bois de pomme, bois d'olive, et bois de cannelle [96] ; des bosquets de palmistes élèvent çà et là leurs colonnes nues, et longues de plus de cent pieds, surmontées à leurs sommets d'un bouquet de palmes, et paraissent au-dessus des autres arbres comme une forêt plantée sur une autre forêt. Il s'y joint des lianes de divers feuillages, qui, s'enlaçant d'un arbre à l'autre [97], forment ici des arcades de fleurs, là de longues courtines de verdure. Des odeurs aromatiques sortent de la plupart de ces arbres, et leurs parfums ont tant d'influence sur les vêtements mêmes, qu'on sent ici un homme qui a traversé une forêt quelques heures après qu'il en est sorti. Dans la saison où ils donnent leurs fleurs vous les diriez à demi couverts de neige. A la fin de l'été plusieurs espèces d'oiseaux étrangers viennent, par un instinct incompréhensible, de régions inconnues, au-delà des vastes mers, récolter les graines des végétaux de cette île, et opposent l'éclat de leurs couleurs à la verdure des arbres rembrunic par le soleil. Telles sont, entre autres, diverses espèces de perruches, et les pigeons bleus, appelés ici pigeons hollandais. Les singes, habitants domiciliés de ces forêts, se jouent dans leurs sombres rameaux, dont ils se détachent par leur poil gris et verdâtre, et leur face

toute noire ; quelques-uns s'y suspendent par la queue
et se balancent en l'air ; d'autres sautent de branche en
branche, portant leurs petits dans leurs bras. Jamais le
fusil meurtrier n'y a effrayé ces paisibles enfants de la
nature. On n'y entend que des cris de joie, des
gazouillements et des ramages inconnus de quelques
oiseaux des terres australes, que répètent au loin les
échos de ces forêts. La rivière[98] qui coule en bouillonnant sur un lit de roche, à travers les arbres, réfléchit
çà et là dans ses eaux limpides leurs masses vénérables
de verdure et d'ombre, ainsi que les jeux de leurs
heureux habitants : à mille pas de là elle se précipite
de différents étages de rocher, et forme à sa chute une
nappe d'eau unie comme le cristal, qui se brise en
tombant en bouillons d'écume. Mille bruits confus
sortent de ces eaux tumultueuses, et dispersés par les
vents dans la forêt, tantôt ils fuient au loin, tantôt ils se
rapprochent tous à la fois, et assourdissent, comme les
sons des cloches d'une cathédrale. L'air, sans cesse
renouvelé par le mouvement des eaux, entretient sur
les bords de cette rivière, malgré les ardeurs de l'été,
une verdure et une fraîcheur, qu'on trouve rarement
dans cette île sur le haut même des montagnes.

A quelque distance de là est un rocher assez éloigné
de la cascade pour qu'on n'y soit pas étourdi du bruit
de ses eaux, et qui en est assez voisin pour y jouir de
leur vue, de leur fraîcheur et de leur murmure. Nous
allions quelquefois dans les grandes chaleurs dîner à
l'ombre de ce rocher, madame de la Tour, Marguerite,
Virginie, Paul et moi. Comme Virginie dirigeait
toujours au bien d'autrui ses actions mêmes les plus

communes, elle ne mangeait pas un fruit à la campagne qu'elle n'en mît en terre les noyaux ou les pépins : « Il en viendra, disait-elle, des arbres qui donneront leurs fruits à quelque voyageur, ou au moins à un oiseau. » Un jour donc qu'elle avait mangé une papaye[99] au pied de ce rocher, elle y planta les semences de ce fruit. Bientôt après il y crût plusieurs papayers, parmi lesquels il y en avait un femelle, c'est-à-dire qui porte des fruits. Cet arbre n'était pas si haut que le genou de Virginie à son départ ; mais comme il croît vite, deux ans après[100] il avait vingt pieds de hauteur, et son tronc était entouré dans sa partie supérieure de plusieurs rangs de fruits mûrs. Paul, s'étant rendu par hasard dans ce lieu, fut rempli de joie en voyant ce grand arbre sorti d'une petite graine qu'il avait vu planter par son amie ; et en même temps il fut saisi d'une tristesse profonde par ce témoignage de sa longue absence. Les objets que nous voyons habituellement ne nous font pas apercevoir de la rapidité de notre vie ; ils vieillissent avec nous d'une vieillesse[101] insensible : mais ce sont ceux que nous revoyons tout à coup après les avoir perdus quelques années de vue, qui nous avertissent de la vitesse avec laquelle s'écoule le fleuve de nos jours. Paul fut aussi surpris et aussi troublé à la vue de ce grand papayer chargé de fruits, qu'un voyageur l'est, après une longue absence de son pays, de n'y plus retrouver ses contemporains, et d'y voir leurs enfants qu'il avait laissés à la mamelle, devenus eux-mêmes pères de famille. Tantôt il voulait l'abattre, parce qu'il lui rendait trop sensible la longueur du temps qui s'était

écoulé depuis le départ de Virginie ; tantôt, le considé-
rant comme un monument de sa bienfaisance, il
baisait son tronc, et lui adressait des paroles pleines
d'amour et de regrets. O arbre dont la postérité existe
encore dans nos bois, je vous ai vu moi-même avec
plus d'intérêt et de vénération que les arcs de triomphe
des Romains ! Puisse la nature, qui détruit chaque jour
les monuments de l'ambition des rois, multiplier dans
nos forêts ceux de la bienfaisance d'une jeune et
pauvre fille !

C'était donc au pied de ce papayer que j'étais sûr de
rencontrer Paul quand il venait dans mon quartier. Un
jour je l'y trouvai accablé de mélancolie, et j'eus avec
lui une conversation que je vais vous rapporter, si je ne
vous suis point trop ennuyeux par mes longues digres-
sions, pardonnables à mon âge et à mes dernières
amitiés. Je vous la raconterai en forme de dialogue,
afin que vous jugiez du bon sens naturel de ce jeune
homme ; et il vous sera aisé de faire la différence des
interlocuteurs par le sens de ses questions et de mes
réponses[102].

Il me dit :

« Je suis bien chagrin. Mademoiselle de la Tour est
partie depuis deux ans et deux mois ; et depuis huit
mois et demi[103] elle ne nous a pas donné de ses
nouvelles. Elle est riche ; je suis pauvre : elle m'a
oublié. J'ai envie de m'embarquer : j'irai en France, j'y
servirai le roi, j'y ferai fortune ; et la grand-tante de
mademoiselle de la Tour me donnera sa petite-nièce en
mariage, quand je serai devenu un grand seigneur.

LE VIEILLARD

« Oh mon ami ! ne m'avez-vous pas dit que vous n'aviez pas de naissance ?

PAUL

« Ma mère me l'a dit ; car pour moi je ne sais ce que c'est que la naissance. Je ne me suis jamais aperçu que j'en eusse moins qu'un autre, ni que les autres en eussent plus que moi.

LE VIEILLARD

« Le défaut de naissance vous ferme en France le chemin aux grands emplois. Il y a plus : vous ne pouvez même être admis dans aucun Corps distingué.

PAUL

« Vous m'avez dit plusieurs fois qu'une des causes de la grandeur de la France était que le moindre sujet pouvait y parvenir à tout, et vous m'avez cité beaucoup d'hommes célèbres qui, sortis de petits états, avaient fait honneur à leur patrie. Vous vouliez donc tromper mon courage ?

LE VIEILLARD

« Mon fils, jamais je ne l'abattrai. Je vous ai dit la vérité sur les temps passés ; mais les choses sont bien changées à présent [104] : tout est devenu vénal en France ; tout y est aujourd'hui le patrimoine d'un petit nombre de familles, ou le partage des Corps [105]. Le roi est un soleil que les grands et les Corps environnent comme des nuages ; il est presque impossible qu'un de ses rayons tombe sur vous. Autrefois, dans une administration moins compliquée, on a vu ces phénomènes. Alors les talents et le mérite se sont développés de toutes parts, comme des terres nouvelles qui, venant à être défrichées, produisent avec tout leur suc. Mais les grands rois qui savent connaître les hommes et les choisir sont rares. Le vulgaire des rois ne se laisse aller qu'aux impulsions des grands et des Corps qui les environnent.

PAUL

« Mais je trouverai peut-être un de ces grands qui me protégera ?

LE VIEILLARD

« Pour être protégé des grands il faut servir leur ambition ou leurs plaisirs. Vous n'y réussirez jamais, car vous êtes sans naissance, et vous avez de la probité.

PAUL

« Mais je ferai des actions si courageuses, je serai si fidèle à ma parole, si exact dans mes devoirs, si zélé et si constant dans mon amitié, que je mériterai d'être adopté par quelqu'un d'eux, comme j'ai vu que cela se pratiquait dans les histoires anciennes que vous m'avez fait lire.

LE VIEILLARD

« Oh mon ami ! chez les Grecs et chez les Romains, même dans leur décadence, les grands avaient du respect pour la vertu ; mais nous avons eu une foule d'hommes célèbres en tout genre, sortis des classes du peuple, et je n'en sache pas un seul qui ait été adopté par une grande maison. La vertu, sans nos rois, serait condamnée en France à être éternellement plébéienne. Comme je vous l'ai dit, ils la mettent quelquefois en honneur lorsqu'ils l'aperçoivent ; mais aujourd'hui les distinctions qui lui étaient réservées ne s'accordent plus que pour de l'argent.

PAUL

« Au défaut d'un grand je chercherai à plaire à un Corps. J'épouserai entièrement son esprit et ses opinions : je m'en ferai aimer.

LE VIEILLARD

« Vous ferez donc comme les autres hommes, vous renoncerez à votre conscience pour parvenir à la fortune ?

PAUL

« Oh non ! je ne chercherai jamais que la vérité.

LE VIEILLARD

« Au lieu de vous faire aimer, vous pourriez bien vous faire haïr. D'ailleurs les Corps s'intéressent fort peu à la découverte de la vérité. Toute opinion est indifférente aux ambitieux, pourvu qu'ils gouvernent.

PAUL

« Que je suis infortuné ! tout me repousse. Je suis

condamné à passer ma vie dans un travail obscur, loin
de Virginie ! » Et il soupira profondément.

LE VIEILLARD

« Que Dieu soit votre unique patron, et le genre
humain votre Corps [106] ! Soyez constamment attaché à
l'un et à l'autre. Les familles, les Corps, les peuples, les
rois, ont leurs préjugés et leurs passions ; il faut
souvent les servir par des vices. Dieu et le genre
humain ne nous demandent que des vertus.

« Mais pourquoi voulez-vous être distingué du reste
des hommes ? C'est un sentiment qui n'est pas naturel,
puisque, si chacun l'avait, chacun serait en état de
guerre avec son voisin. Contentez-vous de remplir
votre devoir dans l'état où la Providence vous a mis ;
bénissez votre sort, qui vous permet d'avoir une
conscience à vous, et qui ne vous oblige pas, comme les
grands, de mettre votre bonheur dans l'opinion des
petits, et comme les petits de ramper sous les grands
pour avoir de quoi vivre. Vous êtes dans un pays et
dans une condition où, pour subsister, vous n'avez
besoin ni de tromper, ni de flatter, ni de vous avilir,
comme font la plupart de ceux qui cherchent la fortune
en Europe ; où votre état ne vous interdit aucune
vertu ; où vous pouvez être impunément bon, vrai,
sincère, instruit, patient, tempérant, chaste, indulgent,
pieux [107], sans qu'aucun ridicule vienne flétrir votre
sagesse, qui n'est encore qu'en fleur. Le ciel vous a
donné de la liberté, de la santé, une bonne conscience,
et des amis : les rois, dont vous ambitionnez la faveur,
ne sont pas si heureux.

PAUL

« Ah! il me manque Virginie! Sans elle je n'ai rien;
avec elle j'aurais tout. Elle seule est ma naissance, ma
gloire, et ma fortune. Mais puisque enfin sa parente
veut lui donner pour mari un homme d'un grand nom,
avec l'étude et des livres on devient savant et célèbre :
je m'en vais étudier. J'acquerrai de la science; je
servirai utilement ma patrie par mes lumières, sans
nuire à personne, et sans en dépendre; je deviendrai
fameux, et ma gloire n'appartiendra qu'à moi.

LE VIEILLARD

« Mon fils, les talents sont encore plus rares que la
naissance et que les richesses; et sans doute ils sont de
plus grands biens, puisque rien ne peut les ôter, et que
partout ils nous concilient l'estime publique : mais ils
coûtent cher. On ne les acquiert que par des privations
en tout genre, par une sensibilité exquise qui nous rend
malheureux au-dedans, et au-dehors par les persécutions de nos contemporains. L'homme de robe n'envie
point en France la gloire du militaire, ni le militaire
celle de l'homme de mer; mais tout le monde y
traversera votre chemin, parce que tout le monde s'y
pique d'avoir de l'esprit. Vous servirez les hommes,
dites-vous? Mais celui qui fait produire à un terrain
une gerbe de blé de plus leur rend un plus grand
service que celui qui leur donne un livre.

PAUL

« Oh! celle qui a planté ce papayer a fait aux
habitants de ces forêts un présent plus utile et plus

doux que si elle leur avait donné une bibliothèque. »
Et en même temps il saisit cet arbre dans ses bras, et le
baisa avec transport.

LE VIEILLARD

« Le meilleur des livres, qui ne prêche que l'égalité,
l'amitié, l'humanité [108], et la concorde, l'Evangile, a
servi pendant des siècles de prétexte aux fureurs des
Européens. Combien de tyrannies publiques et particulières s'exercent encore en son nom sur la terre [109] !
Après cela, qui se flattera d'être utile aux hommes par
un livre ? Rappelez-vous quel a été le sort de la plupart
des philosophes qui leur ont prêché la sagesse.
Homère, qui l'a revêtue de vers si beaux, demandait
l'aumône pendant sa vie. Socrate, qui en donna aux
Athéniens de si aimables leçons par ses discours et par
ses mœurs, fut empoisonné juridiquement par eux.
Son sublime disciple Platon fut livré à l'esclavage par
l'ordre du prince même qui le protégeait : et avant
eux, Pythagore, qui étendait l'humanité jusqu'aux
animaux, fut brûlé vif par les Crotoniates [110]. Que dis-
je ? la plupart même de ces noms illustres sont venus à
nous défigurés par quelques traits de satire qui les
caractérisent, l'ingratitude humaine se plaisant à les
reconnaître là ; et si dans la foule la gloire de quelques-
uns est venue nette et pure jusqu'à nous, c'est que ceux
qui les ont portés ont vécu loin de la société de leurs
contemporains : semblables à ces statues qu'on tire
entières des champs de la Grèce et de l'Italie, et qui,

pour avoir été ensevelies dans le sein de la terre, ont échappé à la fureur des barbares.

« Vous voyez donc que, pour acquérir la gloire orageuse des lettres, il faut bien de la vertu, et être prêt à sacrifier sa propre vie. D'ailleurs, croyez-vous que cette gloire intéresse en France les gens riches ? Ils se soucient bien des gens de lettres, auxquels la science ne rapporte ni dignité dans la patrie, ni gouvernement, ni entrée à la cour. On persécute peu dans ce siècle indifférent à tout, hors à la fortune et aux voluptés ; mais les lumières et la vertu n'y mènent à rien de distingué, parce que tout est dans l'état le prix de l'argent. Autrefois elles trouvaient des récompenses assurées dans les différentes places de l'église, de la magistrature et de l'administration ; aujourd'hui elles ne servent qu'à faire des livres. Mais ce fruit, peu prisé des gens du monde, est toujours digne de son origine céleste. C'est à ces mêmes livres qu'il est réservé particulièrement de donner de l'éclat à la vertu obscure, de consoler les malheureux, d'éclairer les nations, et de dire la vérité même aux rois. C'est, sans contredit, la fonction la plus auguste dont le ciel puisse honorer un mortel sur la terre. Quel est l'homme qui ne se console de l'injustice ou du mépris de ceux qui disposent de la fortune, lorsqu'il pense que son ouvrage ira, de siècle en siècle et de nations en nations, servir de barrière à l'erreur et aux tyrans ; et que, du sein de l'obscurité où il a vécu, il jaillira une gloire qui effacera celle de la plupart des rois, dont les monuments périssent dans l'oubli, malgré les flatteurs qui les élèvent et qui les vantent ?

PAUL

« Ah! je ne voudrais cette gloire que pour la répandre sur Virginie, et la rendre chère à l'univers. Mais vous qui avez tant de connaissances, dites-moi si nous nous marierons? Je voudrais être savant, au moins pour connaître l'avenir.

LE VIEILLARD

« Qui voudrait vivre, mon fils, s'il connaissait l'avenir? Un seul malheur prévu nous donne tant de vaines inquiétudes! la vue d'un malheur certain empoisonnerait tous les jours qui le précéderaient. Il ne faut pas même trop approfondir ce qui nous environne; et le ciel, qui nous donna la réflexion pour prévoir nos besoins, nous a donné les besoins pour mettre des bornes à notre réflexion.

PAUL

« Avec de l argent, dites-vous, on acquiert en Europe des dignités et des honneurs. J'irai m'enrichir au Bengale pour aller épouser Virginie à Paris. Je vais m'embarquer.

LE VIEILLARD

« Quoi! vous quitteriez sa mère et la vôtre?

PAUL

« Vous m'avez vous-même donné le conseil de passer aux Indes.

LE VIEILLARD

« Virginie était alors ici. Mais vous êtes maintenant l'unique soutien de votre mère et de la sienne.

PAUL

« Virginie leur fera du bien par sa riche parente.

LE VIEILLARD

« Les riches n'en font guère qu'à ceux qui leur font honneur dans le monde. Ils ont des parents bien plus à plaindre que madame de la Tour, qui, faute d'être secourus par eux, sacrifient leur liberté pour avoir du pain et passent leur vie renfermés dans des couvents.

PAUL

« Quel pays que l'Europe ! Oh ! il faut que Virginie revienne ici. Qu'a-t-elle besoin d'avoir une parente riche ? Elle était si contente sous ces cabanes, si jolie et si bien parée avec un mouchoir rouge ou des fleurs autour de sa tête. Reviens, Virginie ! quitte tes hôtels et tes grandeurs. Reviens dans ces rochers, à l'ombre de ces bois et de nos cocotiers. Hélas ! tu es peut-être maintenant malheureuse !... » Et il se mettait à pleurer. « Mon père, ne me cachez rien : si vous ne pouvez me dire si j'épouserai Virginie, au moins apprenez-moi si elle m'aime encore, au milieu de ces grands seigneurs qui parlent au roi, et qui la vont voir.

LE VIEILLARD

« Oh ! mon ami [1], je suis sûr qu'elle vous aime par plusieurs raisons, mais surtout parce qu'elle a de la vertu. » A ces mots il me sauta au cou, transporté de joie.

PAUL

« Mais croyez-vous les femmes d'Europe fausses comme on les représente dans les comédies et dans les livres que vous m'avez prêtés ?

LE VIEILLARD

« Les femmes sont fausses dans les pays où les hommes sont tyrans. Partout la violence produit la ruse.

PAUL

« Comment peut-on être tyran des femmes ?

LE VIEILLARD

« En les mariant sans les consulter, une jeune fille avec un vieillard, une femme sensible avec un homme indifférent.

PAUL

« Pourquoi ne pas marier ensemble ceux qui se conviennent, les jeunes avec les jeunes, les amants avec les amantes ?

LE VIEILLARD

« C'est que la plupart des jeunes gens, en France, n'ont pas assez de fortune pour se marier, et qu'ils n'en acquièrent qu'en devenant vieux. Jeunes, ils corrompent les femmes de leurs voisins; vieux, ils ne peuvent fixer l'affection de leurs épouses. Ils ont trompé, étant jeunes; on les trompe à leur tour, étant vieux. C'est une des réactions de la justice universelle qui gouverne le monde. Un excès y balance toujours un autre excès. Ainsi la plupart des Européens passent leur vie dans ce double désordre, et ce désordre augmente dans une société à mesure que les richesses s'y accumulent sur un moindre nombre de têtes. L'état est semblable à un jardin, où les petits arbres ne peuvent venir s'il y en a de trop grands qui les ombragent; mais il y a cette différence que la beauté d'un jardin peut résulter d'un petit nombre de grands arbres, et que la prospérité d'un état dépend toujours de la multitude et de l'égalité des sujets [112], et non pas d'un petit nombre de riches.

PAUL

« Mais qu'est-il besoin d'être riche pour se marier ?

LE VIEILLARD

« Afin de passer ses jours dans l'abondance sans rien faire.

PAUL

« Et pourquoi ne pas travailler ? Je travaille bien, moi.

LE VIEILLARD

« C'est qu'en Europe le travail des mains déshonore. On l'appelle travail mécanique. Celui même de

labourer la terre y est le plus méprisé de tous. Un
artisan y est bien plus estimé qu'un paysan [113].

PAUL

« Quoi ! l'art qui nourrit les hommes est méprisé en
Europe ! Je ne vous comprends pas.

LE VIEILLARD

« Oh ! il n'est pas possible à un homme élevé dans la
nature de comprendre les dépravations de la société.
On se fait une idée précise de l'ordre, mais non pas du
désordre. La beauté, la vertu, le bonheur, ont des
proportions ; la laideur, le vice, et le malheur, n'en ont
point.

PAUL

« Les gens riches sont donc bien heureux ! ils ne
trouvent d'obstacles à rien ; ils peuvent combler de
plaisirs les objets qu'ils aiment.

LE VIEILLARD

« Ils sont la plupart usés sur tous les plaisirs, par
cela même qu'ils ne leur coûtent aucunes peines.
N'avez-vous pas éprouvé que le plaisir du repos
s'achète par la fatigue ; celui de manger, par la faim ;
celui de boire, par la soif ? Eh bien ! celui d'aimer et
d'être aimé ne s'acquiert que par une multitude de
privations et de sacrifices. Les richesses ôtent aux
riches tous ces plaisirs-là en prévenant leurs besoins.
Joignez à l'ennui qui suit leur satiété l'orgueil qui naît
de leur opulence, et que la moindre privation blesse

lors même que les plus grandes jouissances ne le flattent plus. Le parfum de mille roses ne plaît qu'un instant; mais la douleur que cause une seule de leurs épines dure longtemps après sa piqûre. Un mal au milieu des plaisirs est pour les riches une épine au milieu des fleurs. Pour les pauvres, au contraire, un plaisir au milieu des maux est une fleur au milieu des épines; ils en goûtent vivement la jouissance. Tout effet augmente par son contraste. La nature a tout balancé. Quel état, à tout prendre, croyez-vous préférable, de n'avoir presque rien à espérer et tout à craindre, ou presque rien à craindre et tout à espérer? Le premier état est celui des riches, et le second celui des pauvres. Mais ces extrêmes sont également difficiles à supporter aux hommes dont le bonheur consiste dans la médiocrité et la vertu.

PAUL

« Qu'entendez-vous par la vertu? »

LE VIEILLARD

« Mon fils! vous qui soutenez vos parents par vos travaux, vous n'avez pas besoin qu'on vous la définisse. La vertu est un effort fait sur nous-mêmes pour le bien d'autrui dans l'intention de plaire à Dieu seul. »

PAUL

« Oh! que Virginie est vertueuse! C'est par vertu qu'elle a voulu être riche, afin d'être bienfaisante. C'est par vertu qu'elle est partie de cette île : la vertu l'y ramènera. » L'idée de son retour prochain allu-

mant l'imagination de ce jeune homme, toutes ses
inquiétudes s'évanouissaient. Virginie n'avait point
écrit, parce qu'elle allait arriver. Il fallait si peu de
temps pour venir d'Europe avec un bon vent! Il faisait
l'énumération des vaisseaux qui avaient fait ce trajet
de quatre mille cinq cents lieues en moins de trois
mois. Le vaisseau où elle s'était embarquée n'en
mettrait pas plus de deux : les constructeurs étaient
aujourd'hui si savants, et les marins si habiles! Il
parlait des arrangements qu'il allait faire pour la
recevoir, du nouveau logement qu'il allait bâtir, des
plaisirs et des surprises qu'il lui ménagerait chaque
jour quand elle serait sa femme. Sa femme!... cette
idée le ravissait. « Au moins, mon père, me disait-il,
vous ne ferez plus rien que pour votre plaisir. Virginie
étant riche, nous aurons beaucoup de noirs qui
travailleront pour vous [114]. Vous serez toujours avec
nous, n'ayant d'autre souci que celui de vous amuser
et de vous réjouir. » Et il allait, hors de lui, porter à sa
famille la joie dont il était enivré.

En peu de temps les grandes craintes succèdent aux
grandes espérances. Les passions violentes jettent
toujours l'âme dans les extrémités opposées. Souvent,
dès le lendemain, Paul revenait me voir, accablé de
tristesse. Il me disait : « Virginie ne m'écrit point. Si
elle était partie d'Europe elle m'aurait mandé son
départ. Ah! les bruits qui ont couru d'elle ne sont que
trop fondés! sa tante l'a mariée à un grand seigneur.
L'amour des richesses l'a perdue comme tant d'autres.
Dans ces livres qui peignent si bien les femmes la vertu
n'est qu'un sujet de roman. Si Virginie avait eu de la

vertu, elle n'aurait pas quitté sa propre mère et moi.
Pendant que je passe ma vie à penser à elle, elle
m'oublie. Je m'afflige, et elle se divertit. Ah! cette
pensée me désespère. Tout travail me déplaît; toute
société m'ennuie. Plût à Dieu que la guerre fût
déclarée dans l'Inde! j'irais y mourir. »

« Mon fils, lui répondis-je, le courage qui nous jette
dans la mort n'est que le courage d'un instant. Il est
souvent excité par les vains applaudissements des
hommes. Il en est un plus rare et plus nécessaire qui
nous fait supporter chaque jour, sans témoin et sans
éloge, les traverses de la vie; c'est la patience. Elle
s'appuie, non sur l'opinion d'autrui ou sur l'impulsion
de nos passions, mais sur la volonté de Dieu. La
patience est le courage de la vertu. »

« Ah! s'écria-t-il, je n'ai donc point de vertu! Tout
m'accable et me désespère. — La vertu, repris-je,
toujours égale, constante, invariable, n'est pas le
partage de l'homme. Au milieu de tant de passions qui
nous agitent, notre raison se trouble et s'obscurcit;
mais il est des phares où nous pouvons en rallumer le
flambeau : ce sont les lettres.

« Les lettres, mon fils, sont un secours du ciel. Ce
sont des rayons de cette sagesse qui gouverne l'univers,
que l'homme, inspiré par un art céleste, a appris à fixer
sur la terre. Semblables aux rayons du soleil, elles
éclairent, elles réjouissent, elles échaufffent; c'est un
feu divin. Comme le feu, elles approprient toute la
nature à notre usage. Par elles nous réunissons autour
de nous les choses, les lieux, les hommes et les temps.
Ce sont elles qui nous rappellent aux règles de la vie

humaine. Elles calment les passions; elles répriment
les vices; elles excitent les vertus par les exemples
augustes des gens de bien qu'elles célèbrent, et dont
elles nous présentent les images toujours honorées. Ce
sont des filles du ciel qui descendent sur la terre pour
charmer les maux du genre humain. Les grands
écrivains qu'elles inspirent ont toujours paru dans les
temps les plus difficiles à supporter à toute société, les
temps de barbarie et ceux de dépravation. Mon fils, les
lettres ont consolé une infinité d'hommes plus malheureux que vous : Xénophon, exilé de sa patrie après y
avoir ramené dix mille Grecs; Scipion l'Africain, lassé
des calomnies des Romains; Lucullus, de leurs bri-
gues; Catinat, de l'ingratitude de sa cour. Les Grecs, si
ingénieux, avaient réparti à chacune des Muses qui
président aux lettres une partie de notre entendement,
pour le gouverner : nous devons donc leur donner nos
passions à régir, afin qu'elles leur imposent un joug et
un frein. Elles doivent remplir, par rapport aux
puissances de notre âme, les mêmes fonctions que les
Heures qui attelaient et conduisaient les chevaux du
Soleil.

« Lisez donc, mon fils. Les sages qui ont écrit avant
nous sont des voyageurs qui nous ont précédés dans les
sentiers de l'infortune, qui nous tendent la main, et
nous invitent à nous joindre à leur compagnie lorsque
tout nous abandonne. Un bon livre est un bon ami. »

« Ah! s'écriait Paul, je n'avais pas besoin de savoir
lire quand Virginie était ici. Elle n'avait pas plus
étudié que moi; mais quand elle me regardait en

m'appelant son ami, il m'était impossible d'avoir du chagrin. »

« Sans doute, lui disais-je, il n'y a point d'ami aussi agréable qu'une maîtresse qui nous aime. Il y a de plus dans la femme une gaieté légère qui dissipe la tristesse de l'homme. Ses grâces font évanouir les noirs fantômes de la réflexion. Sur son visage sont les doux attraits et la confiance. Quelle joie n'est rendue plus vive par sa joie ? quel front ne se déride[115] à son sourire ? quelle colère résiste à ses larmes ? Virginie reviendra avec plus de philosophie que vous n'en avez. Elle sera bien surprise de ne pas retrouver le jardin tout à fait rétabli, elle qui ne songe qu'à l'embellir, malgré les persécutions de sa parente, loin de sa mère et de vous. »

L'idée du retour prochain de Virginie renouvelait le courage de Paul, et le ramenait à ses occupations champêtres. Heureux au milieu de ses peines de proposer à son travail une fin qui plaisait à sa passion !

Un matin, au point du jour (c'était le 24 décembre 1744[116]), Paul, en se levant, aperçut un pavillon blanc arboré sur la montagne de la Découverte[117]. Ce pavillon était le signalement d'un vaisseau qu'on voyait en mer. Paul courut à la ville pour savoir s'il n'apportait pas des nouvelles de Virginie. Il y resta jusqu'au retour du pilote du port, qui s'était embarqué pour aller le reconnaître, suivant l'usage. Cet homme ne revint que le soir. Il rapporta au gouverneur que le vaisseau signalé était le Saint-Géran, du port de 700 tonneaux, commandé par un capitaine appelé M. Aubin[118] ; qu'il était à quatre lieues au large, et qu'il ne mouillerait au Port-Louis que le lendemain dans l'après-midi, si le vent était favorable. Il n'en faisait point du tout alors. Le pilote remit au gouverneur les lettres que ce vaisseau apportait de France. Il y en avait une pour madame de la Tour, de l'écriture de Virginie. Paul s'en saisit aussitôt, la baisa avec transport, la mit dans son sein, et courut à l'habitation. Du plus loin qu'il aperçut la famille, qui attendait son retour sur le rocher des Adieux, il éleva la lettre en l'air sans pouvoir parler ; et aussitôt tout le monde se rassembla chez madame de la Tour pour en entendre la lecture. Virginie mandait à sa mère qu'elle avait éprouvé beaucoup de mauvais procédés de la part de sa grand-tante, qui l'avait voulu marier malgré elle, ensuite déshéritée, et enfin renvoyée dans un temps qui ne lui permettait d'arriver à l'Ile-de-France que dans la saison des ouragans ; qu'elle avait essayé en vain de la fléchir, en lui représentant ce qu'elle devait à sa mère et aux habitudes du premier âge ; qu'elle en avait été traitée de fille insensée dont la tête était gâtée par les romans ; qu'elle n'était maintenant sensible qu'au bonheur de revoir et d'embrasser sa chère famille, et qu'elle eût satisfait cet ardent désir dès le jour même, si le capitaine lui eût permis de s'embarquer dans la chaloupe du pilote ; mais qu'il s'était opposé à son départ à cause de l'éloignement de la terre, et d'une grosse mer qui régnait au large, malgré le calme des vents.

À peine cette lettre fut lue que toute la famille, transportée de joie, s'écria : « Virginie est arrivée ! » Maîtresse [119] et serviteurs, tous s'embrassèrent.

Madame de la Tour dit à Paul : « Mon fils, allez prévenir notre voisin de l'arrivée de Virginie. » Aussitôt Domingue alluma un flambeau de bois de ronde[120], et Paul et lui s'acheminèrent vers mon habitation.

Il pouvait être dix heures du soir. Je venais d'éteindre ma lampe et de me coucher, lorsque j'aperçus à travers les palissades de ma cabane une lumière dans les bois. Bientôt après j'entendis la voix de Paul qui m'appelait. Je me lève ; et à peine j'étais habillé que Paul, hors de lui et tout essoufflé, me saute au cou en me disant : « Allons, allons ; Virginie est arrivée. Allons au port, le vaisseau y mouillera au point du jour. »

Sur-le-champ nous nous mettons en route. Comme nous traversions les bois de la Montagne-longue, et que nous étions déjà sur le chemin qui mène des Pamplemousses au port, j'entendis quelqu'un marcher derrière nous. C'était un noir qui s'avançait à grands pas. Dès qu'il nous eut atteints je lui demandai d'où il venait, et où il allait en si grande hâte. Il me répondit : « Je viens du quartier de l'île appelé la Poudre-d'or[121] : on m'envoie au port avertir le gouverneur qu'un vaisseau de France est mouillé sous l'île d'Ambre. Il tire du canon pour demander du secours, car la mer est bien mauvaise. » Cet homme ayant ainsi parlé continua sa route sans s'arrêter davantage.

Je dis alors à Paul : « Allons vers le quartier de la Poudre-d'or, au-devant de Virginie ; il n'y a que trois lieues d'ici. » Nous nous mîmes donc en route vers le nord de l'île. Il faisait une chaleur étouffante. La lune était levée ; on voyait autour d'elle trois grands cercles noirs. Le ciel était d'une obscurité affreuse. On distinguait, à la lueur fréquente des éclairs, de longues files de nuages épais, sombres, peu élevés, qui s'entassaient vers le milieu de l'île, et venaient de la mer avec une grande vitesse, quoiqu'on ne sentît pas le moindre vent à terre. Chemin faisant nous crûmes entendre rouler le tonnerre; mais ayant prêté l'oreille attentivement nous reconnûmes que c'étaient des coups de canon répétés par les échos. Ces coups de canon lointains, joints à l'aspect d'un ciel orageux, me firent frémir. Je ne pouvais douter qu'ils ne fussent les signaux de détresse d'un vaisseau en perdition. Une demi-heure après nous n'entendîmes plus tirer du tout; et ce silence me parut encore plus effrayant que le bruit lugubre qui l'avait précédé.

Nous nous hâtions d'avancer sans dire un mot, et sans oser nous communiquer nos inquiétudes. Vers minuit nous arrivâmes tout en nage sur le bord de la mer, au quartier de la Poudre-d'or. Les flots s'y brisaient avec un bruit épouvantable; ils en couvraient les rochers et les grèves d'écume d'un blanc éblouissant et d'étincelles de feu. Malgré les ténèbres nous distinguâmes, à ces lueurs phosphoriques, les pirogues des pêcheurs qu'on avait tirées bien avant sur le sable.

A quelque distance de là nous vîmes, à l'entrée du bois, un feu autour duquel plusieurs habitants s'étaient rassemblés. Nous fûmes nous y reposer en attendant le jour. Pendant que nous étions assis auprès de ce feu, un des habitants nous raconta que dans l'après-midi il avait vu un vaisseau en pleine mer porté sur l'île par les courants; que la nuit l'avait dérobé à sa vue; que deux heures après le coucher du soleil il l'avait entendu tirer du canon pour appeler du secours, mais que la mer était si mauvaise qu'on n'avait pu mettre aucun bateau dehors pour aller à lui; que bientôt après il avait cru apercevoir ses fanaux allumés, et que dans ce cas il craignait que le vaisseau, venu si près du rivage, n'eût passé entre la terre et la petite île d'Ambre, prenant celle-ci pour le coin de Mire,[122] près duquel passent les vaisseaux qui arrivent au Port-Louis; que si cela était, ce qu'il ne pouvait toutefois affirmer, ce vaisseau était dans le plus grand péril. Un autre habitant prit la parole, et nous dit qu'il avait traversé plusieurs fois le canal qui sépare l'île d'Ambre de la côte; qu'il l'avait sondé, que la tenure et le mouillage en étaient très bons, et que le vaisseau y était en parfaite sûreté comme dans le meilleur port : « J'y mettrais toute ma fortune, ajouta-t-il, et j'y dormirais aussi tranquillement qu'à terre. » Un troisième habitant dit qu'il était impossible que ce vaisseau pût entrer dans ce canal, où à peine les chaloupes pouvaient naviguer. Il assura qu'il l'avait vu mouiller au-delà de l'île d'Ambre, en sorte que si le vent venait à s'élever au matin, il serait le maître de pousser au large, ou de gagner le port. D'autres habitants ouvrirent d'autres opinions. Pendant qu'ils contestaient entre eux, suivant la coutume des Créoles oisifs, Paul et moi nous gardions un profond silence. Nous restâmes là jusqu'au petit point du jour; mais il faisait trop peu de clarté au ciel pour qu'on pût distinguer aucun objet sur la mer, qui d'ailleurs était couverte de brume : nous n'entrevîmes au large qu'un nuage sombre, qu'on nous dit être l'île d'Ambre, située à un quart de lieue de la côte. On n'apercevait dans ce jour ténébreux que la pointe du rivage où nous étions, et quelques pitons des montagnes de l'intérieur de l'île, qui apparaissaient de temps en temps au milieu des nuages qui circulaient autour.

Vers les sept heures du matin nous entendîmes dans les bois un bruit de tambours : c'était le gouverneur [123], M. de la Bourdonnais, qui arrivait à cheval, suivi d'un détachement de soldats armés de fusils, et d'un grand nombre d'habitants et de noirs. Il plaça ses soldats sur le rivage, et leur ordonna de faire feu de leurs armes tous à la fois. A peine leur décharge fut faite que nous aperçûmes sur la mer une lueur, suivie presque aussitôt d'un coup de canon. Nous jugeâmes que le vaisseau était à peu de distance de nous, et nous courûmes tous du côté où nous avions vu son signal. Nous aperçûmes alors, à travers le brouillard, le corps et les vergues d'un grand vaisseau. Nous en étions si près que, malgré le bruit des flots, nous entendîmes le sifflet du maître qui commandait la manœuvre, et les cris des matelots, qui crièrent trois fois VIVE LE ROI ! [124] car c'est le cri des Français dans les dangers extrêmes, ainsi que dans les grandes joies : comme si, dans les dangers, ils appelaient leur prince à leur secours, ou comme s'ils voulaient témoigner alors qu'ils sont prêts à périr pour lui.

Depuis le moment où le Saint-Géran aperçut que nous étions à portée de le secourir, il ne cessa de tirer du canon de trois minutes en trois minutes. M. de la Bourdonnais fit allumer de grands feux de distance en distance sur la grève, et envoya chez tous les habitants du voisinage chercher des vivres, des planches, des câbles, et des tonneaux vides. On en vit arriver bientôt une foule, accompagnés de leurs noirs chargés de provisions et d'agrès, qui venaient des habitations de la Poudre-d'or, du quartier de Flacque, et de la rivière du Rempart[125]. Un des plus anciens de ces habitants s'approcha du gouverneur, et lui dit : « Monsieur, on a entendu toute la nuit des bruits sourds dans la montagne ; dans les bois les feuilles des arbres remuent sans qu'il fasse de vent ; les oiseaux de marine se réfugient à terre : certainement tous ces signes annoncent un ouragan. — Eh bien ! mes amis, répondit le gouverneur, nous y sommes préparés, et sûrement le vaisseau l'est aussi. »

En effet tout présageait l'arrivée prochaine d'un ouragan. Les nuages qu'on distinguait au zénith étaient à leur centre d'un noir affreux, et cuivrés sur leurs bords. L'air retentissait[126] des cris des paille-en-cul, des frégates, des coupeurs d'eau, et d'une multitude d'oiseaux de marine, qui, malgré l'obscurité de l'atmosphère, venaient de tous les points de l'horizon chercher des retraites dans l'île.

Vers les neuf heures du matin[127] on entendit du côté de la mer des bruits épouvantables, comme si des torrents d'eau, mêlés à des tonnerres, eussent roulé du haut des montagnes. Tout le monde s'écria : « Voilà l'ouragan ! » et dans l'instant un tourbillon affreux de vent enleva la brume qui couvrait l'île d'Ambre et son canal. Le Saint-Géran parut alors à découvert avec son pont chargé de monde, ses vergues et ses mâts de hune amenés sur le tillac, son pavillon en berne, quatre câbles sur son avant, et un de retenue sur son arrière[128]. Il était mouillé entre l'île d'Ambre et la terre, en deçà de la ceinture de récifs qui entoure l'Ile-de-France, et qu'il avait franchie par un endroit où jamais vaisseau n'avait passé avant lui. Il présentait son avant aux flots qui venaient de la pleine mer, et à chaque lame d'eau qui s'engageait dans le canal, sa proue se soulevait tout entière, de sorte qu'on en voyait la carène en l'air ; mais dans ce mouvement sa poupe, venant à plonger, disparaissait à la vue jusqu'au couronnement, comme si elle eût été submergée. Dans cette position où le vent et la mer le jetaient à terre, il lui était également impossible de s'en aller par où il était venu, ou, en coupant ses câbles, d'échouer sur le rivage, dont il était séparé par de hauts fonds semés de récifs. Chaque lame qui venait briser sur la côte s'avançait en mugissant jusqu'au fond des anses, et y jetait des galets à plus de cinquante pieds dans les terres ; puis, venant à se retirer, elle découvrait une grande partie du lit du rivage, dont elle roulait les cailloux avec un bruit rauque et affreux. La mer, soulevée par le vent, grossissait à chaque instant, et tout le canal compris entre cette île et l'île d'Ambre n'était qu'une vaste nappe d'écumes blanches, creusées de vagues noires et profondes. Ces écumes s'amassaient dans le fond des anses à plus de six pieds de hauteur, et le vent, qui en balayait la surface, les portait par-dessus l'escarpement du rivage à plus d'une demi-lieue dans les terres. A leurs flocons blancs et innombrables, qui étaient chassés horizontalement jusqu'au pied des montagnes, on eût dit d'une neige qui sortait de la mer [129]. L'horizon offrait tous les signes d'une longue tempête ; la mer y paraissait confondue avec le ciel. Il s'en détachait sans cesse des nuages d'une forme horrible qui traversaient le zénith avec la vitesse des oiseaux, tandis que d'autres y paraissaient immobiles comme de grands rochers. On n'apercevait aucune partie azurée du firmament ; une lueur olivâtre et blafarde éclairait seule tous les objets de la terre, de la mer, et des cieux [130].

Dans les balancements du vaisseau, ce qu'on craignait arriva. Les câbles de son avant rompirent ; et, comme il n'était plus retenu que par une seule ansière [131] il fut jeté sur les rochers à une demi-encablure du rivage [132]. Ce ne fut qu'un cri de douleur parmi nous. Paul allait s'élancer à la mer, lorsque je le saisis par le bras : « Mon fils, lui dis-je, voulez-vous périr ? — Que j'aille à son secours, s'écria-t-il, ou que je meure ! » Comme le désespoir lui ôtait la raison, pour prévenir sa perte, Domingue et moi lui attachâmes à la ceinture une longue corde dont nous saisîmes l'une des extrémités. Paul alors s'avança vers le Saint-Géran, tantôt nageant, tantôt marchant sur les récifs. Quelquefois il avait l'espoir de l'aborder, car la mer, dans ses mouvements irréguliers, laissait le vaisseau presque à sec, de manière qu'on en eût pu faire le tour à pied ; mais bientôt après, revenant sur ses pas avec une nouvelle furie, elle le couvrait d'énormes voûtes d'eau qui soulevaient tout l'avant de sa carène, et rejetaient bien loin sur le rivage le malheureux Paul, les jambes en sang, la poitrine meurtrie, et à demi

noyé. A peine ce jeune homme avait-il repris l'usage de
ses sens qu'il se relevait et retournait avec une nouvelle
ardeur vers le vaisseau, que la mer cependant entrou-
vrait par d'horribles secousses. Tout l'équipage, déses-
pérant alors de son salut, se précipitait en foule à la
mer, sur des vergues, des planches, des cages à poules,
des tables, et des tonneaux. On vit alors un objet digne
d'une éternelle pitié : une jeune demoiselle parut dans
la galerie de la poupe du Saint-Géran, tendant les bras
vers celui qui faisait tant d'efforts pour la joindre.
C'était Virginie. Elle avait reconnu son amant à son
intrépidité. La vue de cette aimable personne, exposée
à un si terrible danger, nous remplit de douleur et de
désespoir. Pour Virginie, d'un port noble et assuré, elle
nous faisait signe de la main, comme nous disant un
éternel adieu. Tous les matelots s'étaient jetés à la mer.
Il n'en restait plus qu'un sur le pont, qui était tout nu
et nerveux comme Hercule. Il s'approcha de Virginie
avec respect : nous le vîmes se jeter à ses genoux, et
s'efforcer même de lui ôter ses habits ; mais elle, le
repoussant avec dignité, détourna de lui sa vue. On
entendit aussitôt ces cris redoublés des spectateurs :
« Sauvez-la, sauvez-la ; ne la quittez pas ! » Mais dans
ce moment une montagne d'eau d'une effroyable
grandeur s'engouffra entre l'île d'Ambre et la côte, et
s'avança en rugissant vers le vaisseau, qu'elle mena-
çait de ses flancs noirs et de ses sommets écumants. A
cette terrible vue le matelot s'élança seul à la mer ; et
Virginie, voyant la mort inévitable, posa une main sur
ses habits, l'autre sur son cœur, et levant en haut des

yeux sereins, parut un ange qui prend son vol vers les cieux [133].

O jour affreux ! hélas ! tout fut englouti. La lame jeta bien avant dans les terres une partie des spectateurs qu'un mouvement d'humanité avait portés à s'avancer vers Virginie, ainsi que le matelot qui l'avait voulu sauver à la nage. Cet homme, échappé à une mort presque certaine, s'agenouilla sur le sable, en disant : « O mon Dieu ! vous m'avez sauvé la vie ; mais je l'aurais donnée de bon cœur pour cette digne demoiselle qui n'a jamais voulu se déshabiller comme moi. » Domingue et moi nous retirâmes des flots le malheureux Paul sans connaissance, rendant le sang par la bouche et par les oreilles. Le gouverneur le fit mettre entre les mains des chirurgiens ; et nous cherchâmes de notre côté le long du rivage si la mer n'y apporterait point le corps de Virginie : mais le vent ayant tourné subitement, comme il arrive dans les ouragans, nous eûmes le chagrin de penser que nous ne pourrions pas même rendre à cette fille infortunée les devoirs de la sépulture. Nous nous éloignâmes de ce lieu, accablés de consternation, tous l'esprit frappé d'une seule perte, dans un naufrage où un grand nombre de personnes avaient péri, la plupart doutant, d'après une fin aussi funeste d'une fille si vertueuse, qu'il existât une Providence ; car il y a des maux si terribles et si peu mérités, que l'espérance même du sage en est ébranlée.

Cependant on avait mis Paul, qui commençait à reprendre ses sens, dans une maison voisine, jusqu'à ce qu'il fût en état d'être transporté à son habitation. Pour moi, je m'en revins avec Domingue, afin de préparer la mère de Virginie et son amie à ce désastreux événement. Quand nous fûmes à l'entrée du vallon de la rivière des Lataniers, des noirs nous dirent que la mer jetait beaucoup de débris du vaisseau dans la baie vis-à-vis. Nous y descendîmes ; et un des premiers objets que j'aperçus sur le rivage fut le corps de Virginie. Elle était à moitié couverte de sable, dans l'attitude où nous l'avions vue périr. Ses traits n'étaient point sensiblement altérés. Ses yeux étaient fermés ; mais la sérénité était encore sur son front : seulement les pâles violettes de la mort se confondaient sur ses joues avec les roses de la pudeur. Une de ses mains était sur ses habits, et l'autre, qu'elle appuyait sur son cœur, était fortement fermée et roidie [134]. J'en dégageai avec peine une petite boîte : mais quelle fut ma surprise lorsque je vis que c'était le portrait de Paul, qu'elle lui avait promis de ne jamais abandonner tant qu'elle vivrait ! A cette dernière marque de la constance et de l'amour de cette fille infortunée je pleurai amèrement. Pour Domingue, il se frappait la poitrine, et perçait l'air de ses cris douloureux. Nous portâmes le corps de Virginie dans une cabane de pêcheurs, où nous le donnâmes à garder à de pauvres femmes malabares, qui prirent soin de le laver.

Pendant qu'elles s'occupaient de ce triste office, nous montâmes en tremblant à l'habitation. Nous y trouvâmes madame de la Tour et Marguerite en prières, en attendant des nouvelles du vaisseau. Dès que madame de la Tour m'aperçut elle s'écria : « Où est ma fille, ma chère fille, mon enfant ? » Ne pouvant douter de son malheur à mon silence et à mes larmes, elle fut saisie tout à coup d'étouffements et d'angoisses douloureuses ; sa voix ne faisait plus entendre que des soupirs et des sanglots. Pour Marguerite, elle s'écria : « Où est mon fils ? Je ne vois point mon fils » ; et elle s'évanouit. Nous courûmes à elle ; et l'ayant fait revenir, je l'assurai que Paul était vivant, et que le gouverneur en faisait prendre soin. Elle ne reprit ses sens que pour s'occuper de son amie qui tombait de temps en temps dans de longs évanouissements. Madame de la Tour passa toute la nuit dans ces cruelles souffrances ; et par leurs longues périodes j'ai jugé qu'aucune douleur n'était égale à la douleur maternelle. Quand elle recouvrait la connaissance elle tournait des regards fixes et mornes vers le ciel. En vain son amie et moi nous lui pressions les mains dans les nôtres, en vain nous l'appelions par les noms les plus tendres ; elle paraissait insensible à ces témoignages de notre ancienne affection, et il ne sortait de sa poitrine oppressée que de sourds gémissements.

Dès le matin on apporta Paul couché dans un palanquin. Il avait repris l'usage de ses sens ; mais il ne pouvait proférer une parole. Son entrevue avec sa mère et madame de la Tour, que j'avais d'abord redoutée, produisit un meilleur effet que tous les soins que j'avais pris jusqu'alors. Un rayon de consolation parut sur le visage de ces deux malheureuses mères. Elles se mirent l'une et l'autre auprès de lui, le saisirent dans leurs bras, le baisèrent ; et leurs larmes, qui avaient été suspendues jusqu'alors par l'excès de leur chagrin, commencèrent à couler. Paul y mêla bientôt les siennes. La nature s'étant ainsi soulagée dans ces trois infortunés, un long assoupissement succéda à l'état convulsif de leur douleur, et leur procura un repos léthargique semblable, à la vérité, à celui de la mort.

M. de la Bourdonnais m'envoya avertir secrètement que le corps de Virginie avait été apporté à la ville par son ordre, et que de là on allait le transférer à l'église des Pamplemousses. Je descendis aussitôt au Port-Louis, où je trouvai des habitants de tous les quartiers rassemblés pour assister à ses funérailles, comme si l'île eût perdu en elle ce qu'elle avait de plus cher. Dans le port les vaisseaux avaient leurs vergues croisées, leurs pavillons en berne, et tiraient du canon par longs intervalles. Des grenadiers ouvraient la marche du convoi; ils portaient leurs fusils baissés. Leurs tambours, couverts de longs crêpes, ne faisaient entendre que des sons lugubres, et on voyait l'abattement peint dans les traits de ces guerriers qui avaient tant de fois affronté la mort dans les combats sans changer de visage. Huit jeunes demoiselles des plus considérables de l'île, vêtues de blanc, et tenant des palmes à la main, portaient le corps de leur vertueuse compagne, couvert de fleurs. Un chœur de petits enfants le suivait en chantant des hymnes : après eux venait tout ce que l'île avait de plus distingué dans ses habitants et dans son état-major, à la suite duquel marchait le gouverneur, suivi de la foule du peuple.

Voilà ce que l'administration avait ordonné pour rendre quelques honneurs à la vertu de Virginie. Mais quand son corps fut arrivé au pied de cette montagne, à la vue de ces mêmes cabanes dont elle avait fait si longtemps le bonheur, et que sa mort remplissait maintenant de désespoir, toute la pompe funèbre fut dérangée : les hymnes et les chants cessèrent ; on n'entendit plus dans la plaine que des soupirs et des sanglots. On vit accourir alors des troupes de jeunes filles des habitations voisines pour faire toucher au cercueil de Virginie des mouchoirs, des chapelets, et des couronnes de fleurs, en l'invoquant comme une sainte. Les mères demandaient à Dieu une fille comme elle ; les garçons, des amantes aussi constantes ; les pauvres, une amie aussi tendre ; les esclaves, une maîtresse aussi bonne.

Lorsqu'elle fut arrivée au lieu de sa sépulture, des négresses de Madagascar et des Cafres de Mozambique déposèrent autour d'elle des paniers de fruits, et suspendirent des pièces d'étoffes aux arbres voisins, suivant l'usage de leur pays ; des Indiennes du Bengale et de la côte Malabare apportèrent des cages pleines d'oiseaux, auxquels elles donnèrent la liberté sur son corps : tant la perte d'un objet aimable intéresse toutes les nations, et tant est grand le pouvoir de la vertu malheureuse, puisqu'elle réunit toutes les religions autour de son tombeau.

Il fallut mettre des gardes auprès de sa fosse, et en écarter quelques filles de pauvres habitants, qui voulaient s'y jeter à toute force, disant qu'elles n'avaient plus de consolation à espérer dans le monde, et qu'il ne leur restait qu'à mourir avec celle qui était leur unique bienfaitrice.

On l'enterra près de l'église des Pamplemousses, sur son côté occidental, au pied d'une touffe de bambous, où, en venant à la messe avec sa mère et Marguerite, elle aimait à se reposer assise à côté de celui qu'elle appelait alors son frère[135].

Au retour de cette pompe funèbre M. de la Bourdonnais monta ici, suivi d'une partie de son nombreux cortège. Il offrit à madame de la Tour et à son amie tous les secours qui dépendaient de lui. Il s'exprima en peu de mots, mais avec indignation, contre sa tante dénaturée ; et s'approchant de Paul, il lui dit tout ce qu'il crut propre à le consoler. « Je désirais, lui dit-il, votre bonheur et celui de votre famille ; Dieu m'en est témoin. Mon ami, il faut aller en France ; je vous y ferai avoir du service. Dans votre absence j'aurai soin de votre mère comme de la mienne », et en même temps il lui présenta la main ; mais Paul retira la sienne, et détourna la tête pour ne le pas voir.

Pour moi, je restai dans l'habitation de mes amies infortunées pour leur donner, ainsi qu'à Paul, tous les secours dont j'étais capable. Au bout de trois semaines Paul fut en état de marcher ; mais son chagrin paraissait augmenter à mesure que son corps reprenait des forces. Il était insensible à tout, ses regards étaient éteints, et il ne répondait rien à toutes les questions qu'on pouvait lui faire. Madame de la Tour, qui était mourante, lui disait souvent : « Mon fils, tant que je vous verrai, je croirai voir ma chère Virginie. » A ce nom de Virginie il tressaillait et s'éloignait d'elle, malgré les invitations de sa mère qui le rappelait auprès de son amie. Il allait seul se retirer dans le jardin, et s'asseyait au pied du cocotier de Virginie, les yeux fixés sur sa fontaine. Le chirurgien du gouverneur, qui avait pris le plus grand soin de lui et de ces

dames, nous dit que pour le tirer de sa noire mélancolie il fallait lui laisser faire tout ce qu'il lui plairait, sans
le contrarier en rien ; qu'il n'y avait que ce seul moyen
de vaincre le silence auquel il s'obstinait.

Je résolus de suivre son conseil. Dès que Paul sentit
ses forces un peu rétablies, le premier usage qu'il en fit
fut de s'éloigner de l'habitation. Comme je ne le
perdais pas de vue, je me mis en marche après lui, et je
dis à Domingue[136] de prendre des vivres et de nous
accompagner. A mesure que ce jeune homme descen-
dait cette montagne, sa joie et ses forces semblaient
renaître. Il prit d'abord le chemin des Pamplemousses ; et quand il fut auprès de l'église, dans l'allée des
bambous, il s'en fut droit au lieu où il vit de la terre
fraîchement remuée ; là il s'agenouilla, et levant les
yeux au ciel il fit une longue prière. Sa démarche me
parut de bon augure pour le retour de sa raison,
puisque cette marque de confiance envers l'Etre
Suprême faisait voir que son âme commençait à
reprendre ses fonctions naturelles. Domingue et moi
nous nous mîmes à genoux à son exemple, et nous
priâmes avec lui. Ensuite il se leva, et prit sa route vers
le nord de l'île, sans faire beaucoup d'attention à nous.
Comme je savais qu'il ignorait non seulement où on
avait déposé le corps de Virginie, mais même s'il avait
été retiré de la mer, je lui demandai pourquoi il avait
été prier Dieu au pied de ces bambous : il me répondit,
« Nous y avons été si souvent ! »

Il continua sa route jusqu'à l'entrée de la forêt, où la
nuit nous surprit. Là, je l'engageai, par mon exemple,
à prendre quelque nourriture ; ensuite nous dormîmes

sur l'herbe au pied d'un arbre. Le lendemain je crus
qu'il se déterminerait à revenir sur ses pas. En effet il
regarda quelque temps dans la plaine l'église des
Pamplemousses avec ses longues avenues de bambous,
et il fit quelques mouvements comme pour y retourner ; mais il s'enfonça brusquement dans la forêt, en
dirigeant toujours sa route vers le nord. Je pénétrai son
intention, et je m'efforçai en vain de l'en distraire.
Nous arrivâmes sur le milieu du jour au quartier de la
Poudre-d'or. Il descendit précipitamment au bord de
la mer, vis-à-vis du lieu où avait péri le Saint-Géran. A
la vue de l'île d'Ambre, et de son canal alors uni
comme un miroir, il s'écria : « Virginie ! ô ma chère
Virginie ! » et aussitôt il tomba en défaillance. Domingue et moi nous le portâmes dans l'intérieur de la forêt,
où nous le fîmes revenir avec bien de la peine. Dès qu'il
eut repris ses sens il voulut retourner sur les bords de
la mer ; mais l'ayant supplié de ne pas renouveler sa
douleur et la nôtre par de si cruels ressouvenirs, il prit
une autre direction. Enfin pendant huit jours il se
rendit dans tous les lieux où il s'était trouvé avec la
compagne de son enfance. Il parcourut le sentier par
où elle avait été demander la grâce de l'esclave de la
Rivière-noire ; il revit ensuite les bords de la rivière des
Trois-mamelles, où elle s'assit ne pouvant plus marcher, et la partie du bois où elle s'était égarée. Tous les
lieux qui lui rappelaient les inquiétudes, les jeux, les
repas, la bienfaisance de sa bien-aimée ; la rivière de la
Montagne-longue, ma petite maison, la cascade voisine, le papayer qu'elle avait planté, les pelouses où
elle aimait à courir, les carrefours de la forêt où elle se

plaisait à chanter, firent tour à tour couler ses larmes ; et les mêmes échos, qui avaient retenti tant de fois de leurs cris de joie communs, ne répétaient plus maintenant que ces mots douloureux : « Virginie ! ô ma chère Virginie ! »

Dans cette vie sauvage et vagabonde ses yeux se cavèrent, son teint jaunit, et sa santé s'altéra de plus en plus. Persuadé que le sentiment de nos maux redouble par le souvenir de nos plaisirs, et que les passions s'accroissent dans la solitude, je résolus d'éloigner mon infortuné ami des lieux qui lui rappelaient le souvenir de sa perte, et de le transférer dans quelque endroit de l'île où il y eût beaucoup de dissipation. Pour cet effet je le conduisis sur les hauteurs habitées du quartier de Williams [137], où il n'avait jamais été. L'agriculture et le commerce répandaient dans cette partie de l'île [138] beaucoup de mouvement et de variété. Il y avait des troupes de charpentiers qui équarrissaient des bois, et d'autres qui les sciaient en planches ; des voitures allaient et venaient le long de ses chemins ; de grands troupeaux de bœufs et de chevaux y paissaient dans de vastes pâturages, et la campagne y était parsemée d'habitations. L'élévation du sol y permettait en plusieurs lieux la culture de diverses espèces de végétaux de l'Europe. On y voyait çà et là des moissons de blé dans la plaine, des tapis de fraisiers dans les éclaircies des bois, et des haies de rosiers le long des routes. La fraîcheur de l'air, en donnant de la tension aux nerfs, y était même favorable à la santé des blancs. De ces hauteurs, situées vers le milieu de l'île, et entourées de grands bois, on n'apercevait ni la mer,

ni le Port-Louis, ni l'église des Pamplemousses, ni rien
qui pût rappeler à Paul le souvenir de Virginie. Les
montagnes mêmes, qui présentent différentes branches
du côté du Port-Louis, n'offrent plus du côté des
plaines de Williams qu'un long promontoire en ligne
droite et perpendiculaire, d'où s'élèvent plusieurs
longues pyramides de rochers où se rassemblent les
nuages.

Ce fut donc dans ces plaines où je conduisis Paul. Je
le tenais sans cesse en action, marchant avec lui au
soleil et à la pluie, de jour et de nuit, l'égarant exprès
dans les bois, les défrichés, les champs, afin de
distraire son esprit par la fatigue de son corps [139], et de
donner le change à ses réflexions par l'ignorance du
lieu où nous étions, et du chemin que nous avions
perdu. Mais l'âme d'un amant retrouve partout les
traces de l'objet aimé. La nuit et le jour, le calme des
solitudes et le bruit des habitations, le temps même qui
emporte tant de souvenirs, rien ne peut l'en écarter.
Comme l'aiguille touchée de l'aimant, elle a beau être
agitée, dès qu'elle rentre dans son repos, elle se tourne
vers le pôle qui l'attire. Quand je demandais à Paul,
égaré au milieu des plaines de Williams : « Où irons-
nous maintenant ? » il se tournait vers le nord, et me
disait : Voilà nos montagnes, retournons-y. »

Je vis bien que tous les moyens que je tentais pour le
distraire étaient inutiles, et qu'il ne me restait d'autre
ressource que d'attaquer sa passion en elle-même, en y
employant toutes les forces de ma faible raison. Je lui
répondis donc : « Oui, voilà les montagnes où demeurait votre chère Virginie, et voilà le portrait que vous

lui aviez donné, et qu'en mourant elle portait sur son cœur, dont les derniers mouvements ont encore été pour vous. » Je présentai alors à Paul le petit portrait qu'il avait donné à Virginie au bord de la fontaine des cocotiers. A cette vue une joie funeste parut dans ses regards. Il saisit avidement ce portrait de ses faibles mains, et le porta sur sa bouche. Alors sa poitrine s'oppressa, et dans ses yeux à demi sanglants des larmes s'arrêtèrent sans pouvoir couler.

Je lui dis : « Mon fils, écoutez-moi, qui suis votre ami, qui ai été celui de Virginie, et qui, au milieu de vos espérances, ai souvent tâché de fortifier votre raison contre les accidents imprévus de la vie. Que déplorez-vous avec tant d'amertume ? Est-ce votre malheur ? Est-ce celui de Virginie ?

« Votre malheur ? Oui, sans doute, il est grand. Vous avez perdu la plus aimable des filles, qui aurait été la plus digne des femmes. Elle avait sacrifié ses intérêts aux vôtres, et vous avait préféré à la fortune comme la seule récompense digne de sa vertu. Mais que savez-vous si l'objet de qui vous deviez attendre un bonheur si pur n'eût pas été pour vous la source d'une infinité de peines ? Elle était sans bien, et déshéritée ; vous n'aviez désormais à partager avec elle que votre seul travail. Revenue plus délicate par son éducation, et plus courageuse par son malheur même, vous l'auriez vue chaque jour succomber, en s'efforçant de partager vos fatigues. Quand elle vous aurait donné des enfants, ses peines et les vôtres auraient augmenté par la difficulté de soutenir seule avec vous de vieux parents, et une famille naissante.

« Vous me direz : le gouverneur nous aurait aidés. Que savez-vous si, dans une colonie qui change si souvent d'administrateurs, vous aurez souvent des la Bourdonnais ? S'il ne viendra pas ici des chefs sans mœurs et sans morale ? si, pour obtenir quelque misérable secours, votre épouse n'eût pas été obligée de leur faire sa cour ? Ou elle eût été faible, et vous eussiez été à plaindre ; ou elle eût été sage, et vous fussiez resté pauvre : heureux si, à cause de sa beauté et de sa vertu, vous n'eussiez pas été persécuté par ceux mêmes de qui vous espériez de la protection !

« Il me fût resté, me direz-vous, le bonheur, indépendant de la fortune, de protéger l'objet aimé qui s'attache à nous à proportion de sa faiblesse même ; de le consoler par mes propres inquiétudes ; de le réjouir de ma tristesse, et d'accroître notre amour de nos peines mutuelles. Sans doute la vertu et l'amour jouissent de ces plaisirs amers. Mais elle n'est plus, et il vous reste ce qu'après vous elle a le plus aimé, sa mère et la vôtre, que votre douleur inconsolable conduira au tombeau. Mettez votre bonheur à les aider, comme elle l'y avait mis elle-même. Mon fils, la bienfaisance est le bonheur de la vertu ; il n'y en a point de plus assuré et de plus grand sur la terre. Les projets de plaisirs, de repos, de délices, d'abondance, de gloire, ne sont point faits pour l'homme faible, voyageur et passager. Voyez comme un pas vers la fortune nous a précipités tous d'abîme en abîme. Vous vous y êtes opposé, il est vrai ; mais qui n'eût pas cru que le voyage de Virginie devait se terminer par son bonheur et par le vôtre ? Les invitations d'une parente riche et âgée, les conseils d'un sage gouverneur, les applaudissements d'une colonie, les exhortations et l'autorité d'un prêtre, ont décidé du malheur de Virginie. Ainsi nous courons à notre perte, trompés par la prudence même de ceux qui nous gouvernent. Il eût mieux valu sans doute ne pas les croire, ni se fier à la voix et aux espérances d'un monde trompeur. Mais enfin, de tant d'hommes que nous voyons si occupés dans ces plaines, de tant d'autres qui vont chercher la fortune aux Indes, ou qui, sans sortir de chez eux, jouissent en repos en Europe des travaux de ceux-ci, il n'y en a aucun qui ne soit destiné à perdre un jour ce qu'il chérit le plus, grandeurs, fortune, femme, enfants, amis. La plupart auront à joindre à leur perte le souvenir de leur propre imprudence. Pour vous, en rentrant en vous-même, vous n'avez rien à vous reprocher. Vous avez été fidèle à votre foi. Vous avez eu, à la fleur de la jeunesse, la prudence d'un sage, en ne vous écartant pas du sentiment de la nature. Vos vues seules étaient légitimes, parce qu'elles étaient pures, simples, désintéressées, et que vous aviez sur Virginie des droits sacrés qu'aucune fortune ne pouvait balancer. Vous l'avez perdue, et ce n'est ni votre imprudence, ni votre avarice, ni votre fausse sagesse, qui vous l'ont fait perdre, mais Dieu même, qui a employé les passions d'autrui pour vous ôter l'objet de votre amour ; Dieu, de qui vous tenez tout, qui voit tout ce qui vous convient, et dont la sagesse ne vous laisse aucun lieu au repentir et au désespoir qui marchent à la suite des maux dont nous avons été la cause.

« Voilà ce que vous pouvez vous dire dans votre infortune : Je ne l'ai pas méritée. Est-ce donc le malheur de Virginie, sa fin, son état présent, que vous déplorez ? Elle a subi le sort réservé à la naissance, à la beauté, et aux empires mêmes. La vie de l'homme, avec tous ses projets, s'élève comme une petite tour dont la mort est le couronnement. En naissant, elle était condamnée à mourir. Heureuse d'avoir dénoué les liens de la vie avant sa mère, avant la vôtre, avant vous, c'est-à-dire de n'être pas morte plusieurs fois avant la dernière !

« La mort, mon fils, est un bien pour tous les hommes ; elle est la nuit de ce jour inquiet qu'on appelle la vie. C'est dans le sommeil de la mort que reposent pour jamais les maladies, les douleurs, les chagrins, les craintes qui agitent sans cesse les malheureux vivants. Examinez les hommes qui paraissent les plus heureux : vous verrez qu'ils ont acheté leur prétendu bonheur bien chèrement ; la considération publique, par des maux domestiques ; la fortune, par la perte de la santé ; le plaisir si rare d'être aimé, par des sacrifices continuels : et souvent, à la fin d'une vie sacrifiée aux intérêts d'autrui, ils ne voient autour d'eux que des amis faux et des parents ingrats. Mais Virginie a été heureuse jusqu'au dernier moment. Elle l'a été avec nous par les biens de la nature ; loin de nous, par ceux de la vertu : et même dans le moment terrible où nous l'avons vue périr elle était encore heureuse ; car, soit qu'elle jetât les yeux sur une colonie entière à qui elle causait une désolation universelle, ou sur vous qui couriez avec tant d'intrépidité à son

secours, elle a vu combien elle nous était chère à tous
Elle s'est fortifiée contre l'avenir par le souvenir de
l'innocence de sa vie, et elle a reçu alors le prix que le
ciel réserve à la vertu, un courage supérieur au danger.
Elle a présenté à la mort un visage serein.

« Mon fils, Dieu donne à la vertu tous les événements de la vie à supporter, pour faire voir qu'elle
seule peut en faire usage, et y trouver du bonheur et de
la gloire[140]. Quand il lui réserve une réputation
illustre, il l'élève sur un grand théâtre, et la met aux
prises avec la mort ; alors son courage sert d'exemple,
et le souvenir de ses malheurs reçoit à jamais un tribut
de larmes de la postérité. Voilà le monument immortel
qui lui est réservé sur une terre où tout passe, et où la
mémoire même de la plupart des rois est bientôt
ensevelie dans un éternel oubli.

« Mais Virginie existe encore. Mon fils, voyez que
tout change sur la terre, et que rien ne s'y perd. Aucun
art humain ne pourrait anéantir la plus petite particule
de matière, et ce qui fut raisonnable, sensible, aimant,
vertueux, religieux, aurait péri, lorsque les éléments
dont il était revêtu sont indestructibles ? Ah ! si Virginie a été heureuse avec nous, elle l'est maintenant bien
davantage. Il y a un Dieu, mon fils : toute la nature
l'annonce ; je n'ai pas besoin de vous le prouver. Il n'y
a que la méchanceté des hommes qui leur fasse nier
une justice qu'ils craignent. Son sentiment est dans
votre cœur, ainsi que ses ouvrages sont sous vos yeux.
Croyez-vous donc qu'il laisse Virginie sans récompense ? Croyez-vous que cette même puissance qui
avait revêtu cette âme si noble d'une forme si belle, où

vous sentiez un art divin, n'aurait pu la tirer des flots ?
que celui qui a arrangé le bonheur actuel des hommes
par des lois que vous ne connaissez pas ne puisse en
préparer un autre à Virginie par des lois qui vous sont
également inconnues ? Quand nous étions dans le
néant, si nous eussions été capables de penser, aurions-
nous pu nous former une idée de notre existence ? Et
maintenant que nous sommes dans cette existence
ténébreuse et fugitive, pouvons-nous prévoir ce qu'il y
a au-delà de la mort par où nous en devons sortir ?
Dieu a-t-il besoin, comme l'homme, du petit globe de
notre terre pour servir de théâtre à son intelligence et à
sa bonté, et n'a-t-il pu propager la vie humaine que
dans les champs de la mort ? Il n'y a pas dans l'océan
une seule goutte d'eau qui ne soit pleine d'êtres vivants
qui ressortissent à nous, et ils n'existerait rien pour
nous parmi tant d'astres qui roulent sur nos têtes ?
Quoi ! il n'y aurait d'intelligence suprême et de bonté
divine précisément que là où nous sommes ; et dans ces
globes rayonnants et innombrables, dans ces champs
infinis de lumière qui les environnent, que ni les orages
ni les nuits n'obscurcissent jamais, il n'y aurait qu'un
espace vain et un néant éternel ? Si nous, qui ne nous
sommes rien donné, osions assigner des bornes à la
puissance de laquelle nous avons tout reçu, nous
pourrions croire que nous sommes ici sur les limites de
son empire, où la vie se débat avec la mort, et
l'innocence avec la tyrannie [141] ?

« Sans doute il est quelque part un lieu où la vertu
reçoit sa récompense. Virginie maintenant est heureuse. Ah ! si du séjour des anges [142] elle pouvait se

communiquer à vous, elle vous dirait comme dans ses
adieux : « O Paul ! la vie n'est qu'une épreuve. J'ai été
trouvée fidèle aux lois de la nature, de l'amour, et de la
vertu. J'ai traversé les mers pour obéir à mes parents ;
j'ai renoncé aux richesses pour conserver ma foi ; et j'ai
mieux aimé perdre la vie que de violer la pudeur. Le
ciel a trouvé ma carrière suffisamment remplie. J'ai
échappé pour toujours à la pauvreté, à la calomnie,
aux tempêtes, au spectacle des douleurs d'autrui.
Aucun des maux qui effrayent les hommes ne peut plus
désormais m'atteindre ; et vous me plaignez ! Je suis
pure et inaltérable comme une particule de lumière ; et
vous me rappelez dans la nuit de la vie ! O Paul ! ô mon
ami ! souviens-toi de ces jours de bonheur, où dès le
matin nous goûtions la volupté des cieux [143], se levant
avec le soleil sur les pitons de ces rochers, et se
répandant avec ses rayons au sein de nos forêts. Nous
éprouvions un ravissement dont nous ne pouvions
comprendre la cause. Dans nos souhaits innocents
nous désirions être tout vue, pour jouir des riches
couleurs de l'aurore ; tout odorat, pour sentir les
parfums de nos plantes ; tout ouïe, pour entendre les
concerts de nos oiseaux ; tout cœur, pour reconnaître
ces bienfaits. Maintenant à la source de la beauté d'où
découle tout ce qui est agréable sur la terre, mon âme
voit, goûte, entend, touche immédiatement ce qu'elle
ne pouvait sentir alors que par de faibles organes. Ah !
quelle langue pourrait décrire ces rivages d'un orient
éternel que j'habite pour toujours ? Tout ce qu'une
puissance infinie et une bonté céleste ont pu créer pour
consoler un être malheureux ; tout ce que l'amitié

d'une infinité d'êtres, réjouis de la même félicité, peut mettre d'harmonie dans des transports communs, nous l'éprouvons sans mélange. Soutiens donc l'épreuve qui t'est donnée, afin d'accroître le bonheur de ta Virginie par des amours qui n'auront plus de terme, par un hymen dont les flambeaux ne pourront plus s'éteindre. Là j'apaiserai tes regrets ; là j'essuierai tes larmes. O mon ami ! mon jeune époux ! élève ton âme vers l'infini pour supporter des peines d'un moment. »

Ma propre émotion mit fin à mon discours. Pour Paul, me regardant fixement, il s'écria : « Elle n'est plus ! elle n'est plus ! » et une longue faiblesse succéda à ces douloureuses paroles. Ensuite, revenant à lui, il dit : « Puisque la mort est un bien, et que Virginie est heureuse, je veux aussi mourir pour me rejoindre à Virginie. » Ainsi mes motifs de consolation ne servirent qu'à nourrir son désespoir. J'étais comme un homme qui veut sauver son ami coulant à fond au milieu d'un fleuve sans vouloir nager. La douleur l'avait submergé. Hélas ! les malheurs du premier âge préparent l'homme à entrer dans la vie, et Paul n'en avait jamais éprouvé.

Je le ramenai à son habitation. J'y trouvai sa mère et madame de la Tour dans un état de langueur qui avait encore augmenté. Marguerite était la plus abattue. Les caractères vifs sur lesquels glissent les peines légères sont ceux qui résistent le moins aux grands chagrins.

Elle me dit : « O mon bon voisin ! il m'a semblé cette nuit voir Virginie vêtue de blanc, au milieu de bocages et de jardins délicieux. Elle m'a dit : Je jouis

d'un bonheur digne d'envie. Ensuite elle s'est appro-
chée de Paul d'un air riant, et l'a enlevé avec elle.
Comme je m'efforçais de retenir mon fils, j'ai senti que
je quittais moi-même la terre, et que je le suivais avec
un plaisir inexprimable. Alors j'ai voulu dire adieu à
mon amie ; aussitôt [144] je l'ai vue qui nous suivait avec
Marie et Domingue. Mais ce que je trouve encore de
plus étrange, c'est que madame de la Tour a fait cette
même nuit un songe accompagné des mêmes circonstances. »

Je lui répondis : « Mon amie, je crois que rien
n'arrive dans le monde sans la permission de Dieu. Les
songes annoncent quelquefois la vérité. »

Madame de la Tour me fit le récit d'un songe tout à
fait semblable qu'elle avait eu cette même nuit. Je
n'avais jamais remarqué dans ces deux dames aucun
penchant à la superstition ; je fus donc frappé de la
concordance de leur songe, et je ne doutai pas en moi-
même qu'il ne vînt à se réaliser. Cette opinion, que la
vérité se présente quelquefois à nous pendant le
sommeil, est répandue chez tous les peuples de la terre.
Les plus grands hommes de l'antiquité y ont ajouté foi,
entre autres Alexandre, César, les Scipions, les deux
Catons et Brutus, qui n'étaient pas des esprits faibles.
L'ancien et le nouveau Testament nous fournissent
quantité d'exemples de songes qui se sont réalisés.
Pour moi, je n'ai besoin à cet égard que de ma propre
expérience, et j'ai éprouvé plus d'une fois que les
songes sont des avertissements que nous donne quelque intelligence qui s'intéresse à nous. Que si l'on veut
combattre ou défendre avec des raisonnements des

choses qui surpassent la lumière de la raison humaine, c'est ce qui n'est pas possible. Cependant si la raison de l'homme n'est qu'une image de celle de Dieu, puisque l'homme a bien le pouvoir [145] de faire parvenir ses intentions jusqu'au bout du monde par des moyens secrets et cachés, pourquoi l'intelligence qui gouverne l'univers n'en emploierait-elle pas de semblables pour la même fin ? Un ami console son ami par une lettre qui traverse une multitude de royaumes, circule au milieu des haines des nations, et vient apporter de la joie et de l'espérance à un seul homme ; pourquoi le souverain protecteur de l'innocence ne peut-il venir, par quelque voie secrète, au secours d'une âme vertueuse qui ne met sa confiance qu'en lui seul ? A-t-il besoin d'employer quelque signe extérieur pour exécuter sa volonté, lui qui agit sans cesse dans tous ses ouvrages par un travail intérieur ?

Pourquoi douter des songes ? La vie, remplie de tant de projets passagers et vains, est-elle autre chose qu'un songe ?

Quoi qu'il en soit, celui de mes amies infortunées se réalisa bientôt. Paul mourut deux mois après la mort de sa chère Virginie, dont il prononçait sans cesse le nom. Marguerite vit venir sa fin huit jours après celle de son fils avec une joie qu'il n'est donné qu'à la vertu d'éprouver. Elle fit les plus tendres adieux à madame de la Tour, « dans l'espérance, lui dit-elle, d'une douce et éternelle réunion. La mort est le plus grand des biens, ajouta-t-elle ; on doit la désirer. Si la vie est une punition, on doit en souhaiter la fin ; si c'est une épreuve, on doit la demander courte. »

Le gouvernement prit soin de Domingue et de Marie, qui n'étaient plus en état de servir, et qui ne survécurent pas longtemps à leurs maîtresses. Pour le pauvre Fidèle [146], il était mort de langueur à peu près dans le même temps que son maître.

J'amenai chez moi madame de la Tour, qui se soutenait au milieu de si grandes pertes avec une grandeur d'âme incroyable. Elle avait consolé Paul et Marguerite jusqu'au dernier instant, comme si elle n'avait eu que leur malheur à supporter. Quand elle ne les vit plus, elle m'en parlait chaque jour [147] comme d'amis chéris qui étaient dans le voisinage. Cependant elle ne leur survécut que d'un mois. Quant à sa tante, loin de lui reprocher ses maux, elle priait Dieu de les lui pardonner, et d'apaiser les troubles affreux d'esprit où nous apprîmes qu'elle était tombée immédiatement après qu'elle eut renvoyé Virginie avec tant d'inhumanité.

Cette parente dénaturée ne porta pas loin la punition de sa dureté. J'appris, par l'arrivée successive de plusieurs vaisseaux, qu'elle était agitée de vapeurs qui lui rendaient la vie et la mort également insupportables. Tantôt elle se reprochait la fin prématurée de sa charmante petite-nièce, et la perte de sa mère qui s'en était suivie. Tantôt elle s'applaudissait d'avoir repoussé loin d'elle deux malheureuses qui, disait-elle, avaient déshonoré sa maison par la bassesse de leurs inclinations. Quelquefois, se mettant en fureur à la vue de ce grand nombre de misérables dont Paris est rempli : « Que n'envoie-t-on, s'écriait-elle, ces fainéants périr dans nos colonies ? » Elle ajoutait que les idées d'humanité, de vertu, de religion, adoptées par tous les peuples, n'étaient que des inventions de la politique de leurs princes. Puis, se jetant tout à coup dans une extrémité opposée, elle s'abandonnait à des terreurs superstitieuses qui la remplissaient de frayeurs mortelles. Elle courait porter d'abondantes aumônes à de riches moines qui la dirigeaient, les suppliant d'apaiser la Divinité par le sacrifice de sa fortune : comme si des biens qu'elle avait refusés aux malheureux pouvaient plaire au père des hommes ! Souvent son imagination lui représentait des campagnes de feu, des montagnes ardentes, où des spectres hideux erraient en l'appelant à grands cris. Elle se jetait aux pieds de ses directeurs, et elle imaginait contre elle-même des tortures et des supplices ; car le ciel, le juste ciel, envoie aux âmes cruelles des religions effroyables.

Ainsi elle passa plusieurs années, tour à tour athée et superstitieuse, ayant également en horreur la mort et la vie. Mais ce qui acheva la fin d'une si déplorable existence fut le sujet même auquel elle avait sacrifié les sentiments de la nature. Elle eut le chagrin de voir que sa fortune passerait après elle à des parents qu'elle haïssait. Elle chercha donc à en aliéner la meilleure partie ; mais ceux-ci, profitant des accès de vapeurs auxquelles elle était sujette, la firent enfermer comme folle, et mettre ses biens en direction. Ainsi ses richesses mêmes achevèrent sa perte ; et comme elles avaient endurci le cœur de celle qui les possédait, elles dénaturèrent de même le cœur de ceux qui les désiraient. Elle mourut donc, et, ce qui est le comble du malheur, avec assez d'usage de sa raison pour connaître qu'elle était dépouillée et méprisée par les mêmes personnes dont l'opinion l'avait dirigée toute sa vie.

On a mis auprès de Virginie, au pied des mêmes roseaux, son ami Paul, et autour d'eux leurs tendres mères et leurs fidèles serviteurs [148]. On n'a point élevé de marbres sur leurs humbles tertres, ni gravé d'inscriptions à leurs vertus ; mais leur mémoire est restée ineffaçable dans le cœur de ceux qu'ils ont obligés. Leurs ombres n'ont pas besoin de l'éclat qu'ils ont fui pendant leur vie ; mais si elles s'intéressent encore à ce qui se passe sur la terre, sans doute elles aiment à errer sous les toits de chaume qu'habite la vertu laborieuse, à consoler la pauvreté mécontente de son sort, à nourrir dans les jeunes amants une flamme durable, le goût des biens naturels, l'amour du travail, et la crainte des richesses.

La voix du peuple, qui se tait sur les monuments élevés à la gloire des rois, a donné à quelques parties de cette île des noms qui éterniseront la perte de Virginie. On voit près de l'île d'Ambre, au milieu des écueils, un lieu appelé LA PASSE DU SAINT-GÉRAN, du nom de ce vaisseau qui y périt en la ramenant d'Europe. L'extrémité de cette longue pointe de terre que vous apercevez à trois lieues d'ici, à demi couverte des flots de la mer, que le Saint-Géran ne put doubler la veille de l'ouragan pour entrer dans le port, s'appelle LE CAP MALHEUREUX ; et voici devant nous, au bout de ce vallon LA BAIE DU TOMBEAU [149], où Virginie fut trouvée ensevelie dans le sable ; comme si la mer eût voulu rapporter son corps à sa famille, et rendre les derniers devoirs à sa pudeur sur les mêmes rivages qu'elle avait honorés de son innocence.

Jeunes gens si tendrement unis ! mères infortunées ! chère famille ! ces bois qui vous donnaient leurs ombrages, ces fontaines qui coulaient pour vous, ces coteaux où vous reposiez ensemble, déplorent encore votre perte. Nul depuis vous n'a osé cultiver cette terre désolée, ni relever ces humbles cabanes. Vos chèvres sont devenues sauvages ; vos vergers sont détruits ; vos oiseaux sont enfuis, et on n'entend plus que les cris des éperviers qui volent en rond au haut de ce bassin de rochers. Pour moi, depuis que je ne vous vois plus, je suis comme un ami qui n'a plus d'amis, comme un père qui a perdu ses enfants, comme un voyageur qui erre sur la terre, où je suis resté seul.

En disant ces mots ce bon vieillard s'éloigna en versant des larmes, et les miennes avaient coulé plus d'une fois pendant ce funeste récit.

Annexes

I. AVANT-PROPOS[150]

Je me suis proposé de grands desseins dans ce petit ouvrage. J'ai tâché d'y peindre un sol et des végétaux différents de ceux de l'Europe. Nos poètes ont assez reposé leurs amants sur le bord des ruisseaux, dans les prairies et sous le feuillage des hêtres. J'en ai voulu asseoir sur le rivage de la mer, au pied des rochers, à l'ombre des cocotiers, des bananiers et des citronniers en fleurs. Il ne manque à l'autre partie du monde que des Théocrites et des Virgiles pour que nous en ayons des tableaux au moins aussi intéressants que ceux de notre pays. Je sais que des voyageurs pleins de goût nous ont donné des descriptions enchantées de plusieurs îles de la mer du Sud; mais les mœurs de leurs habitants, et encore plus celles des Européens qui y abordent, en gâtent souvent le paysage. J'ai désiré réunir à la beauté de la nature entre les tropiques la beauté morale d'une petite société. Je me suis proposé aussi d'y mettre en évidence plusieurs grandes vérités, entre autres celle-ci : que notre bonheur consiste à vivre suivant la nature et la vertu. Cependant, il ne

m'a point fallu imaginer de roman pour peindre des
familles heureuses. Je puis assurer que celles dont je
vais parler ont vraiment existé, et que leur histoire est
vraie dans ses principaux événements. Ils m'ont été
certifiés par plusieurs habitants que j'ai connus à l'île
de France. Je n'y ai ajouté que quelques circonstances
indifférentes, mais qui, m'étant personnelles, ont
encore en cela même de la réalité. Lorsque j'eus formé,
il y a quelques années, une esquisse fort imparfaite de
cette espèce de pastorale, je priai une belle dame qui
fréquentait le grand monde, et des hommes graves qui
en vivaient loin [151], d'en entendre la lecture, afin de
pressentir l'effet qu'elle produirait sur des lecteurs de
caractères si différents : j'eus la satisfaction de leur
voir verser à tous des larmes. Ce fut le seul jugement
que j'en pus tirer, et c'était aussi tout ce que j'en
voulais savoir. Mais comme souvent un grand vice
marche à la suite d'un petit talent, ce succès m'inspira
la vanité de donner à mon ouvrage le titre de *Tableau de
la Nature.* Heureusement, je me rappelai combien la
nature même du climat où je suis né m'était étrangère ;
combien, dans des pays où je n'ai vu ses productions
qu'en voyageur, elle est riche, variée, aimable, magnifique, mystérieuse, et combien je suis dénué de sagacité, de goût et d'expressions pour la connaître et la
peindre Je rentrai alors en moi-même. J'ai donc
compris ce faible essai sous le nom et à la suite de mes
Etudes de la Nature, que le public a accueillies avec tant
de bonté, afin que ce titre, lui rappelant mon incapa-
cité, le fît toujours ressouvenir de son indulgence.

II. AVIS SUR CETTE EDITION[152]

J'ai fait faire, sans souscription, cette édition in-18 de PAUL ET VIRGINIE en faveur des dames qui désirent mettre mes ouvrages dans leur poche; mais je ne peux courir les risques d'une édition entière de tous mes ouvrages, aussi soignée, dans un pareil format, à cause du grand nombre de petits volumes, et des frais qu'en entraînerait l'impression. D'ailleurs le nombre des souscripteurs étant plus du double plus grand pour une édition in-8 que pour une édition in-18, je me trouve obligé, suivant la promesse que j'en ai faite dans l'*Avis* de mon quatrième volume des *Etudes de la Nature,* d'ouvrir une souscription pour l'in-8°, que j'ai réduite à une simple inscription, dont le prospectus est à la fin de ce volume.

En attendant, je n'ai rien négligé pour rendre cette édition particulière de *Paul et Virginie* digne des yeux dont ils ont fait couler les larmes.

1° M. DIDOT jeune, imprimeur de MON-SIEUR, y a employé un caractère tout neuf, et des plus jolis de sa fonderie. De plus, ayant acquis la belle

papeterie d'Essone, maintenant papeterie de MON-
SIEUR, qu'il porte à la perfection, ainsi que son
imprimerie, il a imprimé cette édition sur un fort beau
papier, et il en a tiré un certain nombre d'exemplaires
sur un papier vélin de sa composition, le premier de ce
genre qui soit sorti de sa manufacture. Il a fait même
examiner feuille à feuille les rames de ce papier, afin
d'en retrancher toutes celles qui ne se trouveraient pas
de la même nuance : attention bien rare dans les
éditions les plus recherchées. Enfin, il les a fait passer à
son cylindre pour satiner l'impression; de sorte que
j'ai trouvé chez lui tous les arts qui peuvent rendre
parfaite l'édition d'un livre, et, ce que les arts ne
donnent pas toujours, l'affection et le zèle, qui font
marcher d'accord plusieurs arts différents.

2° M. MOREAU LE JEUNE, dessinateur du
Cabinet du Roi, a dessiné les trois premières planches
de *Paul et Virginie,* et en a dirigé la gravure, ainsi que
celle de la quatrième, avec cette correction et ce goût
dont le rare assemblage est particulier à ses productions, surtout à celles qu'il affectionne. Il a donné à
chaque caractère et à chaque site son expression
propre; et quoique le champ en soit très petit, il a
développé, à l'ordinaire, ses grands talents.

3° M. VERNET[153] m'a voulu donner une preuve
de l'intérêt qu'il prend à la célébrité de mes ouvrages,
et ce qui m'est plus sensible, un témoignage particulier
de son amitié, en dessinant dans la quatrième planche
le naufrage et la mort de Virginie. Je me sens aussi

flatté du suffrage des artistes en faveur de mes *Etudes*
que de celui des physiciens ; car les artistes étudient la
nature par des méthodes qui ne sont pas moins sûres
que des instruments, et dans des résultats harmoni-
ques aussi intéressants et aussi certains que les causes
physiques qui les produisent. Le lecteur sentira donc,
comme moi, tout le prix du dessin d'un peintre aussi
fameux que M. VERNET, qui, de tous les peintres, a
le mieux étudié les harmonies générales de la nature, et
en a le mieux rendu l'ensemble dans ses immortels
tableaux.

Pour moi, j'ai corrigé dans cette édition quelques
fautes de date et de style qui m'étaient échappées dans
celle de mon quatrième volume des *Etudes de la Nature*
et j'en ai revu les épreuves avec le plus grand soin.

C'est ici le lieu de dire quelque chose du jugement
qu'ont porté quelques journaux de ce quatrième
volume, et particulièrement de *Paul et Virginie*. M. le
rédacteur du *Journal général de France* a loué cette
pastorale avec enthousiasme. Celui de l'*Année Littéraire*
lui a donné à peu près autant d'éloges ; mais entraîné
par son goût pour la littérature ancienne, et par le
sentiment d'une utilité plus générale, il lui préfère le
premier livre de mon *Arcadie*. Ni l'un ni l'autre n'ont
parlé de l'*Avis* en tête de ce quatrième volume, dans
lequel j'ai résumé toutes mes preuves en faveur de ma
théorie des marées, si importante à l'étude de la
nature. Ils se sont conformés sur ce point au silence
universel des Journaux, qui regardent cependant les
sciences naturelles comme la partie la plus intéressante
de leurs extraits. A la vérité, le *Mercure de France* a

effleuré ce sujet dans le préambule du compte qu'il a rendu de *Paul et Virginie,* le 11 octobre 1788. Mais après avoir altéré quelques-unes de mes preuves, dissimulé les autres, il me renvoie au jugement des Académies des Sciences, que j'ai accusées d'erreur dans leur hypothèse de l'aplatissement des pôles. Ainsi il me donne mes parties pour juges. Toutefois, malgré l'appel qu'il fait de ma cause aux Académies, aucune jusqu'à présent n'a voulu la juger. Bien plus, c'est qu'un mois après cette invitation, l'Académie de Lyon, loin de rien décider contre moi, a mis en question dans ce même *Mercure* l'aplatissement des pôles, cette hypothèse incompatible avec ma théorie des marées, et que j'avais préalablement détruite, en particulier par des conséquences géométriques tirées des observations mêmes de nos astronomes. L'Académie de Lyon la met maintenant en problème, et en présente la solution pour sujet du prix de l'année 1790. C'est déjà un grand succès pour moi d'avoir mis en doute, dans une assemblée d'hommes sages et éclairés, une opinion appuyée des plus grands noms, et qui, depuis soixante-dix ans, passait pour une vérité évidente chez tous les géomètres de l'Europe.

M. le rédacteur du *Mercure,* non content d'avoir décidé que je n'avais rien prouvé dans ma théorie des marées, où j'ai présenté des faits si curieux, si nouveaux, si multipliés, décide de plus que je suis incapable de rien voir ni rien expliquer dans l'étude de la nature. Pour preuve, il me suppose, avec toute la politesse imaginable, un talent extraordinaire de peindre la nature, et il me l'oppose. Il met en principe contre moi cet étrange paradoxe « que plus un homme est fait pour être fortement ému par le spectacle de la nature, moins il est dans une disposition favorable pour en bien démêler les ressorts ». Je n'ai pas besoin de faire observer au lecteur que, dans ce même *Journal,* on a souvent posé un principe contraire en faveur des talents et des systèmes de M. de Buffon. Le *Mercure* se vante d'être une balance équitable pour tous les auteurs ; mais il me semble qu'on y met les poids selon les fortunes. Voici le raisonnement dont on y appuie ce paradoxe : c'est qu'un écrivain ému du spectacle de la nature « cherche toujours des motifs où il ne devrait chercher que des causes, parce que son âme sensible aime à voir partout un ordre de choses qui protège sa faiblesse ».

Ici, M. le rédacteur ne s'est pas aperçu qu'il se contredisait, en m'accusant de chercher toujours des motifs, puisqu'il a rejeté lui-même les nouvelles causes que j'ai assignées aux courants et aux marées dans la fonte des glaces polaires, dont j'ai dérivé une nouvelle cause du déluge, et même celle du mouvement de la terre, qui nous donne les saisons. Il oublie de plus que j'ai cherché, et, j'ose dire, trouvé beaucoup d'autres causes très importantes à la physique, telles que celles des volcans, qui doivent l'entretien de leurs feux aux bitumes des mers et des lacs, sur les bords desquels ils sont toujours situés ; celles du cours des rivières, qui doivent leurs sources aux pics électriques des montagnes, qui attirent sans cesse les nuages ; celles des aurores boréales, qui tirent leurs reflets lumineux des glaces polaires, etc... D'ailleurs ces motifs mêmes, qu'il m'accuse de chercher uniquement, m'ont fait découvrir les causes de plusieurs effets et les usages des parties les plus apparentes des plantes, qui, jusqu'à présent, n'avaient pas même été soupçonnés des naturalistes, tels sont les usages des pétales des fleurs pour rassembler les rayons du soleil sur les parties sexuelles des plantes, ou les diverger suivant les saisons et les latitudes; des formes des graines carénées pour les eaux, volatiles pour les airs; des feuilles des végétaux, toujours consonantes à la forme de leurs semences, façonnées dans les lieux arides en becs d'oiseaux, en langues, en pinceaux, en gouttières, pour recueillir les eaux des pluies, et d'une configuration tout opposée dans les végétaux qui croissent dans les lieux humides, etc.

Quant à cette disposition de mon âme qui la porte à rechercher dans la nature des motifs ou des causes finales, « parce qu'elle aime à voir partout un ordre de choses qui protège sa faiblesse », M. le journaliste a raison.

Le sentiment de cet ordre m'a rendu bien fort. Il m'a fait supporter les voyages, les dangers, les infirmités, les chagrins domestiques, les persécutions des Corps, l'injustice des Grands, l'inconstance des amis, les calomnies de mes ennemis : seul, sans fortune, sans prôneur, sans protecteur, sans intrigue, sans servir et sans craindre les haines des méchants, non seulement j'ai résisté seul à ceux-ci, mais j'ai osé prendre contre eux le parti des faibles et des malheureux. C'est l'unique but de mes écrits, comme c'en est la devise. Un de nos rois des plus distingués par ses malheurs et par son courage s'appuyait uniquement sur ce même ordre de choses ; il disait souvent, au milieu de ses détresses : « Dieu et mon épée. » J'ai dit aussi au milieu des miennes : « Dieu et ma plume. » Heureux par les spéculations ravissantes de la nature, c'est à elle seule que ma plume doit les faibles images qui l'ont rendue recommandable. Hors d'elle, je ne sens rien et je ne vois rien. En vain des hommes accrédités et des Corps très puissants, dont j'avais bien mérité par ces mêmes études, m'en ont fait entrevoir des récompenses honorables pour prix de sollicitations particulières que j'aurais faites auprès d'eux. Je me suis éloigné des ambitieux comme je m'éloigne des méchants ; j'ai refusé de rendre ma plume vénale. Cependant cet ordre qui gouverne toutes choses est venu à mon secours. M. le duc d'Orléans, de son propre mouvement, sans rien attendre de moi, m'a honoré de la seule pension dont je jouisse à ce titre ; et, quoique la chose soit déjà connue, je la publie de mon côté afin que, si un jour j'ai quelque part à la bienveillance des hommes, il en rejaillisse, pour mon compte, quelque portion sur un prince qui m'a prévenu de ses bienfaits, sans que ma plume lui ait jamais été d'aucune utilité.

Je parle sans doute trop avantageusement de ma plume ; mais j'insiste, malgré moi, sur elle, parce que c'est à elle seule que le journaliste réserve ses éloges, et qu'il attribue, sans balancer, tous les succès de mes ouvrages. Il dit, en parlant de moi : « Son suprême talent de peindre la nature doit suffire à sa gloire, et il peut mieux qu'un autre se passer du mérite de la bien expliquer. Celui qui sait communiquer ses émotions aux autres, et les leur faire partager, exerce sur eux une espèce d'empire, et les associe en quelque sorte à sa destinée. »

Peu m'importe, en vérité, cet empire qu'on me suppose sur l'opinion de mes lecteurs, puisque au fond ce n'est qu'une séduction, et que la portion de gloire dont on me gratifie n'est qu'une gloire de charlatan. Ce compliment de M. le Rédacteur semble ne vouloir prouver autre chose que ce qu'il a déjà dit, « que plus j'ai de talent pour peindre la nature, moins j'en ai pour la connaître. »

Ce jugement ne me fait pas grand tort dans mon genre de vie solitaire ; mais il en fait beaucoup aux gens de lettres, car il s'ensuit que ceux qui ont écrit le mieux sur les lois, la politique, les finances, le militaire, le clergé, sont d'autant moins propres à remplir des emplois, parce que, plus ils montrent de talent en écrivant sur ces matières, moins ils en ont eu pour les connaître. C'est servir, sans doute sans vouloir, la jalouse médiocrité des gens du monde, qui se plaisent à dire qu'un écrivain est d'autant moins propre à faire une chose qu'il réussit mieux à en écrire. Ils ne regardent le style d'un ouvrage que comme une décoration. Si quelqu'un d'eux a conçu un projet informe, ou barbouillé quelque mémoire : « Je chercherai, dit-il, quelque homme de lettres pour le mettre en beau style. » J'ai entendu même de soi-disant savants, qui écrivaient fort mal, et même des gens de lettres qui, à la vérité, n'écrivaient guère mieux, définir le style « l'habit de la pensée ».

Mais je suis bien aise de dire à ces savants et à ces gens de lettres, pour l'honneur même des sciences et des lettres, que le style n'est ni la décoration ni l'habit de la pensée, mais qu'il en est l'expression. Le style est à la pensée, non ce que l'habit, mais ce que les muscles sont au corps. L'habit voile le corps, les muscles le montrent. Les mots suivent les choses : *Rem verba sequuntur,* a si bien dit Horace ; et cela est si vrai qu'il est impossible de faire rendre par autrui ses idées telles qu'on les a conçues soi-même, et qu'un grand écrivain même ne pourra continuer l'ouvrage d'un écrivain qui lui est inférieur, avec un succès égal. Toutes les suites ajoutées aux ouvrages par une main étrangère ont toujours été avortées. La pensée d'un auteur est comme l'œuf d'un oiseau : pour en faire éclore un petit qui ait toutes ses plumes, il y faut l'aile de la mère.

Les écrivains qui ont le mieux écrit sur un sujet l'ont le mieux connu ; *et vice versa,* ceux qui l'ont le mieux connu ont été les plus capables d'en écrire. C'est ce que montre l'expérience de tous les temps, dans tous les genres. Les poètes solitaires qui ont vécu le plus près de la nature, comme Homère et Virgile, l'ont mieux peinte que les poètes courtisans, tels que l'Arioste et quelques autres qui l'ont si étrangement défigurée. Ces derniers n'ont réussi qu'à peindre des caricatures. Il y a plus, c'est qu'Homère et Virgile l'ont souvent mieux expliquée par leurs sublimes allégories que la plupart des physiciens, occupés uniquement à en analyser les éléments. Ceux-ci souvent n'ont vu que la matière pour principe et pour fin de leurs travaux ; et ceux-là, ramenant jusqu'aux

éléments à un ordre de choses qui protège la faiblesse
humaine, ont entrevu, par la force de leur génie,
l'ensemble de l'univers. Il en est de même des autres
écrivains. Les militaires qui ont le mieux écrit sur la
guerre l'ont le mieux faite. César, Xénophon et le feu
roi de Prusse sont bien supérieurs dans leurs tactiques
à tous nos tacticiens. Les grands hommes qui ont vécu
le plus librement ont le mieux parlé de la liberté.
L'éloquence de Brutus était bien plus énergique que
celle de Cicéron et celle de Phocion plus que celle de
Démosthène, qui redoutait tellement l'éloquence de
Phocion que, lorsqu'il le voyait se lever pour le
contredire, dans les assemblées générales de la Grèce,
il disait : « Voilà la hache de mes discours qui se
lève. » Ceux qui ont le mieux écrit sur la vertu ont
vécu le plus vertueusement. Tels ont été, parmi nous,
Fénelon et Jean-Jacques. Ceux mêmes des historiens
qui ont été le plus véritablement éloquents ont été
aussi les plus vertueux. Tels ont été Plutarque, Tacite,
Suétone, etc. Je me rappelle à ce sujet que je disais un
jour à Jean-Jacques que la vérité était la première
qualité d'un historien ; il me répondit : « C'est la
vertu, car, avant tout, il faut de la vertu à un historien
pour sentir la vérité et pour oser la dire. » Ainsi la
poésie, l'éloquence, le génie des grands hommes, les
talents des historiens et la vertu elle-même, mère de
tous les talents, ne s'appuient que sur un ordre de
choses qui puisse soutenir la faiblesse humaine.

Il y a, à la vérité, une éloquence qui n'a pas besoin
de cet ordre-là ; mais aussi elle ne peint rien au
naturel : elle fait les choses petites, grandes ; et les

grandes, petites, comme la définissait jadis un homme du métier, un rhéteur. Celle-là est l'habit de la pensée ; et, comme un habit, elle est tantôt étroite, tantôt bouffante, toujours voilant ce qu'elle habille ; comme un habit, elle change de mode avec les saisons. L'éloquence naturelle, au contraire, est le corps même de la pensée ; elle naît de la vérité des choses dont elle est l'expression ; elle est toujours de mode, comme le corps même de chaque objet, auquel elle ne peut rien ajouter ni retrancher, parce qu'il est dans ses proportions naturelles.

J'ose donc croire que je ne dois point le succès des vérités physiques que j'ai démontrées à mon style, mais plutôt le succès de mon style à ces mêmes vérités. Je dois ce succès, non à mes émotions personnelles, mais au sentiment général de la nature, qui influe sur mes lecteurs comme sur moi. Qui sent bien la nature la traduit, et qui la traduit l'explique. Quoique je n'en aie rendu que des ombres légères, mes faibles esquisses ont plu, parce que je les ai rendues d'après ses ravissants modèles. Je ne suis, par rapport à elle, ni un grand peintre, ni un savant physicien, mais un petit ruisseau souvent troublé, qui, dans ses moments de calme, la réfléchit le long de ses rivages. La nature se peint partout d'elle-même ; et quand un de ses rayons tombe sur mon âme, je la reflète.

Voilà ce que j'avais à dire sur le style de mes *Etudes*, plus pour l'intérêt des gens de lettres que pour le mien. Au reste, il y a grande apparence que M. le Rédacteur ne s'est livré aux observations de son préambule que par des considérations étrangères ; car il me loue du

fond du cœur au sujet de *Paul et Virginie ;* et alors son
style lucide, ses idées abondantes, ses expressions
senties, sont de nouveaux exemples que je peux lui
opposer, pour lui prouver, contre ses principes, que
plus on est pénétré d'un objet, plus on a de facilité et
de grâce pour l'exprimer. Il finit son éloge, d'ailleurs
excessif, par cette réflexion touchante : « Les dernières
pages de cette histoire déchirent l'âme du lecteur, qui
n'a pas la consolation de croire que c'est un roman. »
Mais il est lui-même trop ami de la vertu pour ne pas
désirer la consolation de croire que ce qui en porte
l'empreinte ne soit véritable.

Plusieurs personnes m'ont questionné à ce sujet.
« Ce vieillard, m'ont-elles dit, vous a-t-il en effet
raconté cette histoire ? Avez-vous vu les lieux que vous
avez décrits ? Virginie a-t-elle péri d'une manière aussi
déplorable ? Comment une fille peut-elle se résoudre à
quitter la vie plutôt que ses habits ? »

Je leur ai répondu : « L'homme ressemble à un
enfant. Donnez une rose à un enfant, d'abord il en
jouit, bientôt il veut la connaître. Il en examine les
feuilles, puis il les détache l'une après l'autre ; et quand
il en connaît l'ensemble, il n'a plus de rose. Télémaque, Clarisse [154], et tant d'autres sujets qui nous
portent à la vertu ou qui nous font verser des larmes,
sont-ils vrais ? »

Au fond, je suis persuadé que ces personnes m'ont
fait ces questions plutôt par un sentiment d'humanité
que de curiosité. Elles étaient fâchées que deux amants
si tendres et si heureux eussent fait une fin si funeste.

Plût à Dieu qu'il m'eût été libre de tracer à la vertu

une carrière parfaite de bonheur sur la terre ! Mais, je le répète, j'ai décrit des sites réels, des mœurs dont on trouverait peut-être encore aujourd'hui des modèles dans quelques parties solitaires de l'Ile-de-France ou de l'île de Bourbon qui en est voisine, et une catastrophe bien certaine, dont je peux produire, même à Paris, des témoignages irrécusables.

L'été dernier, étant au Jardin du Roi, une dame d'une figure très intéressante, accompagnée de son mari, ayant su de M. Jean Thouin, chef du Jardin du Roi, que j'étais l'auteur de *Paul et Virginie,* m'aborda pour me dire : « Monsieur, que vous m'avez fait passer une nuit terrible ! Je n'ai cessé de gémir et de fondre en larmes. La personne dont vous avez décrit la fin malheureuse avec tant de vérité, dans le naufrage du Saint-Géran, était ma parente. Je suis créole de Bourbon. » J'appris ensuite de M. Jean Thouin que cette dame était l'épouse de M. de Bonneuil[155], premier valet de chambre de Monsieur. Cette dame, depuis, a bien voulu me permettre de publier ici son témoignage sur la vérité de cette catastrophe, dont elle m'a rapporté des circonstances capables d'ajouter beaucoup à l'intérêt qu'inspirent la mort de cette sublime victime de la pudeur, et celle de son amant infortuné.

Cependant, un homme de lettres, connu par des succès, m'est venu trouver pour me dire qu'il comptait faire un drame de *Paul et Virginie*[156] ; mais que, pour complaire au public, fâché de leur fin malheureuse, il terminait leurs amours par leur mariage. Je lui répondis que je ne croyais pas qu'on pût dénaturer un événement véritable, dont l'impression d'ailleurs était faite dans l'esprit du public, et qu'il y réussît plus qu'un auteur qui, mécontent de la fin tragique de Didon, de Zaïre, de Clarisse, imaginerait de les marier avec leurs amants ; que ceux qui lui en avaient donné le conseil à l'égard de *Paul et Virginie* seraient les premiers à en blâmer l'exécution, comme il arrive presque toujours dans les sociétés privées, qui se donnent le nom de public, croyant par là s'en donner l'autorité ; que d'ailleurs il retrancherait de ce sujet ce que son but moral a de plus intéressant, parce qu'il est dangereux de n'offrir à la vertu d'autre perspective sur la terre que le bonheur, et qu'il faut apprendre aux hommes, non seulement à vivre, mais encore à mourir. Comme cet auteur est modeste, il parut frappé de mes observations, et il m'assura qu'il allait travailler à faire un drame de *Paul et Virginie,* sans s'écarter de ma narration. Je crois que, malgré ses talents, il y éprouvera de grands obstacles, par la difficulté d'y réunir l'unité de temps et de lieu. Cependant, un homme de lettres, bien instruit des règles de notre théâtre, m'a fait observer qu'on pouvait y assujettir l'histoire de Paul et Virginie, en la terminant à leur séparation. En effet, plusieurs pièces célèbres, entre autres *Titus et Bérénice,* et je crois même *Ariadne,* d'un intérêt si touchant, n'ont pas d'autre dénouement qu'une séparation et des adieux.

D'un autre côté, un homme de lettres, peu au fait, à la vérité, des lois de notre scène, a trouvé qu'on peut y supposer le naufrage de Virginie immédiatement après son départ ; et j'avoue que je penche beaucoup pour

son opinion. Tous les événements importants de cette
pastorale se succéderaient jusqu'à la catastrophe. On
pourrait les commencer un peu avant l'épisode de la
négresse marronne; cette scène, si intéressante pour
l'humanité, plaiderait en faveur de la liberté des noirs
devant un public déjà disposé à rompre leurs fers[157].
Cet acte de bienfaisance de Paul et de Virginie
redoublerait leur amour mutuel, comme il arrive
toujours, car la vertu est le plus grand charme de
l'amour. Bientôt succéderaient des conversations
dignes du jardin d'Eden, puis les souffrances de
Virginie, les inquiétudes de Paul, les projets de leurs
mères pour les séparer quelque temps, l'arrivée du
gouverneur, suivie des illusions de la fortune, qui
bannissent déjà le repos et la paix de ces heureuses
cabanes; les alarmes de Paul, sa confiance envers
l'habitant ami de son enfance; la scène des adieux; le
désespoir de Paul retournant le matin à l'habitation, à
la vue de la négresse Marie, qui pleure en regardant
vers la mer; ses tendres reproches à la mère de
Virginie et à la sienne; son retour le soir chez
l'habitant, et la consolation de la philosophie et de
l'amour, au pied du papayer planté par son amie,
interrompue à l'entrée de la nuit par des coups de
canon lointains; les alarmes de Paul... La tempête, le
naufrage et la mort de ces deux amants seraient mis en
récit, jusqu'au moment où l'on verrait, au pied d'une
touffe de bambous, leur tombe commune, entourée
d'esclaves et d'infortunés, qui viendraient l'honorer de
leurs hommages et de leurs larmes. Ce sujet, ce me
semble, par ses sites, ses végétaux, et ses événements

naturels, mieux disposés que je n'ai pu le faire ici, offrirait sur la scène des effets d'un genre nouveau.

Quelque parti que des hommes plus habiles que moi tirent de ce sujet, j'ai rempli mon but en intéressant les cœurs sensibles au sort de ces enfants de la nature. Leur innocence, leurs amours et leurs malheurs ont fait verser des larmes au-delà des mers. Une demoiselle anglaise en a fait, à Londres, le sujet d'une romance. Une autre demoiselle du même pays [158], en passant à Paris pour aller en Languedoc, m'a voulu communiquer une traduction de leur histoire, qu'elle compte publier incessamment ; mais j'ignore la langue anglaise, dont j'admire d'ailleurs les grands écrivains dans nos traductions. Au moins j'ai la consolation d'éprouver que la langue de la nature est toujours entendue, même chez les nations rivales, et qu'elle peut encore les rapprocher mieux que la langue des traités diplomatiques.

III. VOYAGE
A L'ÎLE DE FRANCE[159]
(extraits)

Lettre XI

MŒURS DES HABITANTS BLANCS

L'Ile de France était déserte lorsque Mascarenhas la découvrit. Les premiers Français qui s'y établirent furent quelques cultivateurs de Bourbon. Ils y apportèrent une grande simplicité de mœurs, de la bonne foi, l'amour de l'hospitalité et même de l'indifférence pour les richesses. M. de la Bourdonnaye, qui est en quelque sorte le fondateur de cette colonie, y amena des ouvriers, bonne espèce d'hommes, et quelques mauvais sujets que leurs parents y avaient fait passer ; il les força d'être utiles.

Lorsqu'il eut rendu cette île intéressante par ses travaux, et qu'on la crut propre à devenir l'entrepôt du commerce de l'Inde, il y vint des gens de tout état.

D'abord des employés de la Compagnie. Comme les premiers emplois de l'île étaient entre leurs mains, ils y vécurent à peu près comme les nobles à Venise. Ils joignirent à ces mœurs aristocratiques un peu de cet esprit financier qui effarouche tant l'agriculteur. Tous les moyens d'établissement étaient entre leurs mains. Ils avaient à la fois la police, l'administration et les magasins. Quelques-uns faisaient défricher et bâtir, et ils revendaient leurs travaux assez cher à ceux qui cherchaient fortune. On cria contre eux, mais ils étaient tout-puissants.

Il s'y établit des marins de la Compagnie, qui depuis longtemps ne peuvent pas concevoir que les dangers et la peine du commerce des Indes soient pour eux, tandis que les honneurs et le profit sont pour d'autres. Cet établissement, voisin des Indes, faisant naître de grandes espérances, ils s'y arrêtèrent, ils étaient mécontents avant de s'y établir, ils le furent encore après.

Il y vint des officiers militaires de la Compagnie. C'étaient de braves gens dont plusieurs avaient de la naissance. Ils ne pouvaient pas imaginer qu'un militaire pût s'abaisser à aller prendre l'ordre d'un homme qui quelquefois avait été garçon de comptoir : passe pour en recevoir sa paye. Ils n'aimaient pas les marins qui sont trop décisifs : en se faisant habitants, ils ne changèrent point d'esprit, et ne firent pas fortune.

Quelques régiments du Roi y relâchèrent et même y séjournèrent. Des officiers séduits par la beauté du ciel et par l'amour du repos s'y fixèrent. Tout ployait sous le nom de la Compagnie. Ce n'étaient plus de ces distinctions de garnison qui flattent tant l'officier subalterne : chacun avait là ses prétentions ; on les regardait presque comme des étrangers. Ce furent de grandes clameurs au nom du Roi.

Il y était venu des missionnaires de Saint-Lazare qui avaient gouverné paisiblement les hommes simples qui s'étaient les premiers établis ; mais quand ils virent que la société en s'augmentant se divisait, ils s'en tinrent à leurs fonctions curiales, et à quelques bonnes habitations ; ils ne furent chez les autres que quand ils y furent appelés.

Il y passa quelques marchands avec un peu d'argent. Dans une île sans commerce, ils augmentèrent les abus d'un agiot qu'ils y trouvèrent établi, et se livrèrent à de petits monopoles. Ils ne tardèrent pas à se rendre odieux à ces différentes classes d'hommes qui ne pouvaient se souffrir. On les désigna sous le nom de Banians, c'est comme qui dirait Juifs. D'un autre côté ils affectèrent de mépriser les distinctions particulières de chaque habitant, prétendant qu'après avoir passé la ligne tout le monde était à peu près égal.

Enfin la dernière guerre de l'Inde y jeta, comme une écume, des banqueroutiers, des

libertins ruinés, des fripons, des scélérats, qui
chassés de l'Europe par leurs crimes, et de l'Asie
par nos malheurs, tentèrent d'y rétablir leur
fortune sur la ruine publique. A leur arrivée, les
mécontentements généraux et particuliers
augmentèrent : toutes les réputations furent flé-
tries avec un art d'Asie inconnu à nos calomnia-
teurs ; il n'y eut plus de femme chaste ni
d'homme honnête ; toute confiance fut éteinte,
toute estime détruite. Ils parvinrent ainsi à
décrier tout le monde, pour mettre tout le monde
à leur niveau.

Comme leurs espérances ne se fondaient que
sur le changement d'administration, ils vinrent
enfin à bout de dégoûter la Compagnie qui céda
au Roi en 1765 une colonie si orageuse et si
dispendieuse

Pour cette fois on crut que la paix et l'ordre
allaient régner dans l'île, mais on n'avait fait
qu'ajouter de nouveaux levains à la fermenta-
tion.

Il y débarqua un grand nombre de protégés de
Paris pour faire fortune dans une île inculte et
sans commerce, où il n'y avait que du papier
pour toute monnaie. Ce fut des mécontents
d'une autre espèce.

Une partie des habitants qui restait attachée à
la Compagnie par reconnaissance vit avec peine
l'administration royale. L'autre portion qui
avait compté sur les faveurs du nouveau gouvernement, voyant qu'il ne s'occupait que de plans

économiques, fut d'autant plus aigrie qu'elle avait espéré plus longtemps.

A ces nouveaux schismes se joignirent les dissensions de plusieurs Corps qui en France même ne peuvent se concilier, dans la marine du Roi, la plume et l'épée, et enfin l'esprit de chacun des Corps militaires et d'administration, qui n'étant point, comme en Europe, dissipé par les plaisirs ou par les affaires générales, s'isole et se nourrit de ses propres inquiétudes.

La discorde règne dans toutes les classes, et a banni de cette île l'amour de la société qui semble devoir régner parmi les Français exilés au milieu des mers, aux extrémités du monde. Tous sont mécontents, tous voudraient faire fortune et s'en aller bien vite. A les entendre chacun s'en va l'année prochaine. Il y en a qui depuis trente ans tiennent ce langage.

L'officier qui arrive d'Europe y perd bientôt l'émulation militaire. Pour l'ordinaire il a peu d'argent, et il manque de tout : la case n'a point de meubles ; les vivres sont très chers en détail ; il se trouve seul consommateur entre l'habitant et le marchand qui renchérissent à l'envi. Il fait d'abord contre eux une guerre défensive ; il achète en gros ; il songe à profiter des occasions, car les marchandises haussent au double après le départ des vaisseaux. Le voilà occupé à saisir tous les moyens d'acheter à bon marché. Quand il commence à jouir des fruits de son économie, il pense qu'il est expatrié pour un temps illimité

dans un pays pauvre : l'oisiveté, le défaut de
société, l'appât du commerce l'engagent à faire
par intérêt ce qu'il avait fait par nécessité. Il y a
sans doute des exceptions, et je les citerais avec
plaisir si elles n'étaient pas un peu nombreuses.
M. de Steenhovre, le commandant, y donne
l'exemple de toutes les vertus.

Les soldats fournissent beaucoup d'ouvriers,
car la chaleur permet aux Blancs d'y travailler
en plein air. On n'a pas tiré d'eux pour le bien de
cette colonie un parti avantageux. Souvent dans
les recrues qu'on envoie d'Europe, il se trouve
des misérables, coupables des plus grands crimes. Je ne conçois pas la politique d'imaginer
que ceux qui troublent une société ancienne
peuvent servir à faire fleurir une nouvelle. Souvent le désespoir prend ces malheureux ; ils
s'assassinent entre eux à coups de baïonnette

Quoique les marins ne fassent qu'aller et
venir, ils ne laissent pas d'influer beaucoup sur
les mœurs de cette colonie. Leur politique est de
se plaindre des lieux d'où ils sont partis, et de
ceux où ils arrivent. A les entendre, le bon temps
est passé, ils sont toujours ruinés : ils ont acheté
fort cher et vendu à perte. La vérité est qu'ils
croient n'avoir fait aucun bénéfice s'ils n'ont
vendu à cent cinquante pour cent : la barrique
de vin de Bordeaux coûte jusqu'à cinq cents
livres ; le reste à proportion. On ne croirait
jamais que les marchandises de l'Europe se
payent plus ici qu'aux Indes, et celles des Indes

plus qu'en Europe. Les marins sont fort considé-
rés des habitants, parce qu'ils en ont besoin.
Leurs murmures, leurs allées et venues perpé-
tuelles donnent à cette île quelque chose des
mœurs d'une auberge.

De tant d'hommes de différents états résulte
un peuple de différentes nations qui se haïssent
très cordialement. On n'y estime que la fausseté.
Pour y désigner un homme d'esprit, on dit : c'est
un homme fin. C'est un éloge qui ne convient
qu'à des renards. La finesse est un vice, et
malheur à la société où il devient une qualité
estimable. D'un autre côté on n'y aime point les
gens méfiants ; cela paraît se contredire ; mais
c'est qu'il n'y a rien à gagner avec des gens qui
sont sur leurs gardes. Le méfiant déconcerte les
fripons et les repousse. Ils se rassemblent auprès
de l'homme fin : ils l'aident à faire des dupes.

On y est d'une insensibilité extrême pour tout
ce qui fait le bonheur des âmes honnêtes. Nul
goût pour les lettres et les arts. Les sentiments
naturels y sont dépravés : on regrette la patrie à
cause de l'opéra et des filles ; souvent ils sont
éteints : j'étais un jour à l'enterrement d'un
habitant considérable où personne n'était
affligé ; j'entendis son beau-frère remarquer
qu'on n'avait pas fait la fosse assez profonde.

Cette indifférence s'étend à tout ce qui les
environne. Les rues et les cours ne sont ni pavées
ni plantées d'arbres ; les maisons sont des pavillons de bois que l'on peut aisément transporter

sur des rouleaux ; il n'y a aux fenêtres ni vitres ni rideaux : à peine y trouve-t-on quelques mauvais meubles.

Les gens oisifs se rassemblent sur la place à midi et au soir ; là on agiote : on médit, on calomnie. Il y a très peu de gens mariés à la ville. Ceux qui ne sont pas riches s'excusent sur la médiocrité de leur fortune ; les autres veulent, disent-ils, s'établir en France ; mais la facilité de trouver des concubines parmi les Négresses en est la véritable raison. D'ailleurs il y a peu de partis avantageux ; il est rare de trouver une fille qui apporte dix mille francs comptant en mariage.

Des femmes La plupart des gens mariés vivent sur leurs habitations. Les femmes ne viennent guère à la ville que pour danser ou faire leurs Pâques. Elles aiment la danse avec passion. Dès qu'il y a un bal, elles arrivent en foule voiturées en palanquin. C'est une espèce de litière enfilée d'un long bambou que quatre Noirs portent sur leurs épaules ; quatre autres les suivent pour les relayer. Autant d'enfants, autant de voitures attelées de huit hommes, y compris les relais. Les maris économes s'opposent à ces voyages qui dérangent les travaux de l'habitation ; mais faute de chemins, il ne peut y avoir de voitures roulantes.

Les femmes ont peu de couleur, elles sont bien faites, et la plupart jolies. Elles ont naturelle-

ment de l'esprit; si leur éducation était moins
négligée, leur société serait fort agréable; mais
j'en ai connu qui ne savaient pas lire. Chacune
d'elles pouvant réunir à la ville un grand nombre
d'hommes, les maîtresses des maisons se soucient peu de se voir hors le temps du bal.
Lorsqu'elles sont rassemblées, elles ne se parlent
point. Chacune d'elles apporte quelque prétention secrète qu'elles tirent de la fortune, des
emplois ou de la naissance de leurs maris;
d'autres comptent sur leur beauté ou leur jeunesse; une Européenne se croit supérieure à une
Créole, et celle-ci regarde souvent l'autre comme
une aventurière.

Quoi qu'en dise la médisance, je les crois plus
vertueuses que les hommes qui ne les négligent
que trop souvent pour des esclaves noires. Celles
qui ont de la vertu sont d'autant plus louables
qu'elles ne la doivent point à leur éducation.
Elles ont à combattre la chaleur du climat,
quelquefois l'indifférence de leurs maris et souvent l'ardeur et la prodigalité des jeunes maris :
si l'hymen donc se plaint de quelques infidélités,
la faute en est à nous qui avons porté des mœurs
françaises sous le ciel de l'Afrique.

Au reste elles ont des qualités domestiques
très estimables, elles sont fort sobres, ne boivent
presque jamais que de l'eau. Leur propreté est
extrême dans leurs habits. Elles sont habillées de
mousseline, doublée de taffetas couleur de rose.
Elles aiment passionnément leurs enfants. A

peine sont-ils nés qu'ils courent tout nus dans la maison : jamais de maillot ; on les baigne souvent, ils mangent des fruits à discrétion, point d'étude, point de chagrin. En peu de temps ils deviennent forts et robustes. Le tempérament s'y développe de bonne heure dans les deux sexes : j'y ai vu marier des filles à onze ans.

Cette éducation qui se rapproche de la nature leur en laisse toute l'ignorance ; mais les vices des Négresses qu'ils sucent avec leur lait et leurs fantaisies qu'ils exercent avec tyrannie sur les pauvres esclaves y ajoutent toute la dépravation de la société. Pour remédier à ce mal, les gens aisés font passer de bonne heure leurs enfants en France, d'où ils reviennent souvent avec des vices plus aimables et plus dangereux.

On ne compte guère que quatre cents cultivateurs dans l'île. Il y a environ cent femmes d'un certain état, dont il y en a tout au plus dix qui restent à la ville. Vers le soir on va en visite dans leurs maisons : on joue, ou l'on s'ennuie. Au coup de canon de huit heures, chacun se retire et va souper chez soi.

Adieu, mon ami ; en parlant des hommes, il me fâche de n'avoir que des satires à faire.

Au Port-Louis de l'Ile de France, ce 10 février 1769.

Lettre XII

DES NOIRS

Dans le reste de la population de cette île, on compte les Indiens et les Nègres.

Les premiers sont les Malabares. C'est un *Des* peuple fort doux. Ils viennent de Pondichéry où *Indiens* ils se louent pour plusieurs années. Ils sont presque tous ouvriers. Ils occupent un faubourg appelé le Camp des Noirs. Ce peuple est d'une teinte plus foncée que les insulaires de Madagascar qui sont de véritables Nègres ; mais leurs traits sont réguliers comme ceux des Européens, et ils n'ont point les cheveux crépus. Ils sont assez sobres, fort économes et aiment passionnément les femmes. Ils sont coiffés d'un turban et portent de longues robes de mousseline, de grands anneaux d'or aux oreilles et des bracelets d'argent aux poignets. Il y en a qui se louent aux gens riches ou titrés en qualité de *pions*. C'est une espèce de domestique qui fait à peu près l'office de nos coureurs, excepté qu'il fait toutes ses commissions fort gravement. Il porte pour marque de distinction une canne à la main, et un poignard à la ceinture. Il serait à souhaiter qu'il y eût un grand nombre de Malabares établis dans l'île, surtout de la caste des Laboureurs ;

mais je n'en ai vu aucun qui voulût se livrer à l'agriculture.

C'est à Madagascar qu'on va chercher les Noirs destinés à la culture des terres. On achète un homme pour un baril de poudre, pour des fusils, des toiles, et surtout des piastres. Le plus cher ne coûte guère que cinquante écus.

Des   Cette nation n'a ni le nez si écrasé ni la teinte
Nègres si noire que celle des Nègres de Guinée. Il y en a même qui ne sont que bruns ; quelques-uns, comme les Balambous, ont les cheveux longs. J'en ai vu de blonds et de roux. Ils sont adroits, intelligents, sensibles à l'honneur et à la reconnaissance : la plus grande insulte qu'on puisse faire à un Noir est d'injurier sa famille ; ils sont peu sensibles aux injures personnelles. Ils font dans leurs pays quantité de petits ouvrages avec beaucoup d'industrie. Leur sagaie ou demi-pique est très bien forgée, quoiqu'ils n'aient que des pierres pour enclume et pour marteau. Leurs toiles ou pagnes, que leurs femmes ourdissent, sont très fines et bien teintes. Ils les tournent autour d'eux avec grâce. Leur coiffure est une frisure très composée ; ce sont des étages de boucles et de tresses entremêlées avec beaucoup d'art ; c'est encore l'ouvrage des femmes. Ils aiment passionnément la danse et la musique. Leur instrument est le tam-tam ; c'est une espèce d'arc où est adaptée une calebasse. Ils en tirent une sorte d'harmonie douce dont ils accompa-

gnent les chansons qu'ils composent. L'amour en est toujours le sujet. Les filles dansent aux chansons de leurs amants ; les spectateurs battent la mesure et applaudissent.

Ils sont très hospitaliers. Un Noir qui voyage entre, sans être connu, dans la première cabane ; ceux qu'il y trouve partagent leurs vivres avec lui : on ne lui demande ni d'où il vient ni où il va ; c'est leur usage.

Ils arrivent avec ces arts et ces mœurs à l'Ile de France. On les débarque tout nus avec un chiffon autour des reins. On met les hommes d'un côté, et les femmes à part avec leurs petits enfants qui se pressent de frayeur contre leurs mères. L'habitant les visite partout, et achète ceux qui lui conviennent. Les frères, les sœurs, les amis, les amants sont séparés ; ils se font leurs adieux en pleurant, et partent pour l'habitation. Quelquefois ils se désespèrent ; ils s'imaginent que les Blancs les vont manger ; qu'ils font du vin rouge avec leur sang, et de la poudre à canon avec leurs os.

Voici comme on les traite. Au point du jour trois coups de fouet sont le signal qui les appelle à l'ouvrage. Chacun se rend avec sa pioche dans les plantations où ils travaillent presque nus à l'ardeur du soleil. On leur donne pour nourriture du maïs broyé, cuit à l'eau, ou des pains de manioc ; pour habit un morceau de toile. A la moindre négligence on les attache par les pieds et par les mains sur une échelle. Le commandeur, armé d'un fouet de poste, leur donne sur le derrière nu cinquante, cent, et jusqu'à deux cents coups. Chaque coup enlève une portion de la peau. Ensuite on détache le misérable tout sanglant; on lui met au cou un collier de fer à trois pointes, et on le ramène au travail. Il y en a qui sont plus d'un mois avant d'être en état de s'asseoir. Les femmes sont punies de la même manière.

Le soir, de retour dans leurs cases, on les fait prier Dieu pour la prospérité de leurs maîtres. Avant de se coucher ils leur souhaitent une bonne nuit.

Il y a une loi faite en leur faveur appelée le Code noir [160]. Cette loi favorable ordonne qu'à chaque punition ils ne recevront pas plus de trente coups, qu'ils ne travailleront point le dimanche, qu'on leur donnera de la viande toutes les semaines, des chemises tous les ans; mais on ne suit point la loi. Quelquefois, quand ils sont vieux, on les envoie chercher leur vie comme ils peuvent. Un jour j'en vis un qui n'avait que la peau et les os découper la chair d'un cheval mort pour la manger. C'était un squelette qui en dévorait un autre.

Quand les Européens paraissent émus, les habitants leur disent qu'ils ne connaissent pas les Noirs. Ils les accusent d'être si gourmands qu'ils vont la nuit enlever des vivres dans les habitations voisines; si paresseux qu'ils ne prennent aucun intérêt aux affaires de leurs maîtres, et que leurs femmes sont des mères de famille si misérables qu'elles aiment mieux se faire avorter que de mettre des enfants au monde.

Le caractère des Nègres est naturellement enjoué, mais après quelque temps d'esclavage ils deviennent mélancoliques. L'amour seul semble encore charmer leurs peines. Ils font ce qu'ils peuvent pour obtenir une femme. S'ils ont le choix, ils préfèrent celles qui ont passé la première jeunesse : ils disent qu'*elles font mieux la soupe.* Ils lui donnent tout ce qu'ils possèdent. Si leur maîtresse demeure chez un autre habitant, ils feront la nuit trois ou quatre lieues dans des chemins impraticables pour l'aller voir. Quand ils aiment, ils ne craignent ni la fatigue ni les châtiments. Quelquefois ils se donnent des rendez-vous au milieu de la nuit. Ils dansent à l'abri de quelque rocher, au son lugubre d'une calebasse remplie de pois ; mais la vue d'un Blanc ou l'aboiement d'un chien dissipe ces assemblées nocturnes.

Ils ont aussi des chiens avec eux. Il est connu de tout le monde que ces animaux reconnaissent parfaitement dans les ténèbres non seulement les Blancs, mais les chiens même des Blancs. Ils ont pour eux de la crainte et de l'aversion : ils hurlent dès qu'ils approchent. Ils n'ont d'indulgence que pour les Noirs et leurs compagnons qu'ils ne décèlent jamais. Les chiens des Blancs de leur côté ont adopté les sentiments de leurs maîtres, et au moindre signal ils se jettent avec fureur sur les esclaves.

Enfin lorsque les Noirs ne peuvent plus supporter leur sort, ils se livrent au désespoir. Les uns se pendent ou s'empoisonnent, d'autres se mettent dans une pirogue, et sans voiles, sans vivres, sans boussole, se hasardent à faire un trajet de deux cents lieues de mer pour retourner à Madagascar. On en a vu aborder; on les a repris et rendus à leurs maîtres.

Pour l'ordinaire ils se réfugient dans les bois, où on leur donne la chasse avec des détachements de soldats, de Nègres et de chiens. Il y a des habitants qui s'en font une partie de plaisir. On les relance comme des bêtes sauvages. Lorsqu'on ne peut les atteindre, on les tire à coups de fusil, on leur coupe la tête, on la porte en triomphe à la ville au bout d'un bâton. Voilà ce que je vois presque toutes les semaines.

Quand on attrape les Noirs fugitifs, on leur coupe une oreille, et on les fouette. A la seconde désertion ils sont fouettés, on leur coupe un jarret, on les met à la chaîne. A la troisième fois ils sont pendus; mais alors on ne les dénonce pas : les maîtres craignent de perdre leur argent.

J'en ai vu pendre et rompre vifs. Ils allaient au supplice avec joie, et le supportaient sans crier. J'ai vu une femme se jeter elle-même du haut de l'échelle. Ils croient qu'ils trouveront dans un autre monde une vie plus heureuse, et que le père des hommes n'est pas injuste comme eux.

Ce n'est pas que la religion ne cherche à les consoler. De temps en temps on en baptise. On leur dit qu'ils sont devenus frères des Blancs, et qu'ils iront en paradis. Mais ils ne sauraient croire que les Européens puissent jamais les mener au ciel ; ils disent qu'ils sont sur la terre la cause de tous leurs maux. Ils disent qu'avant d'aborder chez eux, ils se battaient avec des bâtons ferrés ; que nous leur avons appris à se tuer de loin avec du feu et des balles ; que nous excitons parmi eux la guerre et la discorde afin d'avoir des esclaves à bon marché ; qu'ils suivaient sans crainte l'instinct de la nature, que nous les avons empoisonnés par des maladies terribles ; que nous les laissons souvent manquer d'habits, de vivres, et qu'on les bat cruellement sans raison. J'en ai vu plus d'un exemple. Une esclave presque blanche vint, un jour, se jeter à mes pieds : sa maîtresse la faisait lever de grand matin et veiller fort tard ; lorsqu'elle s'endormait, elle lui frottait les lèvres d'ordure ; si elle ne se léchait pas, elle la faisait fouetter. Elle me priait de demander sa grâce, que j'obtins. Souvent les maîtres l'accordent, et deux jours après ils doublent la punition. C'est ce que j'ai vu chez un Conseiller dont les Noirs s'étaient plaints au Gouverneur : il m'assura qu'il les ferait écorcher le lendemain de la tête aux pieds.

J'ai vu chaque jour fouetter des hommes et des femmes pour avoir cassé quelque poterie, oublié de fermer une porte. J'en ai vu de tout sanglants frottés de vinaigre et de sel pour les guérir. J'en ai vu sur le port, dans l'excès de leur douleur, ne pouvoir plus crier ; d'autres mordre le canon sur lequel on les attache... Ma plume se lasse d'écrire ces horreurs ; mes yeux sont fatigués de les voir, et mes oreilles de les entendre. Que vous êtes heureux ! quand les maux de la ville vous blessent, vous fuyez à la campagne. Vous y voyez de belles plaines, des collines, des hameaux, des moissons, des vendanges, un peuple qui danse et qui chante ; l'image au moins du bonheur ! Ici, je vois de pauvres Négresses courbées sur leurs bêches avec leurs enfants nus collés sur le dos, des Noirs qui passent en tremblant devant moi ; quelquefois j'entends au loin le son de leur tambour, mais plus souvent celui des fouets qui éclatent en l'air comme des coups de pistolet, et ces cris qui vont au cœur... *Grâce, Monsieur !... miséricorde !* Si je m'enfonce dans les solitudes, j'y trouve une terre raboteuse, tout hérissée de roches, des montagnes portant au-dessus des nuages leurs sommets inaccessibles, et des torrents qui se précipitent dans des abîmes. Les vents qui grondent dans ces vallons sauvages, le bruit sourd des flots qui se brisent sur les récifs, cette vaste mer qui s'étend au loin vers des régions inconnues aux hommes, tout me jette dans la tristesse, et ne porte dans mon âme que des idées d'exil et d'abandon.

Au Port-Louis de l'Ile de France, ce 15 avril 1769.

Post-scriptum

RÉFLEXIONS SUR L ESCLAVAGE

Je ne sais pas si le café et le sucre sont
nécessaires au bonheur de l'Europe, mais je sais
bien que ces deux végétaux ont fait le malheur
de deux parties du monde. On a dépeuplé
l'Amérique afin d'avoir une terre pour les planter : on dépeuple l'Afrique afin d'avoir une
nation pour les cultiver.

Il est, dit-on, de notre intérêt de cultiver des
denrées qui nous sont devenues nécessaires
plutôt que de les acheter à nos voisins. Mais
puisque les charpentiers, les couvreurs, les
maçons et les autres ouvriers européens travaillent ici en plein soleil, pourquoi n'y a-t-on pas
des laboureurs blancs ! Mais que deviendraient
les propriétaires actuels ? Ils deviendraient plus
riches. Un habitant serait à son aise avec vingt
fermiers, il est pauvre avec vingt esclaves. On en
compte ici vingt mille qu'on est obligé de
renouveler tous les ans d'un dix-huitième. Ainsi
la colonie abandonnée à elle-même se détruirait
au bout de dix-huit ans ; tant il est vrai qu'il n'y
a point de population sans liberté et propriété, et
que l'injustice est une mauvaise ménagère.

On dit que le Code noir est fait en leur faveur.
Soit : mais la dureté des maîtres excède les

punitions permises, et leur avarice soustrait la nourriture, le repos et les récompenses qui sont dus. Si ces malheureux voulaient se plaindre, à qui se plaindraient-ils ? leurs juges sont souvent leurs premiers tyrans.

Mais on ne peut contenir, dit-on, que par une grande sévérité ce peuple d'esclaves : il faut des supplices, des colliers de fer à trois crochets, des fouets, des blocs où on les attache par le pied, des chaînes qui les prennent par le cou ; il faut les traiter comme des bêtes, afin que les Blancs puissent vivre comme des hommes... Ah ! je sais bien que quand on a une fois posé un principe très injuste, on n'en tire que des conséquences très inhumaines.

Ce n'était pas assez pour ces malheureux d'être livrés à l'avarice et à la cruauté des hommes les plus dépravés, il fallait encore qu'ils fussent le jouet de leurs sophismes.

Des théologiens assurent que pour un esclavage temporel ils leur procurent une liberté spirituelle. Mais la plupart sont achetés dans un âge où ils ne peuvent jamais apprendre le français, et les missionnaires n'apprennent point leur langue. D'ailleurs ceux qui sont baptisés sont traités comme les autres.

Ils ajoutent qu'ils ont mérité les châtiments du ciel en se vendant les uns les autres. Est-ce donc à nous à être leurs bourreaux ? Laissons les vautours détruire les milans.

Des politiques ont excusé l'esclavage en disant

que la guerre le justifiait. Mais les Noirs ne nous la font point. Je conviens que les lois humaines le permettent : au moins devrait-on se renfermer dans les bornes qu'elles prescrivent.

Je suis fâché que des philosophes qui combattent les abus avec tant de courage n'aient guère parlé de l'esclavage des Noirs que pour en plaisanter[161]. Ils se détournent au loin. Ils parlent de la Saint-Barthélemy, du massacre des Mexicains par les Espagnols, comme si ce crime n'était pas celui de nos jours, et auquel la moitié de l'Europe prend part. Y a-t-il donc plus de mal à tuer tout d'un coup des gens qui n'ont pas nos opinions qu'à faire le tourment d'une nation à qui nous devons nos délices ? Ces belles couleurs de rose et de feu dont s'habillent nos dames, le coton dont elles ouatent leurs jupes, le sucre, le café, le chocolat de leur déjeuner, le rouge dont elles relèvent leur blancheur, la main des malheureux Noirs a préparé tout cela pour elles. Femmes sensibles, vous pleurez aux tragédies, et ce qui sert à vos plaisirs est mouillé des pleurs et teint du sang des hommes !

Lettre XVII

VOYAGE A PIED AUTOUR DE L'ILE

Un officier m'avait proposé de faire le tour de l'île à pied, mais quelques jours avant le départ, il s'excusa : je résolus d'exécuter seul ce projet.

Je pouvais compter sur Côte, ce Noir du Roi qui m'avait déjà accompagné ; il était petit, suivant la signification de son nom, mais il était très robuste. C'était un homme d'une fidélité éprouvée, parlant peu, sobre et ne s'étonnant de rien.

J'avais acheté un esclave depuis peu, à qui j'avais donné votre nom, comme un bon augure pour lui. Il était bien fait, d'une figure intéressante, mais d'une complexion délicate ; il ne parlait point français.

Je pouvais encore compter sur mon chien, pour veiller la nuit, et aller le jour à la découverte.

Provisions   Comme je savais bien que je serais plus d'une fois seul, sans gîte dans les bois, je me pourvus de tout ce que je crus nécessaire pour moi et pour mes gens. Je fis mettre à part une marmite, quelques plats, dix-huit livres de riz, douze livres de biscuits, autant de maïs, douze bouteilles de vin, six bouteilles d'eau-de-vie, du beurre, du sucre, des citrons, du sel, du tabac, un petit hamac de coton, un peu de linge, un plan de l'île dans un bambou, quelques livres, un sabre, un manteau : le tout ensemble pesait deux cents livres. Je partageai toute ma cargaison en quatre paniers ; deux de soixante livres et deux de quarante. Je les fis attacher au bout de deux forts roseaux. Côte se chargea du poids le plus fort,

Duval prit l'autre. Pour moi j'étais en veste, et je portais un fusil à deux coups, une paire de pistolet de poche et mon couteau de chasse.

Je résolus de commencer mon voyage par la partie de l'île qui est sous le vent. Je me proposai de suivre constamment le bord de la mer, afin de me faire un système de la défense de l'île et, dans l'occasion, quelques observations d'histoire naturelle.

M. de Chazal s'offrit de m'accompagner jusqu'à sa terre, sise à cinq lieues de la ville, aux plaines Saint-Pierre. M. le marquis d'Albergaty se mit encore de la partie.

Nous partîmes de bon matin le 26 août 1769 ; *Départ* nous prîmes le long du rivage. Depuis le Fort-Blanc, sur la gauche du Port, la mer se répand sur cette grève, qui n'est point escarpée, jusqu'à la pointe de la plaine aux sables. On a construit là la batterie de Paulmi. Le débarquement serait impossible sur cette plage, parce qu'à deux portées de fusil il y a un banc de récifs qui la défend naturellement. Depuis la batterie de Paulmi, le rivage devient à pic ; la mer y brise de manière qu'on ne peut y aborder. Quant à la plaine, elle serait impraticable à la cavalerie et à l'artillerie, par la quantité prodigieuse de roches dont elle est couverte. Il n'y a point d'arbres ; on y voit seulement quelques mapous et des veloutiers : l'escarpement finit à la baie de la petite rivière, où il y a une petite batterie.

Petite Nous trouvâmes là un homme de mérite trop
rivière peu employé, M. de Séligny, chez lequel nous
dînâmes. Il nous fit voir le plan de la machine
avec laquelle il traça un canal au vaisseau *Le
Neptune,* échoué dans l'ouragan de 1760.
C'étaient deux râteaux de fer mis en action par
deux grandes roues portées sur des barques : ces
roues augmentaient leur effet en agissant sur des
leviers supportés par des radeaux.

Nous vîmes un moulin à coton de son invention : l'eau le faisait mouvoir. Il était composé
d'une multitude de petits cylindres de métal
posés parallèlement. Des enfants présentent le
coton à deux de ces cylindres, le coton passe et la
graine reste. Ce même moulin servait à entretenir le vent d'une forge, à battre des grains et à
faire de l'huile. Il nous apprit qu'il avait trouvé
une veine de charbon de terre, un sillon de mine
de fer, une bonne terre à faire des creusets, et
que les cendres des songes, espèce de nymphéa,
brûlées avec du charbon, donnaient des verres
de différentes couleurs. Nous quittâmes l'après-
midi ce citoyen utile et mal récompensé.

Nous suivîmes un sentier qui s'éloigne du
rivage d'une portée de fusil. Nous passâmes à
gué la rivière Belle-Ile, dont l'embouchure est
fort encaissée. A un quart de lieue de là on entre
dans un bois qui conduit à l'habitation de M. de
Chazal. Ce terrain, qu'on appelle les plaines
Saint-Pierre, est encore plus couvert de rochers
que le reste de la route. En plusieurs endroits nos

Noirs étaient obligés de mettre bas leurs charges, et de nous donner la main pour grimper. Une demi-heure avant d'arriver, Duval, ne pouvant plus supporter sa charge, la mit bas. Nous nous trouvâmes fort embarrassés, car il faisait nuit et les autres Noirs avaient pris les devants. Comment le retrouver au milieu des herbes et des bois? J'allumai du feu avec mon fusil, et nous l'entretînmes avec de la paille et des branches sèches; après quoi, nous laissâmes là Duval, et lorsque nous fûmes arrivés à la maison, nous envoyâmes des Noirs le chercher avec ses paniers.

Toute la côte est fort escarpée depuis la petite rivière jusqu'aux plaines Saint-Pierre. Nos curieux avaient trouvé dans les rochers la pourpre de Panama, la bouche d'argent, des nérites et des oursins à longues pointes. Sur le sable on ne trouve que des débris de cames, de rouleaux et de grappes de raisins, espèce de coraux.

Nous avions marché cinq heures le matin et quatre heures l'après-midi.

Du 27 août 1769

Nous nous reposâmes tout le jour. Tout ce terrain pierreux est assez propre à la culture du coton, dont cependant le fil est court. Le café y est d'une bonne qualité, mais d'un faible rapport comme dans tous les endroits secs.

Plaines Saint-Pierre

Le 28 août

Mes compagnons voulurent m'accompagner jusqu'à la dînée : nous nous mîmes en route à huit heures du matin.

Nous passâmes d'abord la rivière du Dragon à gué, ensuite celle du Galet de la même manière. La côte cesse là d'être escarpée, et nous eûmes le plaisir de marcher sur le sable, le long de la mer, dans une grande plaine qui mène jusqu'à l'anse du Tamarin ; elle peut avoir un quart de lieue de largeur, sur plus d'une lieue de longueur. Il n'y croît rien. On pourrait, ce me semble, y planter des cocotiers, qui se plaisent dans le sable. A droite, il y a un ruisseau de mauvaise eau, qui coule le long des bois.

Anse du Tamarin   Nous trouvâmes dans des endroits que la mer ne couvre plus, des couches de madrépores fossiles, ce qui prouve qu'elle s'est éloignée de cette côte . Nous dînâmes sur la rive droite de l'anse ; ensuite nous nous quittâmes en nous embrassant et nous souhaitant un bon voyage. Nous avions trouvé sur le sable des débris de harpes et d'olives très grosses.

De la rivière Noire, il n'y avait plus qu'une petite lieue à faire pour aller coucher chez M. de

---

* J'observai que là où la mer étale, indépendamment des récifs du large, il y a à terre une espèce d'enfoncement ou chemin couvert naturel. On y pourrait mettre du canon ; mais avant tout, il faudrait des chemins.

Messin. Je passai d'abord à gué le fond de l'anse du Tamarin, et de là je suivis le bord de la mer avec beaucoup de fatigue : il est escarpé jusqu'à la rivière Noire. Je trouvai le long de ces rochers beaucoup d'espèces de crabes et cette espèce de boudin dont j'ai parlé.

Le fond de l'anse est de sable, et on y pourrait débarquer si ces positions rentrantes n'exposaient à des feux croisés. Une batterie à la pointe de sable de la rive droite de la rivière Noire y serait fort utile. J'avais marché trois heures le matin et trois heures l'après-midi.

Le 29 et le 30 août

A marée basse je fus me promener sur le bord de la mer : j'y trouvai le grand buccin et une espèce de faux amiral.

Le 31 août

Je partis à six heures du matin. Je passai la première rivière Noire à gué, près de la maison ; *Rivière Noire* ensuite, ayant voulu couper une petite presqu'île couverte de bois et de pierres, je m'embarrassai dans les herbes et j'eus beaucoup de peine à retrouver le sentier ; il me mena sur le rivage que je côtoyai, la marée étant basse. Sur toute cette plage il y a beaucoup d'huîtres collées aux rochers ; Duval, mon nouveau Noir, se coupa le pied profondément en marchant sur leurs écailles ; c'était à l'une des deux embouchures de la

petite rivière Noire. Nous fîmes halte en cet
endroit sur les huit heures du matin : je lui fis
bassiner sa plaie, et boire de l'eau-de-vie, ainsi
qu'à Côte. Comme ils étaient fort chargés, je pris
le parti de faire deux haltes par jour, qui
coupassent mes deux courses du matin et du
soir, et de leur donner alors quelques rafraîchissements. Cette légère douceur les remplit de
force et de bonne volonté : ils m'eussent volon-
tiers suivi ainsi jusqu'au bout du monde.

Entre les deux embouchures de la rivière
Noire, un cerf poursuivi par des chiens et des
chasseurs vint droit à moi. Il pleurait et bra-
mait ; ne pouvant pas le sauver, et ne voulant
pas le tuer, je tirai un de mes coups en l'air. Il fut
se jeter à l'eau, où les chiens en vinrent à bout.
Pline observe que cet animal pressé par une
meute vient se jeter à la merci de l'homme. Je
m'arrêtai au premier ruisseau qu'on trouve
après avoir passé les deux rivières Noires : il se
jette à la mer vis-à-vis un petit îlot, appelé l'îlot
du Tamarin, qui n'est pas sur la carte ; on y va à
pied à mer basse, et à l'îlot du Morne, où
quelquefois l'on met les vaisseaux en quaran-
taine.

J'avais tout ce qui était nécessaire à mon
dîner, hors la bonne chère. Je vis passer le long
du rivage une pirogue pleine de pêcheurs malabares. Je leur demandai s'ils n'avaient point de
poissons : ils m'envoyèrent un fort beau mulet,
dont ils ne voulurent pas d'argent. Je fis mettre

ma cuisine au pied d'un tatamaque : j'allumai
du feu ; un de mes Noirs fut chercher du bois,
l'autre de l'eau, celle de cet endroit étant saumâ-
tre. Je dînai très bien de mon poisson, et j'en
régalai mes gens.

J'observai des blocs de roche ferrugineuse,
très abondante en minéral. Il y a une bande de
récifs qui s'étend depuis la rivière Noire jusqu'au
morne Brabant, qui est la pointe de l'île, tout
à fait sous le vent. Il n'y a qu'un passage
pour venir à terre derrière le petit îlot du
Tamarin.

A deux heures après midi je partis, en mettant
plus d'ordre dans ma marche. J'allais faire plus
de vingt lieues dans une partie déserte de l'île, où
il n'y a que deux habitants. C'est là où se
réfugient les Noirs marrons. Je défendis à mes
gens de s'écarter : mon chien même, qui me
devançait toujours, ne me précédait plus que de
quelques pas ; à la moindre alerte il dressait les
oreilles et s'arrêtait ; il sentait qu'il n'y avait plus
d'hommes. Nous marchâmes ainsi en bon ordre,
en suivant le rivage, qui forme une infinité de
petites anses. A gauche nous longions le bois, où
règne la plus profonde solitude. Ils sont adossés
à une chaîne de montagnes peu élevée dont on
voit la cime : ce terrain n'est pas fort bon. Nous
y vîmes cependant des polchers, arbres venus
des Indes, et d'autres preuves qu'on y avait
commencé des établissements. J'avais eu la
précaution de prendre quelques bouteilles d'eau

et je fis bien, car je trouvai les ruisseaux marqués
sur le plan absolument desséchés.

J'avais des inquiétudes sur la blessure de mon
Noir, qui saignait continuellement ; je marchais
à petits pas ; nous fîmes une halte à quatre
heures. Comme la nuit s'approchait, je ne voulus
point faire le tour du morne ; mais je le coupai
dans le bois, par l'isthme qui le joint aux autres
montagnes. Cet isthme n'est qu'une médiocre
colline. Etant sur cette hauteur je rencontrai un
Noir appartenant à M. Le Normand, habitant
chez lequel j'allais descendre et dont la maison
était à un quart de lieue. Cet homme nous
devança pendant que je m'arrêtais avec plaisir à
considérer le spectacle des deux mers. Une
maison placée en cet endroit y serait dans une
situation charmante, mais il n'y a pas d'eau.
Comme je descendais ce monticule, un Noir vint
au-devant de moi avec une carafe pleine d'eau
Morne fraîche et m'annonça que l'on m'attendait à la
Brabant maison. J'y arrivai. C'était une longue case de
palissades, couverte de feuilles de lataniers.
Toute l'habitation consistait en huit Noirs, et la
famille en neuf personnes : le maître et la
maîtresse, cinq enfants, une jeune parente et un
ami. Le mari était absent : voilà ce que j'appris
avant d'entrer.

Je ne vis dans toute la maison qu'une seule
pièce ; au milieu, la cuisine ; à une extrémité, les
magasins et les logements des domestiques ; à
l'autre bout, le lit conjugal, couvert d'une toile

sur laquelle une poule couvait ses œufs; sous le lit, des canards; des pigeons sous la feuillée, et trois gros chiens à la porte. Aux parois étaient accrochés tous les meubles qui servent au ménage ou au travail des champs. Je fus véritablement surpris de trouver dans ce mauvais logement une dame très jolie. Elle était française, née d'une famille honnête, ainsi que son mari. Ils étaient venus il y avait plusieurs années chercher fortune; ils avaient quitté leurs parents, leurs amis, leur patrie, pour passer leurs jours dans un lieu sauvage, où l'on ne voyait que la mer et les escarpements affreux du morne Brabant; mais l'air de contentement et de bonté de cette jeune mère de famille semblait rendre heureux tout ce qui l'approchait. Elle allaitait un de ses enfants; les quatre autres étaient rangés autour d'elle, gais et contents.

La nuit venue, on servit avec propreté tout ce que l'habitation fournissait. Ce souper me parut fort agréable. Je ne pouvais me lasser de voir ces pigeons voler autour de la table, ces chèvres qui jouaient avec les enfants, et tant d'animaux réunis autour de cette famille charmante. Leurs jeux paisibles, la solitude du lieu, le bruit de la mer me donnaient une image de ces premiers temps où les filles de Noé, descendues sur une terre nouvelle, firent encore part aux espèces douces et familières du toit, de la table et du lit.

Après souper on me conduisit coucher; à deux cents pas de là, à un petit pavillon en bois que l'on venait de bâtir. La porte n'était pas encore mise : j'en fermai l'ouverture avec les planches dont on devait la faire. Je mis mes armes en état ; car cet endroit est environné de Noirs marrons. Il y a quelques années que quarante d'entre eux s'étaient retirés sur le morne, où ils avaient fait des plantations. On voulut les forcer ; mais plutôt que de se rendre ils se précipitèrent tous dans la mer.

Le 2 septembre

Le maître de la maison étant revenu pendant la nuit, il m'engagea à différer mon départ jusqu'à l'après-midi : il voulait m'accompagner une partie du chemin. Il n'y avait que trois petites lieues de là à Belle-Ombre, dernière habitation où je devais coucher. Comme mon Noir était blessé, la jeune dame voulut elle-même lui préparer un remède pour son mal. Elle fit sur le feu une espèce de baume samaritain avec de la térébenthine, du sucre, du vin, et de l'huile. Après l'avoir fait panser, je le fis partir d'avance avec son camarade. A trois heures après dîner je pris congé de cette demeure hospitalière et de cette femme aimable et ver-tueuse. Nous nous mîmes en route, son mari et moi. C'était un homme très robuste ; il avait le visage, les bras, et les jambes brûlés du soleil. Lui-même travaillait à la terre, à abattre les arbres, à les charrier ; mais il ne souffrait, disait-il, que du mal que se donnait sa femme pour

élever sa famille . elle s'était encore, depuis peu,
chargée d'un orphelin. Il ne me conta que ses
peines, car il vit bien que je sentais son bonheur.

Nous passâmes un ruisseau près de la maison ;
et nous marchâmes sur la pelouse jusqu'à la
pointe du Corail. Dans cet endroit la mer
pénètre dans l'île entre deux chaînes de rochers à
pic ; il faut suivre cette chaîne en marchant par
des sentiers rompus et en s'accrochant aux
pierres. Le plus difficile est de l'autre côté de
l'anse, en doublant la pointe appelée le cap. J'y
vis passer des Noirs ; ils se collaient contre les
flancs du roc : s'ils eussent fait un faux pas, ils
tombaient à la mer. Dans les gros temps ce
passage est impraticable ; la mer s'y engouffre et
y brise d'une manière effroyable. En calme, les
petits vaisseaux entrent dans l'anse, au fond de
laquelle ils chargent du bois. Heureusement il
s'y trouva *Le Désir,* senau du Roi ; il nous prêta
sa chaloupe pour passer le détroit. M. Le
Normand me conduisit de l'autre côté, et nous
nous dîmes adieu en nous embrassant cordialement.

J'arrivai, en trois heures de marche, sur une *Belle-*
pelouse continuelle, au-delà de la pointe de *Ombre*
Saint-Martin. Souvent j'allais sur le sable, et
quelquefois sur ce gazon fin qui croît par flocons
épais comme la mousse Dans cet endroit je
trouvai une pirogue où M. Etienne, associé à
l'habitation de Belle-Ombre, m'attendait. Nous

fûmes en peu de temps rendus à sa maison, située à l'entrée de la rivière des Citronniers. On construisait, sur la rive gauche, un vaisseau de deux cents tonneaux.

Depuis M. Le Normand, toute cette partie est d'une fraîcheur et d'une verdure charmantes; c'est une savane sans roche, entre la mer et les bois, qui sont très beaux.

Avant de passer le Cap, on remarque un gros banc de corail, élevé de plus de quinze pieds. C'est une espèce de récif que la mer a abandonné; il règne au pied d'une longue flaque d'eau, dont on pourrait faire un bassin pour de petits vaisseaux. Depuis le morne Brabant il y a, au large, une ceinture de brisants, où il n'y a de passage que vis-à-vis les rivières.

Le 2 septembre [suite]

Le remède appliqué à la blessure de mon Noir l'ayant presque guéri, je fixai mon départ à l'après-midi. Le matin je me promenai en pirogue entre les récifs et la côte. L'eau du fond était très claire : on y voyait des forêts de madrépores de cinq ou six pieds d'élévation, semblables à des arbres : quelques-uns avaient des fleurs. Différentes espèces de poissons de toutes couleurs nageaient dans leurs branches; on y voyait serpenter de belles coquilles, entre autres une tonne magnifique, que le mouvement de la pirogue effraya : elle fut se nicher sous une touffe de corail. J'aurais fait une riche collection, mais

je n'avais ni plongeur ni pince de fer pour
soulever les plantes de ce jardin maritime et
pour déraciner ces arbres de pierre. J'en rappor-
tai le rocher appelé l'oreille de Midas, le drap
d'or, et quelques gros rouleaux garnis de leur
peau velue.

Nous eûmes à dîner deux officiers du *Désir*, *Poste*
qui, conjointement avec M. Etienne, voulurent *Jacotet*
m'accompagner jusqu'au bras de mer de la
Savane, à trois lieues de là. Personne n'y
demeure, mais il y a quelques cases de paille ; le
matin on avait fait partir d'avance tous les
Noirs ; après midi je me mis en route, et je pris
seul les devants. J'arrivai au Poste Jacotet : c'est
un endroit où la mer entre dans les terres en
formant une baie de forme ronde. On voit au
milieu un petit îlot triangulaire ; cette anse est
entourée d'une colline qui la clôt comme un
bassin. Elle n'est ouverte qu'à l'entrée, où passe
l'eau de la mer ; et au fond où coulent sur un
beau sable plusieurs ruisseaux qui sortent d'une
pièce d'eau douce, où je vis beaucoup de poissons. Autour de cette pièce d'eau sont plusieurs
monticules qui s'élèvent les uns derrière les
autres en amphithéâtre. Ils étaient couronnés de
bouquets d'arbres, les uns en pyramide comme
des ifs, les autres en parasol ; derrière eux
s'élançaient quelques têtes de palmistes, avec
leurs longues flèches garnies de panaches. Toute
cette masse de verdure, qui s'élève du milieu de

la pelouse, se réunit à la forêt et à une branche
de montagne qui se dirige à la rivière Noire. Le
murmure des sources, le beau vert des flots
marins, le souffle toujours égal des vents, l'odeur
parfumée des veloutiers, cette plaine si unie, ces
hauteurs si bien ombragées semblaient répandre
autour de moi la paix et le bonheur. J'étais fâché
d'être seul : je formais des projets ; mais du reste
de l'univers je n'eusse voulu que quelques objets
aimés, pour passer là ma vie.

Je quittai à regret ces beaux lieux. A peine
j'avais fait deux cents pas que je vis venir à ma
rencontre une troupe de Noirs armés de fusils. Je
m'avançai vers eux, et je les reconnus pour des
Noirs de détachement, sorte de maréchaussée de
l'île ; ils s'arrêtèrent auprès de moi. L'un d'eux
portait dans une calebasse deux petits chiens
nouveau-nés ; un autre menait une femme attachée par le cou à une corde de jonc : c'était le
butin qu'ils avaient fait sur un camp de Noirs
marrons qu'ils venaient de dissiper. Ils en
avaient tué un, dont ils me montrèrent le gri-gri,
espèce de talisman fait comme un chapelet. La
Négresse paraissait accablée de douleur. Je
l'interrogeai : elle ne me répondit pas. Elle
portait sur le dos un sac de vacoa. Je l'ouvris.
Hélas ! c'était une tête d'homme. Le beau paysage disparut, je ne vis plus qu'une terre abomi-
nable [...]

DOSSIER

CHRONOLOGIE

1735. Le comte Mahé de La Bourdonnais gouverneur des îles Mascaraignes (île de France, île Bourbon).

1737. *19 janvier* : naissance au Havre de Jacques-Henri Bernardin de Saint-Pierre, dans une famille bourgeoise qui prétendait descendre d'Eustache de Saint-Pierre, bourgeois de Calais.

1740. Retour en France de La Bourdonnais.

1744. *24 mars* : Le *Saint-Géran,* vaisseau de 800 tonneaux appartenant à la Compagnie des Indes, quitte Lorient à destination de l'île de France.

18 août : le *Saint-Géran* se brise sur un récif et fait naufrage à proximité de l'île de France, il n'y a que neuf survivants.

1746. Prise de Madras par La Bourdonnais.

1748. Renvoyé en France par Dupleix avec lequel il était entré en conflit, La Bourdonnais est enfermé à la Bastille. — Paix d'Aix-la-Chapelle.

1749. Grand lecteur de *Robinson Crusoé,* Bernardin s'embarque, à douze ans, pour la Martinique sur un navire dont le capitaine est son oncle Godebout ; il en revient dégoûté des voyages maritimes et avec le mal du pays. Etudes chez les jésuites de Caen et de Rouen. Très mal adapté à la vie de collège, il rêve de devenir missionnaire et martyr.

1751. Acquittement de La Bourdonnais qui mourra deux ans après.

1757. Bernardin entre à l'Ecole des Ponts et Chaussées, créée à Paris dix ans auparavant.

1758. L'Ecole est licenciée : Bernardin est demi-ingénieur, sans diplôme.

1759. Dans des circonstances obscures et controversées reçoit un brevet d'ingénieur militaire.

1760. Participe comme technicien à la campagne d'Allemagne (guerre de Sept Ans) sous les ordres du comte de Saint-Germain. Suspendu de ses fonctions pour indiscipline et renvoyé en France, sans argent, il y gagne à la loterie...

1761. Ingénieur géographe à Malte où il est mal accepté par ses collègues. Vie besogneuse en France où il donne des leçons de mathématiques.

1762. Séjour en Hollande. A Amsterdam collabore au journal d'un réfugié français, Mustel. Départ pour la Russie, Saint-Pétersbourg, puis Moscou : la protection du grand-maître de l'artillerie, Villebois, et du baron de Breteuil, ambassadeur de France, lui vaut d'être nommé sous-lieutenant dans le corps du génie commandé par le Français Du Bosquet, et d'être présenté à Catherine II.
Naissance d'André Chénier.

1763. Projette d'établir une république modèle sur les bords du lac Aral. Reçoit de Catherine II un brevet de capitaine et une gratification de 1 500 livres. Mission en Finlande, avec Du Bosquet. Quitte la Russie après la disgrâce de Villebois.

1764. Séjour à Varsovie. Un moment arrêté pour complot au profit du parti Radziwill — soutenu par la France — contre le roi Stanislas — Auguste Poniatowski, soutenu par la Russie. S'éprend d'une princesse polonaise, Marie Mesnik.

1765. Varsovie, Vienne, Varsovie, Dresde, Berlin. Aurait refusé — à moins qu'à l'inverse il ne lui ait été refusé — un brevet de capitaine de Frédéric II.
Novembre : retour en France ; mort de son père ; dépouillé de l'héritage par sa belle-mère.

1766. Vie difficile à Paris.

1767. Nommé capitaine ingénieur du roi à l'île de France, avec une mission secrète pour Madagascar.

1768. *18 février :* départ pour Madagascar où il refuse de débarquer, par suite d'une brouille avec le chef de la mission.
14 juillet : débarqué à l'île de France où il sera officier hors cadre et chargé de réparer les bâtiments civils. Mêlé aux intrigues et trafics de l'île, Bernardin se brouille avec l'intendant Pierre Poivre dont il a vainement essayé de séduire la femme.

1771. *Juin :* retour en France. Vie difficile malgré la protection du baron de Breteuil, avec lequel il ne tarde pas à se brouiller. Fréquente le salon de Mlle de Lespinasse. Devient le familier et le disciple de Jean-Jacques Rousseau.

1773. Médiocre succès du *Voyage à l'île de France*. En procès avec son éditeur.

1775. Début de brouille avec les philosophes. Bref séjour à la Trappe. Existence quotidienne de plus en plus difficile.

1776. Rétif, *Le Paysan perverti*. — Traduction française d'*Ossian*.

1778. Mort de Voltaire et de Rousseau. — Parny, *Poésies érotiques*. Rétif, *La Vie de mon père*.

1779. Prend la défense de son frère, accusé de trahison au profit des Anglais et enfermé à la Bastille.

1780. Bertin, *Les Amours*. — Delille, *Les Jardins*.

1781. Bernardin s'installe dans une mansarde de la rue Neuve-Saint-Etienne, près des arènes de Lutèce. Compose *L'Arcadie*, poème en prose.
Démission de Necker.

1782. Publication des six premiers livres des *Confessions* de Rousseau. — Laclos, *Les Liaisons dangereuses*.

1783. Bernardin achève ses *Etudes de la Nature*. — Florian, *Galatée*.

1784. Mort de Diderot.
Décembre : publication et succès immédiat des *Etudes de la Nature*. Bernardin devient un écrivain célèbre.

1787. Sade compose à la Bastille *Les Infortunes de la vertu*. — Florian, *Estelle*.

1788. 3ᵉ édition des *Etudes de la Nature*. Au tome 4 : *Paul et Virginie*.

1789. *Vœux d'un solitaire*. Bernardin est membre de l'assemblée populaire de son district.

1790. *La Chaumière indienne*. La gloire de Bernardin est à son apogée ; disciples des deux sexes ne lui marchandent pas leur admiration. Mais il s'obstine jusqu'au ridicule à défendre sa théorie vieillotte de l'allongement de la terre aux pôles et son explication des marées par la fonte des glaces polaires.

1792. *14 juillet : Invitation à la concorde pour la fête de la Confédération*. *Juillet* : nommé intendant du Jardin des plantes (avec un traitement de 10 800 livres) où il installera la ménagerie. *Septembre* : élu à la Convention, mais refuse d'y siéger.

1793. *Juin* : son poste est supprimé.
Septembre : la Convention lui accorde une indemnité de 3 000 livres.
27 octobre : épouse Félicité Didot, fille de l'imprimeur des *Etudes de la Nature*. Elle a 20 ans, et lui 56. Le ménage s'installe à Essonnes.

1794. Naissance d'une fille, Virginie. Bernardin est nommé professeur de morale républicaine à la toute récente Ecole normale supérieure, avec un traitement mensuel de 1 000 livres et d'autres avantages.

1795. Suppression de l'Ecole normale supérieure. Bernardin conserve néanmoins son traitement qu'il va cumuler avec celui de membre de l'Institut.

1796. Naissance d'un fils, Paul, qui ne vivra pas six mois. Composition des *Harmonies de la Nature* (publiées en 1815).

1798. Naissance d'un second fils, également prénommé Paul.

1799. Mort de Félicité.

1800. Remariage avec Désirée de Pelleporc, âgée de 20 ans. Bernardin en a 63.

1801. Chateaubriand, *Atala.*

1802. Naissance d'un troisième enfant qui mourra à l'âge de deux ans. Bernardin se rallie à Bonaparte. Chateaubriand, *Génie du Christianisme.*

1803. Lancement de la souscription pour une édition de luxe, grand format, de *Paul et Virginie.*

1806. Devenu catholique pratiquant, Bernardin reçoit la Légion d'honneur.

1807. Président de l'Académie française, prononce l'éloge de Napoléon.

1812. Essaie sans succès de se faire nommer sénateur.

1814. *21 janvier :* Bernardin meurt à Eragny-sur-Oise.

NOTICE SUR LA PRÉSENTE ÉDITION

Notre texte est celui de l'édition de 1806 (voir *Bibliographie*), avec son très long *Préambule*. Nous donnons en annexes l'*Avant-Propos* de 1782, l'*Avis sur cette édition* de 1789 ainsi que des extraits du *Voyage à l'isle de France*, de 1773.

Notre annotation doit beaucoup à nos prédécesseurs, notamment à Pierre Trahard. Nous avons cependant choisi de ne pas l'alourdir de notes explicatives trop nombreuses, préférant éclairer le texte de l'intérieur, par un choix — nécessairement arbitraire — de variantes significatives.

P. Trahard avait donné une édition semi-critique, avec une longue liste de variantes des principales éditions publiées du vivant de Bernardin. A quelques exceptions près elles nous ont paru d'un intérêt limité, pour une édition qui n'est pas destinée à un public de spécialistes. En revanche nous avons beaucoup demandé aux manuscrits. Il est possible que les dossiers de la bibliothèque du Havre réservent encore de bonnes surprises aux érudits, comme P. Trahard le suggérait lui-même en enrichissant grâce à eux de plusieurs passages la tradition critique. Mais comme il l'avait lui-même compris, après G. Lanson, l'intérêt de ces fragments est largement éclipsé par le manuscrit autographe de la bibliothèque Victor Cousin (Paris-Sorbonne) : unique version manuscrite continue et complète, même si l'ordre des feuillets est ici ou là sujet à caution, en raison de l'intervention du libraire Renouard qui l'avait acquise en 1825 du second mari de la veuve de Bernardin, Aimé Martin, et déclare l'avoir trouvée « fort en désordre » (texte cité par P. Trahard, p. LXVI-LXVII de son *Introduction*).

Or il est possible aujourd'hui d'exploiter ce manuscrit beaucoup plus commodément, grâce à la remarquable édition qu'en a donnée en 1975 Marie-Thérèse Veyrenc (voir *Bibliographie*). Cette publica-tion nous permet en effet de comparer *in extenso* cinq états du texte :

— la première version complète, qui n'est pas un premier jet, mais la mise au net de rédactions antérieures ;

— les corrections immédiatement apportées à cette version, en cours de rédaction (révision 1) ;

— de nombreuses retouches d'encres et d'écritures différentes, généralement très ponctuelles (révision 2) ;

— un ensemble de corrections plus importantes, qui conduisent notamment au titre définitif, mais restent inachevées et laissent le texte encore en chantier (révision 3) ;

— la version imprimée de 1788.

Divers recoupements permettent à Marie-Thérèse Veyrenc de compléter cette analyse d'indications chronologiques : la version complète (révision 2 incluse) daterait de 1777, et au plus tard de 1780. La révision 3 serait probablement de 1785. Ainsi se trouve précisée la longue histoire de notre mince roman. Ainsi se trouve confirmé ce qu'indique au premier coup d'œil un manuscrit-grimoire particulièrement tourmenté. Ce n'est pas seulement dans sa vie d'homme que Bernardin était un perpétuel insatisfait : ce « préromantique » qui ne cesse de remettre son ouvrage sur le métier applique à la lettre les préceptes de Boileau ; la limpidité trompeuse de sa pastorale est la plus laborieuse des conquêtes.

La nature de cette collection imposait évidemment des bornes à l'utilisation du travail extraordinairement minutieux de Marie-Thérèse Veyrenc. A défaut de pouvoir donner tous les états successifs d'un même passage, nous avons généralement retenu le texte initial du manuscrit, dont le rapprochement avec le texte imprimé permet de mesurer la distance parcourue. Enfin notre choix, lui-même nécessairement très limité, répond au vœu de mettre le lecteur en mesure d'apprécier, dans la diversité de leurs motivations ou de leurs effets, les hésitations et les repentirs de l'auteur : qu'il s'agisse de ses choix idéologiques ou politiques, de la construction du récit, d'un effort de concentration dramatique, ou de recherches de style.

BIBLIOGRAPHIE

1. ÉDITIONS

Elles sont innombrables. Nous n'en indiquerons que quelques-unes parmi les plus anciennes et les plus récentes. La première apparaît en 1788 au quatrième tome des *Études de la Nature* (Paris, P.F. Didot le Jeune et Méquignon l'Aîné). Le roman conquiert son autonomie l'année suivante, avec la première édition séparée, format in-18, illustrée de 4 figures de Moreau le Jeune et Joseph Vernet (Paris, Firmin Didot). Il est réimprimé plus de vingt-cinq fois du vivant de l'auteur, soit avec son accord ou à son initiative, soit sous la forme des contrefaçons dont il s'est plaint avec amertume. En 1806 paraît chez Didot l'Aîné, en format grand in-4°, l'édition de luxe minutieusement préparée par l'auteur : elle apporte le texte définitif, que la plupart des éditions ultérieures ont reproduit.

Il en est ainsi de deux éditions proches de nous et très utiles :
— *Paul et Virginie,* texte établi avec une introduction, des notes et des variantes par Pierre Trahard, Paris, Classiques Garnier, 1958.
— *Paul et Virginie,* chronologie et préface par Robert Mauzi, Paris, Garnier-Flammarion, 1966.
— *Paul et Virginie,* texte présenté et commenté par Édouard Guitton, illustrations de Sophie Strouvé, Paris, Imprimerie Nationale, 1984.
— *Paul et Virginie,* présentation, notes et variantes de Jean-Michel Racault, Paris, Le Livre de Poche classique, 1999.

On fera éventuellement son profit des *Œuvres complètes* de Bernardin de Saint-Pierre, éditées par L. Aimé-Martin, Paris, Méquignon-Marvis, 1818-1820, 12 vol. in-8°, ainsi que de sa *Correspondance,* publiée par le même, Paris, Ladvocat, 4 vol., 1826, et de la récente réédition du *Voyage à l'île de France* par Yves Benot, La Découverte/Maspero, 1983.

2. Etudes

A défaut d'étude d'ensemble récente on se reportera à :
— F. Maury, *Etudes sur la vie et les œuvres de Bernardin de Saint-Pierre,* Paris, Hachette, 1892.
— M. Souriau, *Bernardin de Saint-Pierre d'après ses manuscrits,* Paris, Boivin, 1930.
Sur le roman lui-même :
— J. Fabre, « *Paul et Virginie,* pastorale » (1953) dans *Lumières et Romantisme,* Paris, C. Klincksieck (1963), deuxième édition revue et corrigée, 1980, p. 225-257.
— P. Toinet, « *Paul et Virginie* ». *Répertoire bibliographique et iconographique,* Paris, Maisonneuve et Larose, 1963.
— J. Horrent, « le réalisme descriptif dans la tempête de *Paul et Virginie* », *Cahiers d'Analyse textuelle,* 11, 1969, p. 7-26.
— J. Rossard, « La mort mystérieuse de Virginie » (1968), dans *Une clé du romantisme, la pudeur,* Paris, Nizet, 1974, p. 123-138.
— J. Dunkley, « *Paul et Virginie.* Aesthetic appeal and archetypal structures », *Trivium,* XIII, 1978, p. 95-112.
— Deux études inédites, toutes deux suggestives, bien que d'importance très inégale :
Geneviève Guérin, « L'île de France vue par Bernardin de Saint-Pierre. Du *Voyage à l'île de France* à *Paul et Virginie* », mémoire de diplôme d'études supérieures, Clermont-Ferrand, 1967.
— Marie-Thérèse Veyrenc, *Edition critique du manuscrit de* Paul et Virginie *de Bernardin de Saint-Pierre intitulé :* « *Histoire de Mlle Virginie de la Tour* », Paris, Nizet, 1975 (voir aussi le compte rendu de cet ouvrage essentiel, par G. Buisson, dans la *Revue d'histoire littéraire de la France,* septembre-octobre 1977, p. 857-861).
— Georges Benrekassa, « L'univers culturel de *Paul et Virginie* : texte, intertexte, contexte », in *Fables de la personne,* Paris, PUF, 1985, p. 57-133.
— Jean-Michel Racault, « Système de la toponymie et organisation de l'espace romanesque dans *Paul et Virginie* », *Studies on Voltaire and the Eighteenth Century,* n° 242, 1986, p. 377-418.
— Jean-Michel Racault, « Virginie entre la nature et la vertu : cohésion narrative et contradictions idéologiques dans *Paul et Virginie* », *Dix-huitième siècle,* n° 18, 1986, p. 389-404.

— Jean-Michel Racault, « *Paul et Virginie* et l'utopie. De la "petite société" au mythe collectif », *Studies on Voltaire...*, n° 242, 1986, p. 419-471.

— Jean-Michel Racault, « De l'île réelle à l'île mythique : Bernardin de Saint-Pierre et l'île de France », in François Moureau (éd.), *L'Île, territoire mythique*, Paris, Aux Amateurs de Livres, 1989, p. 79-99.

Voir aussi les contributions réunies dans *Bernardin de Saint-Pierre*, Actes du colloque de la Société d'Histoire Littéraire de la France, *R.H.L.F.*, n° 5, septembre-octobre 1989.

Et, plus récemment :

— Anastase Ngendahima, *Les Idées politiques et sociales de Bernardin de Saint-Pierre*, Bern, P. Lang, 1999 (301 p.).

— Catherine Larrère, « Du jardin de Julie au jardin de Virginie », *Dix-huitième siècle*, n° 33, 2001, p. 497-506.

— Annie Becq, « *Paul et Virginie* : l'épisode de la Rivière Noire », in *Le Travail des Lumières : pour Georges Benrekassa*, édité par Caroline Jacot-Grapa (*et alii*), Paris, Champion, 2002, p. 533-541.

NOTES ET VARIANTES

PRÉAMBULE

Page 30.

1. *1786 :* la mémoire de l'auteur le trompe de deux ans (voir *Chronologie*).

2. Bernardin ne possèdait pas toutes les traductions de son livre : en 1806 il en existait au moins six en anglais et autant en italien. La septième traduction anglaise connue devait paraître cette même année; la première avait été publiée à Londres, dès 1789, chez J. Dodsley, sous le titre inattendu de *Paul and Mary, an indian story.*

Page 42.

3. *et en très petit nombre :* au total, cinquante-cinq seulement. Pour l'auteur l'édition de 1806, à laquelle il avait apporté tous ses soins, ne fut pas une bonne affaire.

Page 67.

4. *ma petite édition in-18 :* la première édition séparée (Paris, Firmin Didot, 1789); trois des quatre figures seulement sont de Moreau le Jeune, la quatrième est de Joseph Vernet, comme le précise l' *Avis sur cette édition* (voir *supra, Annexe* II).

Page 75.

5. *Je venais de traverser...* Var. Ms.48, Bibliothèque du Havre : je venais de traverser des temps de révolution, de guerre, de revers, de banqueroute, d'anarchie, de satire, de persécutions sourdes. La Providence eut pitié de nous; elle envoya Bonaparte qui prit dans sa main puissante le gouvernail; il conjure les vents, il les enferma dans des outres et les fit souffler dans ses voiles.

Les vers cités sont de Virgile (*Enéide*, I, 63-64).

Page 77.

6. Eragny-sur-Oise, à environ 30 kms de Paris

Page 88.

7. *Linus* [...] *Lockman...* : Linus, ou Linos, fils d'Apollon et de Calliope, est le maître de musique légendaire d'Orphée et d'Hercule qui l'aurait tué à la suite d'une remontrance. Il a également été considéré comme un philosophe, et on lui a notamment attribué une *Cosmogonie*. Lokman — ou plutôt Locman — est un auteur arabe apocryphe auquel on attribuait des fables traduites ou inspirées d'Esope ; dans l'*Avertissement* qui précède le livre VII de ses *Fables* La Fontaine, selon la tradition, parle du « sage Locman ».

Page 96.

8. *les échos d'Horrillax et du Vaigaths* : le Vaigatsch ou Vaïgatch est à la fois un détroit et une île de l'océan Arctique. L'Hécla — ou Hékla — est un volcan islandais dont l'éruption en 1766 avait causé de nombreuses victimes et dont le cratère venait d'être exploré en 1777. Ces références nordiques justifient l'allusion aux « filles d'Ossian ». Il en est sans doute de même d'Horrillax, sur lequel tous les commentateurs sont muets et que nos recherches ne nous ont pas permis d'identifier.

Page 97.

9. *dessolée* : sans terres arables, stérile.

Page 100.

10. *Le célèbre Mairan* : Jean-Jacques Dortous de Mairan (1678-1771), physicien, membre de l'Académie royale des sciences, auteur de nombreux mémoires où il défendit notamment, contre Newton, la théorie cartésienne des tourbillons

Page 107.

11. *une polyglotte* : une Bible écrite en plusieurs langues. Newton est aussi l'auteur d'un commentaire de l'*Apocalypse*.

PAUL et VIRGINIE

Page 109.

1. *Paul et Virginie :* Var. Ms. Bibliothèque Victor Cousin : histoire de Melle Virginie de la Tour (ce manuscrit sera désormais désigné par les simples initiales V. C., les dates renvoyant par ailleurs aux éditions antérieures à 1806, et principalement à la première édition). Le changement de titre n'est pas sans importance : de l'histoire d'une destinée individuelle on est passé à celle d'un couple, digne de voisiner dans la mémoire des lecteurs avec les plus illustres amants malheureux, sinon avec les plus grands mythes de l'amour impossible. Peut-on dire pourtant que dans la rédaction définitive la figure de Paul équilibre parfaitement celle de Virginie ?

2. La simplicité de cette phrase liminaire n'est pas de premier jet. V. C. donne, plus laborieusement : sur le côté oriental de la montagne qui s'élève derrière le port louis de lisle de France à la naissance d'un vallon appellé l'enfoncement des pretres on voit le long des bois deux terrains abandonnés et sur ces terrains les ruines de deux petites maisons, elles sont scituées [...]

3. L'exactitude de cette topographie est confirmée par la carte de l'abbé de La Caille (reproduite par Le Gentil dans son *Voyage dans les mers de l'Inde,* t. II, planche 15) qui omet cependant Port-Louis, capitale de l'île. Bernardin de Saint-Pierre avait lui-même dessiné et colorié une carte de l'Ile de France, conservée à la Bibliothèque du Havre. Elle situe clairement le cap Malheureux non pas « un peu sur la droite », mais à l'extrémité nord de l'île. Le quartier des Pamplemousses, au nord de Port-Louis, s'étend jusqu'au morne — ou piton — de la Découverte, à quelques kilomètres à l'intérieur des terres.

Page 110.

4. *A peine l'écho* [...] *par les vents.* V. C. : a peine on y entend le bruit des sources dont se forme la rivière des lataniers ou le murmure du vent qui agite les arbres sur les plateaux élevés du roc.

5. *Je le saluai* [...] *un moment.* V. C. : je le saluai. Comme l'indique plus loin le même manuscrit, ce bon vieillard — devenu anonyme — s'appelait primitivement Mustel.

Page 111.

6. *sur le tertre où...* 1788, 1789, 1790, 1800, 1802 : sur le tertre sur lequel.

7. *En 1726.* L'auteur a beaucoup hésité sur cette date. Elle est déjà la même en 1789. Mais la première édition donne 1735 et V. C., 1728. Le choix définitif attribue 18 ans à Virginie au moment du naufrage du *Saint-Géran* en 1744.

Page 112.

8. V. C. faisait du « jeune homme de Normandie » un « gentil-homme ». L'opposition de la belle-famille de celui-ci à son mariage n'apparaît que dans une variante du manuscrit. Dès 1788 le texte imprimé en donne l'explication et souligne la distance sociale qui sépare les deux époux : d'un côté un roturier sans fortune, de l'autre l'héritière « d'une ancienne et riche maison ».

Page 113.

9. *Marguerite.* Tantôt « Mde Menard », tantôt « Mde Leonard » dans le manuscrit, le personnage doit finalement se contenter d'un prénom. L'auteur obéit sans doute ici, comme précédemment, à un souci de précision sociale : simple paysanne, fille séduite, Marguerite est très inférieure à Mme de la Tour. Aux yeux de la société son fils ne sera donc jamais l'égal de Virginie, d'autant qu'il est enfant naturel.

Autre différence entre le texte définitif et le premier état du manuscrit : l'amant de Marguerite est d'abord un honnête homme, sincèrement épris, et qui a eu « le malheur » de mourir prématurément ; il devient un séducteur sans scrupule, hobereau abusant de la crédulité d'une jeune paysanne. Dès lors, Marguerite est, elle aussi, une victime de la société, et non du seul mauvais sort.

Page 114.

10. *Une lieue et demie :* environ six kilomètres. La Montagne Longue est à environ trois kilomètres à l'est du Port-Louis.

Page 115.

11. *des Lataniers :* le latanier est une variété de palmier.

Page 116.

12. *qu'en m'écartant de la vertu.* V. C. : en cessant detre fille — 1788 : en cessant de l'être — 1789 : *id.* 1806. Les éditions intermédiaires hésitent entre les deux formulations imprimées.

13. *yolof :* donc originaire du Sénégal.

14. *des giraumons :* variété de courge, à l'écorce blanche et verte et à la chair très sucrée.

...nt *il avait épousé la négresse* [...] 1788 et édit. intermédiaires : à
la négresse de laquelle il s'était marié. — V. C. au lieu de *il s'était
marié* donne : on l'avoit mariée [*sic*]. La différence de *on* à *il* n'est pas
seulement stylistique. — Notons toutefois que le Code Noir de 1685
interdisait de marier les esclaves sans leur consentement.

Page 118.

16.   Après *des esclaves* V. C. ajoute : jaurais bien voulu les servir de
ma bourse conne [*sic*] du travail de mes mains mais javais moi meme
bien de la peine a entretenir ma femme et deux enfants.

Cette intervention — confidence du narrateur, biffée dans le
manuscrit, est éliminée dès 1788.

17.   *qu'une table.* V. C. ajoutait : et hors le lit. Comme le mot *fille*
précédemment (note 12) la précision a dû paraître à Bernardin se
relisant un peu crue pour la délicatesse d'une idylle : aussi l'a-t-il
rayée dans le manuscrit même.

Page 119.

18.   *en pensant qu'un jour* [...] *du bonheur de l'égalité.* V.C. : dans
lesperance que leurs chers enfans en gouteraient un jour les plaisir et
les honneur.

Page 120.

19.   *tout nus :* manque dans V. C.

20.   *sans cesse.* 1788 à 1802 : toujours. En 1806 un scrupule tardif
supprime la reprise de l'adverbe qui apparaissait déjà à la ligne
précédente.

Page 121.

21.   *Quand on en rencontrait un* [...] *la même coquille.* Ce passage
manque dans V.C., mais apparaît dans l'un des feuillets de la
Bibliothèque municipale du Havre (dossier 170, feuillet 24).

Femme de Tyndare, roi de Sparte, Léda enfanta deux couples de
jumeaux, Hélène et Clytemnestre, Castor et Pollux. Voir plus loin,
p. 142 et note 50, une autre allusion aux Dioscures.

Page 122.

22.   *tout préparés.* V. C. : un long dejeuner preparé par les soins de
Virginie.

23.   *larges :* l'adjectif manque dans 1788, 1789, etc. Addition de
1806.

Page 123.

24. *Niobé :* métamorphosée en rocher après que Latone, par jalousie, eut fait tuer ses enfants à coups de flèches.

Page 124.

25. *Enfin en 1738, trois ans après...* V. C. et 1788 : Enfin en 1746, à l'arrivée de... — La nomination de Mahé de la Bourdonnais comme gouverneur des îles Bourbon et de France date effectivement de 1735.

26. *les suites souvent funestes.* 1788, 1789 etc. : les suites presque toujours funestes.

Page 126.

27. *marronne :* esclave fugitive. De l'espagnol *cimarron* (sauvage), le terme désigne une peuplade d'Amérique centrale qui avait été réduite en esclavage après s'être révoltée. Sur les châtiments prévus par le Code Noir pour les esclaves fugitifs, voir la lettre XII du *Voyage à l'Ile de France.* Dans le même ouvrage Bernardin raconte comment il avait lui-même obtenu la grâce d'une esclave marronne.

Page 127.

28. *la Rivière-noire :* au sud-ouest de l'île.

29. *Un dimanche [...] qu'elle avait apprêté.* V. C. est initialement beaucoup plus bref et sec : une fois à lheure de midi une negresse maronne entra dans la caze de Mde de la tour ou Virginie étoit seule, elle se jetta à ses pieds en lui disant ma jeune demoiselle ayés pitié dune pauvre esclave qui meurt de faim. Virginie toute emue lui dit, mangés, mangés et rassurés vous, et elle lui donna le dîner de la famille quelle preparoit.

Page 128.

30. *un tamarin :* fruit rafraîchissant du tamarinier.

Page 129.

31. *un jeune palmiste :* arbre tropical décrit dans le *Voyage* où l'auteur expose également la manière d'allumer du feu en frottant l'un contre l'autre deux morceaux de bois.

Page 131.

32. *n'y ont pas encore de nom.* De fait, la Caille n'en donne pas à cette rivière qui coule entre la Rivière-noire et la rivière du Tamarin, au sud de la montagne des Trois-Mamelles.

Page 132.

33. *un palmiste.* 1788 : des palmistes.

34. *un ajoupa :* mot indien désignant une hutte de pieux et de feuillages.

35. *scolopendre :* fougère aux feuilles en forme de fer de lance.

36. L'auteur du *Voyage* raconte avoir été lui-même victime d'un accident analogue.

Page 134.

37. C'est en 1785 qu'avait paru la traduction française de l'ouvrage du Français, devenu citoyen américain, Hector Saint-John de Crèvecœur. *Lettres d'un cultivateur américain écrites à W. S. Ecuyer, depuis l'année 1770 jusqu'à 1781* (2 vol. in-12). Au t. I, l'*Anecdote d'un chien sauvage* raconte comment le petit garçon d'un colon, égaré dans les bois, est retrouvé par un chien auquel un sauvage a fait sentir ses souliers et ses bas.

Page 136.

38. *leur montagne :* la montagne du Pouce.

39. *Nous venons* [...] *demander la grâce...* Phrase maladroite, comme le remarque P. Trahard. La formulation correcte serait : « de la Rivière-noire où nous avons demandé la grâce. » La version initiale (V. C.) disait tout simplement, et plus clairement : nous venons dobtenir la grâce...

40. *toute sorte de prospérités.* L'épisode dramatique qui a commencé p. 128 (« Ils remontèrent ensemble... ») et se termine ici n'occupe que quelques lignes de la version initiale de V. C. : mais en retournant Virginie qui dans l'empressement detre utile avoit oublié de se chausser sentit qu'elle ne pouvoit plus marcher, les cailloux des chemins avoient mis en sang ses pieds délicats. paul la mit sur son dos et descendit ainsi chargé la montagne longue en passa à gué la rivière sur des roches glissantes, traversa le vallon qui est a coté de celui i et tous les bois ou il n'y avoit pas une ame. chemin faisant paul dit a sa sœur, sil tavoit refusée je me serois battu avec lui, comment dit virginie tremblante avec cet homme si grand et si mechant, mon frère a quoi vous ai je exposé, mon dieu quil est difficile de faire le bien il ny a que le mal de facile a faire ; en montant le revers de ce vallon ils entendirent crier du haut de la montagne paul, virginie !, ou etes vous mes enfans et ils virent leurs meres, domingue et marie qui accouroient au devant deux, quoi que paul fut tout esouflé et quil grimpa par des sentiers roides au milieu des roches il voulut remettre lui meme dans la case de Mde de la tour sa sœur dont les pieds

saignoient, Virginie dit à sa mere nous venons dobtenir la grace
d'une pauvre esclave à qui jai donner le diner de la maison par ce
qu'elle mouroit de faim, Mde de la tour l'embrassa sans pouvoir dire
un mot et virginie qui sentit son visage mouillé lui dit ma mere vos
larmes me payent de tout ce que jai fait.

Les corrections et additions manuscrites à ce premier jet sont peu
nombreuses. C'est pour l'impression que l'auteur a considérable-
ment développé l'épisode. Toutefois la troisième version de V. C.
(que Mme Veyrenc date de 1785) mentionne déjà le repas de
palmiste et le feu allumé par Paul.

Page 137.

41. *anecdotes malignes.* Voir la lettre XI du *Voyage* (*supra*, Annexe
III).

42. *des hommes.* 1788 : les hommes.

Page 138.

43. *d'attiers. Le Voyage à l'île de France* (1773, t. I,
p. 257, cité par P. Trahard) décrit ainsi cet arbre tropical : « L'attier
dont la fleur triangulaire (est) formée d'une substance solide a un
goût de pistache ; son fruit ressemble à une pomme de pin : quand il
est mûr, il est rempli d'une crème blanche sucrée et d'une odeur de
fleur d'orange. Il est plain de pépins noirs. L'atte est fort agréable,
mais on s'en lasse bien vite. Il échauffe et donne des mots de gorge. »

44. L'*agathis* est un conifère ; le *lilas de Perse* une variété de
seringa ; le *papayer* — selon le *Voyage* (I. p. 229) — une « espèce de
figuier sans branche ».

Page 139.

45. Tous les arbres mentionnés dans ce paragraphe sont décrits
avec précision dans le *Voyage* qui n'omet pas les qualités aphrodisia-
ques prêtées au *jaque.*

46. La trouvaille de l'effet de miroirs est postérieure à V. C.

Page 140.

47. *de poincillades :* « Une espèce de ronce, qui porte des girandoles
de fleurs jaunes et rouges, d'où sortent des aigrettes couleur de feu »
(*Voyage...*, I, p. 221).

48. *un arbre domestique chargé de fruits.* V. C. : un arbre fruitier.

49. *de tatamaques :* arbres exotiques, fournisseurs de résine.

Page 142.

50. Labyrinthe et inscriptions à l'antique transposent à l'île de France l'Elysée de Julie et le parc d'Ermenonville. Les sources des inscriptions sont Horace. *Odes*, I, 2-4 ; Virgile, *Géorgiques,* II, 493 et 467. — Comme le remarque G. Benrekassa, l'opposition entre « divinités champêtres » et « mer agitée », et l'allusion aux Dioscures, protecteurs de la navigation, sont lourdes de sens : « Au sein de l'Elysée de Virginie se trouve figuré en abyme ce qui va réduire à néant ce monde préservé. »

51. 1788 : Un cercle d'orangers et de bananiers plantés en rond autour d'une pelouse.

52. *Les Pleurs essuyés.* V. C. : la confidence du cœur.

Page 143.

53. *Foullepointe* : village de la côte est de Madagascar, au nord de Tamatave. Petite inadvertance de l'auteur ? Domingue nous a été précédemment présenté comme originaire du Sénégal.

Page 145.

54. Si toute cette flore et ces oiseaux viennent du *Voyage*, le romancier n'a pas immédiatement recréé la « pompe magnifique et sauvage » de ce décor, beaucoup moins luxuriant — et surtout moins coloré — dans V. C. On retrouvera plus loin « l'oiseau blanc des tropiques » sous son nom usuel de « paille-en-cul » que le *Voyage* juge peu convenable à sa beauté (note 126).

Page 146.

55. *Virginie serait mieux là.* V. C. ajoute : elle lecoutoit avec la plus grande attention et on la voyoit se troubler detre lobjet secret de toutes ses démarches.

Page 147.

56. *une Intelligence infinie, toute-puissante, et amie des hommes.* V. C. : un pouvoir inconnu, qui embrasse tout.

Page 149.

57. *cabots :* le cabot est aussi appelé mulet. Les *chevrettes* sont des crustacés qui comprennent les crevettes.

58. *d'un veloutier.* Arbuste décrit dans le *Voyage* (I, p. 109) : « Le veloutier croît sur le sable, le long de la mer. Ses branches sont garnies d'un duvet semblable à du velours. Ses feuilles sont semées

de poils brillants. Il porte des grappes de fleurs. Cet arbrisseau exhale dans l'éloignement une odeur agréable qui se perd lorsqu'on en approche, et de très près est rebutante »

Page 150.

59. Est-ce à Diderot que Bernardin emprunte cette idée? Un ethnologue d'aujourd'hui admettrait difficilement que le langage du corps ne soit pas, comme celui des mots, un fait culturel.

Page 151.

60. Du manuscrit à l'imprimé ce passage a gagné en unité : l'auteur a choisi d'en accentuer la tonalité biblique, initialement plus discrète, et d'en éliminer des éléments hétérogènes, comme le geste de Paul, mimant la défense de Virginie contre un ennemi imaginaire ou la poursuivant dans la plaine.

L'épisode de Raguel, prince madianite, accordant en mariage à Moïse sa fille Séphora vient de l'*Exode.* Celui de Booz et de Ruth *(Ruth),* n'a pas attendu Victor Hugo pour inspirer les poètes. Chantant la vie rustique et l'âge d'or, une élégie d'André Chénier évoque

« L'épouse de Booz, chaste et belle indigente,

Qui suit d'un pas tremblant la moisson opulente » (*Œuvres complètes,* édit. P. Dimoff, 1953, t. III, p. 150).

Page 152.

61. Détail noté dans le *Voyage* (II, p. 21).

Page 153.

62. *de manioc :* le manioc servait à la nourriture des esclaves noirs.

Page 154.

63. *tant de lumières et de plaisirs.* V. C. dit seulement : tant de plaisirs. Toute la page qui suit a été très remaniée, et le passage qui va de *Paul et Virginie* à *la volonté de Dieu* n'a rien qui lui corresponde dans le manuscrit.

Page 155.

64. *Quelquefois seul avec elle...* L'auteur a hésité sur la place où situer ce duo lyrique. On le trouve en deux endroits dans V. C. : d'abord dans le récit de la première enfance (ci-dessus p. 122, après *un cœur plein de l'amour de leurs parents*), où il était manifestement prématuré ; puis au début de l'évocation des travaux et des jours (ci-

dessus, p. 146, après *Virginie serait mieux là*). Il est mieux placé au terme de ce développement, quand le « mal inconnu » qui trouble Virginie marque pour elle le passage de l'enfance à l'adolescence. A ce tournant du récit la nature va ajouter, par ses intempéries, au malaise des deux jeunes gens · c'en est fini de l'Eden et de l'innocence.

Page 157.

65. *Comme te voilà fatigué ! tu es tout en nage.* **V. C.** donne initialement : comme te voilà couvert de sueur. Les trois derniers mots ont été ultérieurement biffés dans le manuscrit et remplacés par : fatigué. Puis le texte imprimé a ajouté : tu es tout en nage.

Page 159.

66. *Le cafre même :* les Cafres vivent sur la côte orientale de l'Afrique.

Page 160.

67. *Pour exercer la vertu.* La phrase qui se termine sur ces mots manque dans **V. C.** où la morale de Mme de la Tour est moins sentencieuse.

Page 161.

68. Toute cette description de l'ouragan, comme celle de l'été torride de décembre, vient directement du *Voyage* (I., p. 165-166).

69. *Le premier désir* [...] *de la case.* **V. C.** : le 1er soin de Virginie fut d'aller voir sa grotte et Paul l'y accompagna.

Page 162.

70. *qui ne change point.* L'auteur avait d'abord prêté à Virginie une naïveté qui risquait de faire sourire à ses dépens. **V. C.** ajoute en effet (phrase biffée dans le manuscrit) : après un si grand vent pas une étoille nest tombée.

71. *l'ermite Paul :* saint Paul de Thèbes, qui se retira au désert en 250, âgé de vingt-deux ans et y vécut jusqu'à cent treize ans ; il est le premier des anachorètes. Dans **V. C.** Paul lui ressemble « par hasard ». Le rationalisme de Bernardin s'est ensuite préoccupé d'expliquer cette ressemblance ; la psycho-physiologie de son temps, inspirée de Malebranche, lui a fourni cette explication, absente du texte original.

Page 163.

72. *depuis quinze ans.* V. C. et 1788 : depuis quatorze ans.

73. *une pacotille* : au sens propre, petit paquet (effets personnels et marchandises) qui est le bagage individuel, libre de droits, des passagers et des hommes d'équipage.

Page 164.

74. *cinquante et cent pour un.* Paul s'exprime, sans le savoir, en disciple des physiocrates.

Page 166.

75. *Elle parut.* 1788, etc. : elle fut.

Page 170.

76. *un ecclésiastique.* V. C. lui donne un nom : mr ignou.

Page 171.

77. *on se déterminait.* 1788, etc. : on se déterminerait.

Page 172.

78. *Le basin,* étoffe de fil et coton, vient du sud du Dekkan, où est situé la ville de Goudelour. *Paliacate* : ville de la côte de Cormandel. *Mazulipatan* : port de la province de Madras. *Dacca* : ancienne capitale du Bengale. *Des mousselines* : toile de coton très fine. *Des baftas* : grosses toiles de coton blanc. *Surate* : comptoir français de la Compagnie des Indes, dans la province de Bombay. *Des chittes* : étoffes de coton imprimées. *Des lampas* : soieries à grands dessins, ou toiles peintes. *Des taffetas* : tissus légers qui ressemblent aux *pékins,* étoffes de soie peintes. *Des nankins* : tissus de coton à grands dessins ou toiles peintes.

bon pour des meubles : ces riches étoffes contrastent avec l'extrême simplicité du mobilier des deux cabanes (voir par exemple p. 168). Peut-être faut-il comprendre « bon pour l'ornement » : *meuble* signifiait en effet, dans l'acception la plus large, tout ce qui sert à orner et garnir une maison (exemple : un « meuble de tapisscrie »).

79. Costume populaire.

Page 174.

80. *Tous [...] bruisssaient sous l'herbe.* Des oiseaux sous l'herbe ? P. Trahard donne judicieusement, d'après V. C., la clé de cette phrase inintelligible que reproduisent toutes les éditions. Ce membre de phrase est une addition manuscrite à *qui se caressaient dans leur nid.* P. Trahard lit *bruissant,* Mme Veyrenc *bruissaient* — ce qui suppose

l'omission d'un *qui*. Mais le seul sens possible est bien celui-ci :
« tous, jusqu'aux insectes bruissant sous l'herbe, réjouis par [...] »

Page 175.

81. *Vous nous quittez.* V. C. : vous quittés la mere la plus tendre.
Le texte définitif apparaît dans le manuscrit dès la révision 2.

Page 176.

82. *d'autres pays [...] ceux de mes travaux.* V. C. : dautres ombrages
que celui de ces bois, dautres plaisirs que mes caresses.

Page 177.

83. *si vous nous quittez.* V. C. : si tu nous quitte.

Page 179.

84. *la croix du sud :* constellation de l'hémisphère austral, composée de onze étoiles.

Page 180.

85. *le Pouce :* le Pouce domine au sud-est la baie du Port-Louis de
ses 850 mètres.

86. *au milieu de l'océan.* 1788 : au milieu du vaste océan.

Page 182.

87. *Il disait à ses chèvres [...] abondamment.* Dans V. C. ce passage est
réduit à trois lignes : il disoit à ses chevres favorites que me
demandés vous elle ne vous donera plus a manger. tout ce qui avoit
été a son usage fut par lui recueilli avec le plus grand soin.

Page 183.

88. *Télémaque.* Le roman de Fénelon, qui connut au XVIIIᵉ siècle
une fortune extraordinaire, était une des lectures préférées de
Bernardin. Après s'être épris de la nymphe Eucharis, non sans
susciter la jalousie de Calypso (livre VI), Télémaque conçoit une
tendre inclination pour la sage Antiope, fille d'Idomérée (livre
XVII).

Page 184.

89. *plus d'un an et demi.* 1788 : près de deux ans s'étaient écoulés.

90. *son aimable et indulgente fille.* V. C. : cette aimable demoiselle.

91. *presque mot pour mot.* Avec plus de vraisemblance, mais moins
d'intérêt romanesque, V. C. se borne à résumer la lettre de Virginie.
La version manuscrite ignore le post-scriptum et la petite bourse qui
l'accompagne.

Page 186.

92. *c'est sous.* 1788 : et c'est sous.

Page 188.

93 *le chien de la maison.* 1788 : le chien même de la maison.

Page 191.

94. *dans l'espace de six mois.* 1788 : dans l'espace d'un an.

95. *sans femme, sans enfants, et sans esclaves.* Comme on l'a vu (*supra,* note 16) l'auteur a choisi à la réflexion de transformer le vieillard qui était d'abord un père de famille, en solitaire. Le long passage qui commence à *je demeure* et se termine avec *d'une jeune et pauvre fille* (p. 198) manque complètement dans V. C.

S'il se situe dans la tradition antique de la retraite du sage, cet éloge de la solitude est surtout d'accent rousseauiste, autant par son orgueil amer que par l'attention portée aux « harmonies actuelles de la nature ». Plusieurs textes de Bernardin, notamment son *Essai sur J.-J. Rousseau* revendiquent du reste cette filiation. Mais on est loin ici du témoignage de Jean-Jacques le plus original et le plus intime, la plénitude existentielle de l'île Saint-Pierre.

Page 195.

96. Ces diverses essences de bois sont décrites avec précision dans le *Voyage,* tant pour leurs caractères propres que pour leur utilité. Ici Bernardin se borne à l'effet poétique d'étrangeté. Il évite judicieusement de rappeler la fadeur du fruit de *l'arbre de pomme,* appelé « pomme de singe », la seule parenté du *bois d'olive* avec l'olivier, qui est la forme de sa feuille, la ressemblance du *bois de cannelle* avec le noyer et l'intérêt qu'il présente pour la menuiserie. A plus forte raison choisit-il de taire son « odeur d'excrément », seul point commun — notait le *Voyage* (I, p. 114) — avec la fleur du cannelier.

97. *s'enlaçant d'un arbre à l'autre.* 1788 : s'élançant...

Page 196.

98. *la rivière :* Sans doute la rivière dite des Calebasses.

Page 197.

99. *une papaye :* fruit du papayer, de la grosseur d'un melon et à la saveur douce.

100. *deux ans après.* 1788 : trois ans après.

101. *d'une vieillesse.* 1788. d'une décadence.

Page 198.

102. *il vous sera aisé de faire la différence.* L'auteur aurait pu faire l'économie de cet avertissement, puisqu'à la différence de V. C. le texte imprimé désigne de réplique en réplique les interlocuteurs.

103. *depuis deux ans et deux mois; et depuis huit mois et demi.* V. C. : depuis 4 ans et depuis 2 ans passés — 1788 : depuis trois ans et demi, et depuis un an et demi.

Page 199.

104. *à présent.* V.C. est plus précis : depuis louis quatorze. Le manuscrit porte même une addition, où le mot *surtout* a été biffé : et surtout le regent.

105. *tout est devenu vénal* [...] *le partage des Corps.* La première critique ne vise pas la corruption, réelle ou supposée, des mœurs, mais l'institution même de la vénalité des charges, objet de grands débats au XVIIIe siècle. La seconde est peut-être plus radicale. Toute la société d'Ancien Régime est en effet un assemblage de « corps » — depuis la plus humble communauté villageoise, les communautés de métiers, les « corps de ville », etc., jusqu'aux Parlements — et non d'individus. L'individu qui n'a pas sa place définie dans un corps est un déclassé, un marginal, sinon un hors-la-loi. A la fin du siècle — on sait la tentative de Turgot pour abolir les corporations — ce type d'organisation sociale conserve aux yeux de beaucoup l'avantage d'une stabilité qui assure à chacun protection, solidarité et privilèges (chaque corps a les siens) ; mais il est de plus en plus souvent dénoncé comme un obstacle à l'épanouissement des talents, un frein aux initiatives économiques et au progrès. Cette conviction inspirera les premières mesures révolutionnaires et la constitution de 1791, de même que la loi Le Chapelier : l'attachement de Bernardin de Saint-Pierre à la Révolution est donc en germe dans les propos du vieillard.

Page 202.

106. *et le genre humain votre Corps.* Individualisme et universalisme vont de pair. Le premier jet de ce passage était toutefois plus politique. V. C. : le roi doit être votre protecteur et la nation votre corps.

L'intention politique était encore plus précise dans la première version de la phrase suivante, construite sur l'opposition entre *corps* et *nation*, et où les *peuples* n'étaient pas en cause : les corps ont des passions, une nation ne veut au dedans que la justice, lordre.

107. *pieux.* Le mot remplace dans le texte imprimé l'adjectif *religieux* qui est lui-même, dans V. C., une addition au texte de base.

Page 204.

108. *l'humanité.* Ce mot manque dans V. C.

109. Toute cette phrase qui souligne l'actualité du mal manque dans V. C.

110. *brûlé vif par les Crotonistes.* Pure légende : Pythagore mourut probablement à Métaponte vers la fin du VIe ou le début du Ve siècle avant J.-C.

Page 207.

111. « *Oh! mon ami.* 1788 : « Oui, mon ami.

Page 209.

112. *de la multitude et de l'égalité des sujets.* Le mot *égalité* manque dans V. C., mais Bernardin n'innove pas en l'introduisant dans les propos du vieillard : à l'idée classique — et abondamment reprise au XVIIIe siècle — que la population est la première force d'un Etat les Philosophes avaient depuis longtemps ajouté que ce fondement de la prospérité publique est menacé par une trop grande inégalité des richesses.

Page 210.

113. *plus estimé qu'un paysan.* L'apologie du laboureur est également un lieu commun des Lumières : voir, par exemple, l'article *Laboureur* de l'*Encyclopédie*. Mais celle-ci ambitionnait de réhabiliter en général les « arts mécaniques », et elle n'opposait pas le paysan à l'artisan. Notons que cette opposition n'apparaît pas non plus dans V. C.

Page 212.

114. *nous aurons beaucoup de noirs qui travailleront pour vous.* V. C. : au moin mon pere vous ne travailles plus.

Page 215.

115. *quel front ne se déride.* 1788 : quel front ne se déride pas.

116. *le 24 décembre 1744.* 1788 : c'était le 24 décembre 1752. L'auteur a hésité sur la date précise de l'événement. V. C. remplace d'abord la mention vague *un matin,* biffée, par : le 23 décembre 1752. Un peu plus bas le même feuillet dit : le 19 décembre 1752. La date définitivement retenue en 1806 apparaît en 1789 (voir *Supra* note 7, p. 111).

Toutes les versions situent cependant le naufrage du *Saint-Géran* en décembre, alors qu'il s'était produit le 17 août : à l'île de France

la saison des cyclones va en effet de novembre à avril — comme
Virginie l'indique dans sa lettre — et Bernardin avait assisté, de la
terre, à une tempête — décrite dans le *Voyage* — dans la nuit du 23
au 24 décembre 1768. Ne voyons pas d'intention particulière dans le
choix de faire mourir Virginie le jour de Noël ; l'auteur ne souligne à
aucun moment la coïncidence.

117. *la montagne de la Découverte.* Voir *supra*, note 3, p. 109.

118. *M. Aubin.* En réalité Gabriel-Richard de la Marre (ou
Delamare).

Page 216.

119. *Maîtresse.* 1788 : Maîtres.

Page 217.

120. *bois de ronde :* « Le bois de ronde est un petit bois dur et tortu.
Il jette en brûlant une flamme vive. On s'en sert pour faire des
flambeaux ; il passe pour incorruptible » (*Voyage...*, I, p. 114).

121. *la Poudre-d'or :* au nord-est de l'île, à une douzaine de
kilomètres du Port-Louis — L'*île d'Ambre* n'est qu'un rocher, à un
kilomètre de la côte.

Page 219.

122. *le coin de Mire :* récif situé au nord de l'île, en face du cap
Malheureux.

Page 220.

123. *c'était le gouverneur...* En réalité le naufrage, survenu dans la
nuit du 17 au 18 août n'eut aucun témoin. Les circonstances de la
catastrophe sont connues aujourd'hui avec précision par la déposition de trois des neufs survivants (voir Henri d'Alméras, *Paul et
Virginie de Bernardin de Saint-Pierre. Histoire d'un roman.* Paris, Malfère,
1937, ch. III). Il est probable que Bernardin a ignoré l'existence de
ce récit. V. C. situe l'arrivée du gouverneur « sur les huit heures du
matin ».

124. *Vive le Roi !* Bernardin transforme en manifestation de
loyalisme monarchique une scène de dévotion : en réalité, avant la
bénédiction générale donnée par l'aumônier, l'équipage avait
entonné l'*Ave maris stella* et le *Salve Regina*. L'auteur invente-t-il de
toutes pièces ce détail, ou se fait-il l'écho d'une tradition orale ?

Page 221.

125. La *rivière du Rempart* coule au nord du *quartier de Flacque*, dans
la partie orientale de l'île.

126. *L'air retentissait...* V. C. place ce détail annonciateur de l'ouragan un peu plus haut dans le récit, « au petit point du jour ».

Le *paille-en-cul* est un palmipède dont la queue porte deux plumes raides. La *frégate* se caractérise par ses ailes immenses.

Le *coupeur d'eau*, dont le bec rouge et noir a la partie supérieure plus petite que la partie inférieure, pêche en rasant l'eau.

127. *Vers les neuf heures du matin.* V. C. : sur les dix heures.

Page 222.

128. Sur ces mots techniques voir, au t. II du *Voyage*, l'*Explication de quelques termes de marine.*

Page 223.

129. *La mer, soulevée par le vent* [...] *de la mer.* V. C. : la mer soulevée par le vent grossissoit a chaque instant et entre lisle dambre et la cote tout le canal netoit quune nape decume dont le vent soulevant la surface la portoit comme une neige abondante sur le rivage et les bois et les vallons.

130. *tous les objets de la terre, de la mer, et des cieux.* V. C. : tous les objets de cet afreux tableau.

131. *ansière :* c'est le mot que donnent toutes les éditions publiées du vivant de l'auteur. P. Trahard (voir Bibliographie) l'avait remplacé par *aussière* (ou *haussière :* cordage) sous prétexte que l'*ansière* est un filet de pêche. Mais les éditions plus récentes d'É. Guitton et de J.-M. Racault rétablissent le terme primitif : *ansière* désigne en effet aussi, dans un sens méconnu par Littré, le cable de la plus petite ancre.

132. *une demi-encablure :* environ 100 mètres. Bernardin a voulu accentuer l'effet dramatique de proximité, devant des témoins impuissants. V. C. disait en effet : une encablure.

Page 225.

133. *Vers les cieux.* Dans tout ce récit la fiction contamine au moins trois faits rapportés par les survivants — mais dont nous ignorons, il est vrai, quelle version orale, déjà plus ou moins déformante, parvint à Bernardin — : la mort d'une passagère, Mlle Caillou, aux côtés d'un jeune officier, l'enseigne Longchamps de Montendre, qui ne réussit pas à la convaincre de se jeter à la mer avec lui, du gaillard d'avant (et non de la poupe...) ; la présence à la poupe d'un autre couple, Mlle Mallet et M. de Péramont « qui ne l'abandonnait pas » ; enfin le refus du capitaine Delamare de se défaire de sa veste

et sa culotte, refus motivé, selon le patron de chaloupe Edme Caret, par l'affirmation « qu'il ne conviendrait pas à la décence de son état d'arriver à terre tout nu, et qu'il avait dans la poche des papiers qu'il ne devait pas quitter » (extrait de la déposition d'Edme Caret). La première étude des procès-verbaux conservés au greffe de la cour d'appel de l'île Maurice — autrefois île Bourbon, dont dépendait l'île de France — est due à Georges Azéma, *Histoire de l'île Bourbon depuis 1643 jusqu'au 20 décembre 1848,* Paris, 1862. De la « décence » du capitaine, attentif à conserver la dignité de « son état », à la « pudeur » de Virginie il y a plus qu'une nuance...

Page 226.

134. *Elle était à moitié* [...] *fermée et roidie.* V. C. : un des premiers objets que nous vimes fut virginie a moitié couverte de sable dans lattitude ou nous lavion vu perir, ses traits netoient point altérés, la serenité etoit sur son visage, seulement sur ses joues siège de la pudeur les violettes de la mort, la main quelle portoit sur son cœur fortement fermée et roidie. — Dans la réalité on n'avait pas retrouvé le corps de la malheureuse Marie Caillou.

Page 230.

135. *On l'enterra près de l'église...* Ce tombeau a existé : non, bien sûr, en 1744, mais au milieu du XIXe siècle, où un propriétaire entreprenant le fit construire à l'intention des touristes, bientôt suivi de celui de Paul... L'un et l'autre disparurent en 1869, pour laisser passer une ligne de chemin de fer.

Page 231.

136. *à Domingue.* V. C. lui prête une « douleur stupide ».

Page 233.

137. *du quartier de Williams :* au centre de l'île, dans sa partie la plus fertile.

138. *dans cette partie de l'île.* 1788 : dans cette île.

Page 234.

139. *la fatigue de son corps.* La version imprimée modifie sensiblement le manuscrit, et supprime une thérapeutique encore plus matérialiste. V. C. : je faisois servir sur lherbe les mets qui pouvoient lui plaire et de vieux vin pour ranimer ses forces.

Page 239.

140. *du bonheur et de la gloire.* Cette phrase, et l'idée d'épreuve, manquent dans V. C.

Page 240.

141. *l'innocence avec la tyrannie.* V. C. : le vice avec la vertu.

142. *si du séjour des anges.* V. C. : si du séjour céleste — Suivi d'un développement philosophique que supprime le texte imprimé.

Page 241.

143. *ces jours de bonheur* [...] *la volupté des cieux.* V. C. : ces jours dinocence ou au lever du soleil, nous goutions la volupte repandue autour de nous et se levant dans les cieux avec laurore.

Page 243.

144. *aussitôt.* 1788, etc. : mais.

Page 244.

145. *a bien le pouvoir.* 1788 : trouve bien le moyen.

Page 245.

146. *Pour le pauvre Fidèle.* Oublié dans V. C. — La version imprimée incite le lecteur à avoir pour lui aussi une dernière pensée... mais sans aller jusqu'à l'enterrer, avec Marie et Domingue, auprès de ses maîtres.

147. *elle m'en parlait chaque jour.* V. C. : elle men parle encore — En se relisant Bernardin a choisi de faire mourir également Mme de la Tour.

Page 247.

148. *Leurs tendres mères et leurs fidèles serviteurs.* V. C. : son ami et sa mère.

149. *Le Cap Malheureux* [...] *La Baie du Tombeau.* En réalité ces noms ne doivent rien au naufrage du *Saint-Géran.*

ANNEXES

Page 251.

150. *Avant-Propos.* Editions de 1788, 1789 et 1800.

Page 252.

151. *une belle dame* [...] *qui en vivaient loin :* Mme Necker, à laquelle Bernardin avait été présenté par sa sœur, Mlle Germany. Autour des Necker et des Germany — deux banquiers, « hommes graves » — les habitués du salon étaient Buffon, Thomas, Marmontel, Delille, etc. Versèrent-ils des larmes ? C'est plus que douteux. La tradition prête à Mme Necker, à propos de la conversation du

Vieillard, l'expression de « seau d'eau à la glace ». Mais le succès extraordinaire du livre dans le public fit vite oublier à l'auteur cette déception.

Page 253.

152. *Avis sur cette édition.* La première édition séparée, 1789.

Page 254.

153. *M. Vernet :* Joseph Vernet (1714-1789), le célèbre peintre de marines et de tempêtes qui enthousiasmait Diderot. C'est lui qui, après l'échec de la lecture de *Paul et Virginie* devant les hôtes de Mme Necker, aurait dissuadé Bernardin de détruire son manuscrit.

Page 264.

154. *Clarisse :* Clarissa Harlowe, la pathétique héroïne du roman de Richardson (1748), traduit par l'abbé Prévost, puis par Le Tourneur, en 1785.

Page 265.

155. *l'épouse de M. de Bonneuil :* cette riche Créole de l'île de Bourbon est la *Camille* d'André Chénier.

156. *Faire un drame de Paul et Virginie.* On connaît (pour les XVIIIᵉ et XIXᵉ siècles, une dizaine d'adaptations scéniques du roman. Une comédie en trois actes, en prose, mêlée d'ariettes — texte de Favières, musique de Kreutzer —, représentée en janvier 1791 par 'es Comédiens-Italiens, donne à l'action un dénouement heureux . Paul sauve Virginie de la noyade. Même parti pris optimiste trois ans plus tard dans un drame lyrique de Lesueur, paroles de Dubreuil : capturée par des sauvages, Virginie réussit, par sa beauté et sa douceur, à les apprivoiser.

Page 267.

157. *un public déjà disposé à rompre leurs fers :* dès 1788 Brissot avait fondé la Société des Amis des Noirs. Mais en 1793 les colons de l'île de France refuseront d'appliquer les décrets de la Convention sur l'émancipation des Noirs.

Page 268.

158. *Une autre demoiselle du même pays :* s'agit-il de Helen Maria Williams, également auteur de *Letters on the French Revolution,* dont la traduction de *Paul et Virginie* paraîtra à Londres en 1795 ? Six années d'écart, c'est cependant beaucoup pour une publication attendue en 1789 « incessamment ».

Page 269

159. *Voyage à l'Isle de France, à l'Isle de Bourbon, au Cap de Bonne Espérance etc.*, avec des observations nouvelles sur la nature et sur les hommes, par un officier du Roi, Neuchâtel, Société Typographique, 1773.

Nous reproduisons les lettres XI, XII et XVII, ainsi que le *Post-scriptum*, d'après l'édition publiée la même année chez Merlin, à Amsterdam, en 2 vol. in-8°.

Page 284.

160. le *Code Noir.* On peut en lire une analyse succincte dans l'article *Esclave. Jurisp.*, de l'*Encyclopédie.* Ainsi : « chaque esclave doit avoir par an deux habits de toile ou quatre aunes de toile au gré du maître ». Celui-ci leur doit « pour leur nourriture, deux pots et demi, mesure de pays, de farine de manioc, ou trois cassaves [galettes de manioc] pesant deux livres et demie chacune au moins, avec deux livres de bœuf salé, ou trois livres de poisson, ou autres choses à proportion... ». Quant à l'interdiction du travail dominical, elle n'était pas d'inspiration humanitaire, mais religieuse : en France également le travail du dimanche était interdit, et l'*Encyclopédie* avait protesté contre cette interdiction, en alléguant des raisons à la fois philanthropiques et économiques (art. *Dimanche*). Le Code Noir mettait aussi à la charge des maîtres l'entretien des esclaves « infirmes par vieillesse, maladie, ou autrement ». Si l'on en croit Bernardin — et il faut l'en croire — il y avait parfois loin du droit au fait.

Page 291.

161. Bernardin fait-il allusion au chapitre XIX de *Candide* et à l'épisode du nègre « marron » de Surinam ? C'est méconnaître le vrai sens de l'humour voltairien. Mais il est vrai que les plus grands philosophes du XVIIIe siècle, s'ils ont condamné le principe de l'esclavage, n'en ont pas pour autant réclamé l'abolition : voir, par exemple, le livre XV de *L'Esprit des Lois*, particulièrement embarrassé.

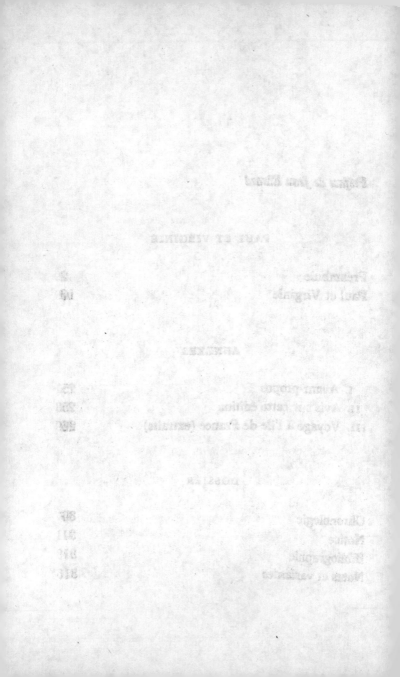

Préface de Jean Giraud

PAUL ET VIRGINIE

COLLECTION FOLIO

Impression Bussière
à Saint-Amand (Cher),
le 28 mai 2007.
Dépôt légal : mai 2007.
1er dépôt légal dans la collection : mai 2004.
Numéro d'imprimeur : 072008/1.
ISBN 978-2-07-031624-3./Imprimé en France.